# FABLES
## DE
## LA FONTAINE

# JEAN DE LA FONTAINE

# FABLES

*Chronologie et introduction*
*par*
Antoine Adam
professeur à la Sorbonne

GARNIER-FLAMMARION

# CHRONOLOGIE

**8 juillet 1621.** — Baptême en l'église St-Crépin, de Château-Thierry, de Jean de La Fontaine, fils de Charles de La Fontaine et de Françoise Pidoux.

**26 septembre 1623.** — Baptême de Claude, frère de Jean de La Fontaine.

**27 avril 1641.** — La Fontaine est admis à l'Oratoire.

**28 octobre 1641.** — La Fontaine reçoit l'ordre de se rendre à la maison de St-Magloire « pour y étudier la théologie, à quoi il doit être convié et pressé ». Vers octobre 1642, La Fontaine quitte l'Oratoire. Il rentre à Château-Thierry.

**1645-1647.** — La Fontaine fait ses études de droit à Paris. Il appartient à un groupe de jeunes gens occupés de poésie : Pellisson, Maucroix, Furetière, Charpentier, Cassandre. Il fait la connaissance de Patru, de Perrot d'Ablancourt, de Tallemant. Il est introduit auprès de Chapelain et de Conrart.

**10 novembre 1647.** — Contrat de mariage entre La Fontaine et Marie Héricart, fille du lieutenant civil et criminel au bailliage de La Ferté-Milon, âgée de quatorze ans. Le mariage est célébré dans les jours qui suivent, peut-être le lendemain.
A la fin de ses études de droit, La Fontaine est inscrit avocat en la cour du Parlement de Paris.

**20 mars 1652.** — La Fontaine est reçu maître particulier triennal des Eaux et Forêts.

**30 octobre 1653.** — Baptême de Charles, fils de La Fontaine.

**17 août 1654.** — Achevé d'imprimer de l'*Eunuque, comédie*, première œuvre de La Fontaine.

**1657.** — La Fontaine écrit des vers pour Foucquet.

**Mars ou avril 1658.** — Mort de Charles de La Fontaine, père du poète. La Fontaine hérite de lui ses charges de capitaine des chasses et maître particulier ancien des Eaux et Forêts du duché de Château-Thierry.

**1658.** — La Fontaine offre à Foucquet le poème d'*Adonis*.

**1659 ou 1660.** — La Fontaine écrit *les Rieurs du Beau-Richard*. Ils sont joués à Château-Thierry.

**1659-1661.** — La Fontaine est pensionné par Foucquet. Il se lie avec Brienne et Charles Perrault. Il travaille au *Songe de Vaux*.

**17 août 1661.** — La Fontaine assiste aux fêtes de Vaux.

**5 septembre 1661.** — Foucquet est arrêté à Nantes.

**Mars 1662.** — Impression clandestine de l'élégie *Aux Nymphes de Vaux*.

**Janvier 1663.** — La Fontaine écrit une *Ode au Roi* et demande son indulgence pour Foucquet malheureux.

**Août 1663.** — La Fontaine accompagne en Limousin son oncle Jannart exilé.

**14 janvier 1664.** — La Fontaine prend un privilège pour des *Nouvelles en vers tirées de Boccace et de l'Arioste*.

**8 juillet 1664.** — La Fontaine reçoit un brevet de gentil-homme servant de la duchesse douairière d'Orléans.

**10 décembre 1664.** — Achevé d'imprimer des *Nouvelles en vers tirées de Boccace et de l'Arioste* (deux contes).

**10 janvier 1665.** — *Les Contes et Nouvelles en vers* sont achevés d'imprimer chez Barbin (dix contes).

**30 juin 1665.** — Achevé d'imprimer du tome I de *Saint Augustin, la Cité de Dieu*, de L. Giry, où la traduction en vers français des citations poétiques est l'œuvre de La Fontaine. Le tome II paraît le 18 février 1667 et contient également quelques vers traduits par La Fontaine.

**21 janvier 1666.** — Achevé d'imprimer de la deuxième partie des *Contes et Nouvelles en vers*, chez Billaine.

**1667.** — Le *Recueil de Discours libres et moraux*, sous la rubrique de Cologne, contient trois contes inédits de La Fontaine.

**31 mars 1668.** — Achevé d'imprimer des *Fables choisies mises en vers*, chez Barbin.

**31 janvier 1669.** — Achevé d'imprimer des *Amours de Psyché et de Cupidon* chez Barbin. Le volume contient également *Adonis*, jusqu'alors inédit.

**20 décembre 1670.** — Achevé d'imprimer du *Recueil de poésies chrétiennes et diverses*, trois volumes, à l'établissement duquel La Fontaine a collaboré.

**21 janvier 1671.** — La Fontaine cesse d'être maître des Eaux et Forêts.

**27 janvier 1671.** — Achevé d'imprimer des *Contes et Nouvelles en vers*, IIIe partie, chez Barbin.

**12 mars 1671.** — Achevé d'imprimer des *Fables nouvelles et autres poésies*, chez Barbin (huit fables inédites).

**3 février 1672.** — Mort de la duchesse douairière d'Orléans. La Fontaine perd la situation qu'il occupait auprès d'elle.

**1673.** — La Fontaine est recueilli par Mme de La Sablière et logé chez elle, dans son hôtel de la rue Neuve-des-Petits-Champs.

**1673.** — La Fontaine publie le *Poème de la captivité de Saint Malc*, chez Barbin.

**Mai-août 1674.** — La Fontaine travaille au livret de *Daphné*, opéra dont Lulli doit faire la musique.

**1674.** — Impression des *Nouveaux Contes de M. de La Fontaine*, sans privilège.

**5 avril 1675.** — Interdiction des *Nouveaux Contes*.

**2 janvier 1676.** — La Fontaine vend sa maison natale de Château-Thierry.

**29 juillet 1677.** — La Fontaine prend un privilège pour une nouvelle édition des *Fables*.

**3 mai 1678.** — Achevé d'imprimer des deux premiers volumes de la nouvelle édition. Ils correspondent aux *Fables* de 1668. Le troisième volume contient des fables non publiées en 1668 (livres VII et VIII des éditions actuelles).

**15 juin 1679.** — Achevé d'imprimer du quatrième volume de la nouvelle édition des *Fables* (livres IX-XI actuels).

**1680.** — La Fontaine suit Mme de La Sablière qui s'en va habiter rue St-Honoré. Elle le loge dans une petite maison voisine de la sienne.

**24 janvier 1682.** — Achevé d'imprimer du *Poème du Quinquina et autres ouvrages en vers.*

**6 mai 1683.** — La Comédie-Française joue *le Rendez-vous,* comédie de La Fontaine.

**15 novembre 1683.** — Malgré les partisans de Boileau, La Fontaine obtient la pluralité des voix à l'Académie française, pour le fauteuil de Colbert.

**16 novembre 1683.** — Le roi rejette la « proposition » de l'Académie.

**17 avril 1684.** — Boileau est élu de l'Académie française.

**24 avril 1684.** — L'Académie élit La Fontaine, au fauteuil de Bazin de Bezons, et sa proposition est agréée.

**2 mai 1684.** — Séance de réception de La Fontaine à l'Académie.

**28 juillet 1685.** — Achevé d'imprimer des *Ouvrages de prose et de poésie des sieurs de Maucroix et de La Fontaine.* Le tome I contient dix fables nouvelles, cinq contes nouveaux et des poésies diverses.

**Mars 1688.** — Mme de La Sablière loue son hôtel de la rue St-Honoré et se retire aux Incurables. Elle garde sa petite maison pour le peu de gens qu'elle a. La Fontaine est l'un d'eux.

**1688-1689.** — La Fontaine devient l'un des familiers des Vendômes et du prince de Conti.

**1690-1691.** — Le *Mercure galant* publie trois fables de La Fontaine.

**28 novembre 1691.** — Représentation, à l'Opéra, d'*Astrée, tragédie lyrique,* de La Fontaine.

**21 octobre 1692.** — Achevé d'imprimer d'une nouvelle édition des *Fables* déjà publiées en 1668 et 1678-1679.

**Décembre 1692.** — La Fontaine malade fait une confession générale.

**6 janvier 1693.** — Mort de Mme de La Sablière.

**12 février 1693.** — La Fontaine malade fait amende honorable de ses *Contes* et en demande pardon à Dieu, à l'Église, à l'abbé Poujet et à l'Académie.

**Printemps 1693.** — La Fontaine est recueilli par M. d'Hervart, qui l'aimait beaucoup.

1<sup>er</sup> **juin 1693.** — Achevé d'imprimer d'un recueil procuré par le P. Bouhours, où figure une fable nouvelle de La Fontaine.

1<sup>er</sup> **septembre 1693.** — Achevé d'imprimer des *Fables choisies, par M. de La Fontaine* (livre XII des éditions actuelles). Dix de ces fables étaient inédites.

**9 février 1695.** — La Fontaine a une défaillance dans la rue.

**13 avril 1695.** — Mort de La Fontaine chez les d'Hervart, rue Plâtrière. Il est inhumé le lendemain, au cimetière des Saints-Innocents.

# INTRODUCTION

Lorsque nous abordons la lecture des *Fables* de La Fontaine, ou plutôt lorsque nous y revenons après avoir terminé nos premières études, notre souci doit être d'abord d'oublier ce que nous avons appris sur elles à l'école ou dans nos années de collège, de nous débarrasser de nos impressions de début, d'envisager l'œuvre avec un regard neuf, non plus telle que deux siècles et demi de pédagogie scolaire nous ont habitués à la voir, mais telle que La Fontaine lui-même l'a conçue, telle que son génie l'a réalisée.

Il semble qu'il ait songé à écrire des fables en 1667 seulement. Il avait alors quarante-cinq ans, et derrière lui un long passé déjà d'écrivain et de poète. Il venait notamment d'écrire un certain nombre de *Contes*. Ils avaient reçu un accueil flatteur. Il était assez naturel qu'il songeât à offrir au Dauphin, qui avait alors atteint ses sept ans et qui allait commencer ses études, une adaptation en vers des fables les plus connues de l'Antiquité.

Les fables de Phèdre notamment étaient alors dans les mains des écoliers. Le Maître de Sacy en avait publié le texte avec traduction. Son livre en était à sa septième édition. Il est maintenant prouvé que La Fontaine avait ce volume sous les yeux quand il écrivit ses *Fables*, et que dans son premier projet il voulait d'abord et avant tout s'inspirer de Phèdre. Ce n'est que dans un deuxième temps qu'il élargit le domaine où il se proposait de puiser. Un gros volume, qu'on appelait le Nevelet, plusieurs fois réédité depuis 1610, lui fournissait les fables d'Ésope, celles de Babrius, et celles d'un humaniste, Abstemius. Il ne négligea pas non plus les fabulistes italiens de la Renaissance, et les érudits ont retrouvé dans ses *Fables* des souvenirs très précis de Lorenzo Valla, de Gabriel Faerno, de Verdizotti et de quelques autres. On peut penser aussi, sans imprudence, qu'il avait lu les fables en vers publiées au XVI<sup>e</sup> siècle par deux Français, Guillaume Haudent et Gilles Corrozet.

Aux yeux des hommes du XVII<sup>e</sup> siècle, la fable est d'abord une forme un peu inférieure de la littérature didactique. Un humaniste éminent, Vossius, déclare qu'elle est faite pour les enfants, pour les gens du peuple, pour les esprits sans culture. Mais elle tend, chez certains, à une dignité plus haute. Pour les Italiens, elle est véritablement un genre littéraire. Guillaume Haudent et Gilles Corrozet y mettaient manifestement des intentions d'art, et tous deux n'hésitaient pas à développer largement les canevas fournis par les recueils ésopiques. Parmi les amis de La Fontaine, le docte Patru avait écrit vers 1660 des fables en prose qui n'étaient nullement destinées aux enfants, et qui très clairement voulaient être de la satire politique et sociale. Ces faits nous aident à comprendre les intentions de La Fontaine lorsqu'il commença à écrire ses *Fables*.

Ces intentions ne sont pas simples. Bien évidemment, le fabuliste ne se détache pas franchement de la fable ésopique. Il écrit en pensant au jeune Dauphin, et son recueil, en ce sens, vise à instruire un enfant, exactement comme le recueil de Le Maître de Sacy. Mais La Fontaine connaît trop bien la littérature didactique des humanistes pour réduire la fable à un sec schéma dont la moralité ferait tout le prix. Il se plaît, dès cette date, à développer son récit, à lui donner une valeur d'œuvre d'art. Enfin il n'ignore pas que la fable, entre les mains de Patru, avait une signification satirique, et qu'elle visait certains abus de la société contemporaine. Lorsque nous rencontrons dans les premiers livres des *Fables* certains apologues particulièrement brefs, ne nous hâtons pas de rappeler Ésope ou Phèdre. Il arrive qu'en réalité La Fontaine ait voulu cette brièveté pour donner à sa fable les allures d'une épigramme.

Nous pouvons dès lors comprendre exactement la signification des fables du recueil de 1668. Depuis le livre de Taine, on admet couramment que La Fontaine a voulu y mettre un tableau de la société de son temps. On nous dit que le lion représente Louis XIV, et que le renard est le symbole du courtisan. N'en croyons rien. La Fontaine est encore trop près de la fable ésopique pour donner à son volume un sens aussi moderne. Le lion n'est pas Louis XIV. Il n'est même pas le type du roi. Il est, bien moins précisément, le personnage riche et puissant qui tyrannise les petites gens. Il est peut-être un ministre, ou encore un gouverneur de province, ou plus simplement un hobereau. De même le renard ne représente aucune condition sociale particulière. Il est, de façon beaucoup plus générale, l'homme retors, le beau parleur dont les gens simples font bien de se méfier.

Une fable, *la Grenouille qui veut se faire aussi grosse que le Bœuf*, nous est un bon exemple de la généralité que La Fontaine met dans les intentions de son recueil. Il nous apprend qu'en l'écrivant il a eu en vue les bourgeois, les marquis, les petits princes. Il pense donc à des conditions sociales. Mais non pas à une seule. A toutes sa morale peut s'appliquer, puisque la vanité est un trait général de l'humaine nature.

De même c'est la morale traditionnelle des fables ésopiques qui explique les leçons que La Fontaine propose dans son premier recueil. Certains n'ont pas su le voir. Parce que La Fontaine a dit que la raison du plus fort est toujours la meilleure, ils ont poussé la sottise jusqu'à s'indigner. Ils ont déploré que le fabuliste n'ait pas un mot de blâme pour la fourberie du renard, et n'en ait guère pour l'avarice de la fourmi. Mais La Fontaine ne songe nullement à nous enseigner la vertu. Il nous apprend la sagesse. En quoi il reste fidèle à la fable antique. Car elle ne faisait que traduire l'expérience séculaire des petites gens, en Grèce et ailleurs. Expérience dure et triste, dépourvue d'illusions sur les hommes et sur la vie. Ils savent que le plus fort a toujours le dernier mot, qu'ils sont entourés d'hommes qui rêvent de les dépouiller de leur lopin de terre, par la ruse et, s'il le faut, par la force. Ils ont compris qu'il leur fallait se méfier de tous, rester sur leurs gardes, et, si l'occasion s'en présentait, tromper à leur tour le trompeur. Ils ont appris à se méfier même du Ciel. Car les dieux n'aiment pas les réussites trop éclatantes et les sommets attirent la foudre.

Ne reprochons pas à La Fontaine une morale qu'il a reçue toute faite de la tradition. Ce qui est vrai, c'est que sans doute elle répondait à ce qu'il y avait de plus profond en lui, aux principes généraux qui réglaient sa pensée. Il appartenait à une classe sociale qui portait en elle une vieille sagesse, toute semblable à celle des paysans de l'Attique. La petite bourgeoisie française avait la même expérience de la vie, elle obéissait aux mêmes maximes de ténacité, de

sérieux triste, de méfiance. Elle était en garde contre les illusions, contre les belles phrases, contre les nobles maximes,
qui dissimulent, chez les puissants, de laides convoi-
tises. La forte culture humaniste du poète l'avait confirmé
dans cette attitude. Quand nous entendons La Fontaine
qui nous enseigne un art de vivre, sachons reconnaître
dans ses leçons la commune sagesse de sa classe et de son
peuple.

À ces leçons il avait décidé de donner la forme la plus
attrayante, ou, comme il disait, de la « gaîté ». Pour appré-
cier exactement son effort en ce sens, il serait absurde de
comparer tout unîment son œuvre aux fables d'Ésope.
Celles-ci ne sont à aucun degré des œuvres littéraires, elles
sont le résumé, écrit dans la prose la plus nue, des contes
de vieille femme que le moine Planude avait jadis recueil-
lis. Entre ces fables ésopiques et celles de La Fontaine,
la distance est, en vérité, trop grande. Mais déjà Phèdre
avait donné aux siennes une élégante concision. À l'époque
de la Renaissance, les fables de Faerno, celles de Corrozet
et d'Haudent, étaient des récits aux larges et libres développements. Le mérite de La Fontaine n'est donc pas
d'avoir été le premier à traiter la fable comme une forme
d'art. Il est, très simplement, d'y avoir déployé des dons
de conteur éminents et, pour tout dire, uniques.

Il voulait plaire, il voulait toucher, il savait que pour
cela il faut du piquant et de l'agréable, qu'il y faut cette
« gaîté » qu'il avait déjà mise dans ses *Contes*, et qu'il
définissait « un certain charme, un air agréable qu'on peut
donner à toutes sortes de sujets, même les plus sérieux ».
L'étude de l'art dans les *Fables*, c'est la recherche des
moyens que le poète emploie pour leur donner la « gaîté ».

Le premier moyen, c'est le pittoresque. Gâtés par la
littérature du XIXe siècle, nous ne sentons plus assez
l'extraordinaire nouveauté d'un style qui tendait à donner
aux lecteurs, non plus l'explication purement intellec-
tuelle d'une scène, mais sa représentation sensible. Un
conteur, avant La Fontaine, nous aurait *expliqué* que les
souris, attirées par le spectacle de leur ennemi au bout
d'une corde, osaient sortir de leurs trous et tombaient dans
le piège qu'il leur avait tendu. La Fontaine nous les fait
*voir* qui passent leurs bouts de nez, se retirent, reviennent,
risquent quelques pas hors de leurs abris, et commettent
enfin l'imprudence fatale. De même il ne se borne pas à
nous apprendre que le berger et le chien sommeillent près
du troupeau endormi. Il fait peser sur nous, il rend sen-

sible et comme palpable ce grand sommeil qui accable toute la scène.

Vues sous cet aspect, certaines de ses fables sont un véritable enchantement. Qu'on lise par exemple *le Chêne et le Roseau*. La première partie illustre le don que possède La Fontaine de faire parler ses personnages et de rendre avec des mots non pas seulement leurs pensées, mais jusqu'au ton, et l'on dirait volontiers : jusqu'à leurs attitudes et leurs jeux de physionomie. Les paroles que prononce le chêne sont, à les prendre seulement dans leur sens abstrait, bienveillantes. Mais nous sentons aussi ce qu'il entre, dans cette bienveillance, de hautain détachement. Le roseau répond avec les mots qui conviennent à un modeste personnage. Nous discernons pourtant, dans son ton, de la fierté et l'assurance d'un homme libre. C'est surtout dans les derniers vers du récit que le génie de La Fontaine éclate, et qu'apparaît l'essentiel de son art, qui est évocation. Observons cette longue phrase qui se développe et se gonfle, qui traduit de façon sensible l'approche de la tempête, le vent de plus en plus fort et qui souffle en rafales, le choc de cette force déchaînée et de l'arbre au tronc puissant. C'est finalement la chute. Elle est dite en quelques mots et comme par un biais, dans une proposition subordonnée, pour mieux nous faire sentir la fatalité du dénoûment, après le long corps-à-corps.

Pour cette traduction sensible des figures et des scènes, La Fontaine emploie avec une attention évidente les ressources du vers libre. Il s'en était déjà servi pour quelques uns de ses *Contes*, et il y avait fait merveille. La combinaison des vers d'inégale longueur lui permettait de rendre à volonté la gravité d'une pensée, la majesté d'une scène, ou au contraire des idées malicieuses, des mouvements précipités. Elle rendait possibles des effets de surprise émouvants ou drôles. Et là encore, il s'agissait, non d'une explication s'adressant à l'intelligence, mais d'une évocation sensible qui, directement et par le rythme, faisait participer le lecteur au déroulement du récit.

Cet art de la narration, La Fontaine en avait trouvé les exemples dans la poésie des Anciens. Nul n'avait mieux que lui médité sur Virgile notamment, et sur Horace. Mais il avait également, à un degré exceptionnel, la science et le sentiment de notre tradition. Il avait lu et relu Rabelais et Marot surtout, mais aussi les conteurs du XVIe siècle. Sa langue s'en trouvait merveilleusement enrichie. Alors qu'autour de lui le « purisme » imposait de plus en plus ses exigences, que le vocabulaire s'appauvrissait, que la syntaxe se faisait de plus en plus rigide, La Fontaine a refusé de céder à l'entraînement général. Il continue de puiser ses mots dans nos vieux auteurs, dans les patois, dans la langue populaire. Il n'hésite pas à employer des tours de phrase savoureux, mais que les nouveaux grammairiens condamnaient. Il le fait, non en philologue, mais en artiste, sans esprit de système, avec un sens exquis de la juste mesure. Sa langue est d'une merveilleuse liberté.

Le premier volume des *Fables*, divisé en six livres, parut en 1668. Le succès encouragea La Fontaine. Il écrivit de nouvelles fables. Il en publia quelques-unes en 1671. Puis, au mois de mai 1678, deux nouveaux livres de *Fables* parurent, les VII$^e$ et VIII$^e$, et trois autres encore en juin 1679.

Ces fables des livres VII à XI doivent, pour être comprises, être soigneusement distinguées du volume de 1668. Non pas qu'une véritable révolution se soit produite dans l'art de l'écrivain. Mais ses intentions ne sont plus exactement les mêmes. Il avait dédié ses premières fables au petit Dauphin, et si nous admettons qu'elles n'étaient pas tout à fait écrites pour être lues et goûtées d'un enfant de sept ans, il reste que le poète s'était tenu aux traditions antérieures, qui faisaient de l'apologue une forme de la poésie didactique. Lorsqu'il écrit les fables de 1678-1679, c'est pour les dédier à Mme de Montespan. Les perspectives ne sont plus les mêmes, et nous constatons sans surprise que maintenant La Fontaine se propose de nous tracer un tableau de la cour, et qu'il discute des problèmes dont les esprits cultivés étaient alors occupés.

Si dans le premier volume il était faux qu'il eût pensé au roi et à ses courtisans lorsqu'il mettait en scène le lion et le renard, il devenait vrai, maintenant, que les fables de 1678-1679 offraient l'image de la société monarchique. Une image qui n'était pas sans cruauté. Autour du roi, un peuple d'intrigants et de flatteurs, occupés à s'entre-déchirer, à tromper le prince, à se pousser aux dépens des autres, aux dépens de l'intérêt public. Telle fable vise sans doute possible le Clergé, et telle autre les moines. Certaines s'appliquent aux gens de finance, ou aux administrations provinciales. D'autres tombent sur les ministres, sur les magistrats, sur les bourgeois enri-

chis qui se procurent des lettres de noblesse. Bien avant
Montesquieu, La Fontaine a compris que le principal
ressort qui fait mouvoir la grande machine de la monar-
chie, c'est la vanité. Et il observe le fait nouveau qui était
en train de modifier le visage de la nation, la recherche du
profit, une recherche qui jette les hommes dans des entre-
prises hasardeuses, qui ne se satisfait pas de la fortune
acquise, parce qu'il lui faut toujours plus d'argent, plus
de luxe, et des gains de plus en plus rapides.

De même qu'autour de lui les Français s'intéressent de
plus en plus aux choses de la politique, ils se passionnent
maintenant pour la science positive et ses méthodes. Dans
le monde où vit La Fontaine, à l'époque où il écrit ses
nouvelles fables, c'est-à-dire dans la société de Mme de
La Sablière, deux attitudes d'esprit s'affrontent : le Carté-
sianisme, avec son ambition de déduire rationnellement
le réel à partir de principes tout à fait généraux directement appréhendés par l'esprit; et le Gassendisme, qui se
méfie des déductions, des affirmations à priori, qui met
sa confiance dans l'expérience organisée. Autour de Mme de
La Sablière, on est vigoureusement anti-cartésien, et tous
ses amis sont fermement attachés à la tradition gassendiste. La Fontaine, dans ses *Fables* nouvelles, prend parti
dans ce grand conflit.

Il va de soi qu'il n'a pas songé à réduire la fable au rang
de servante d'une philosophie. Mais il lui arrive maintenant de parler d'atomes et de vides sans fin. Il lui arrive
même de dire son mot sur l'intelligence des bêtes et de
mettre une note à sa fable des *Souris et le Chat-huant*,
pour affirmer que la thèse cartésienne est insoutenable, et
qu'elle est contredite par les faits. Il fait plus. Il termine
son IXe livre par un *Discours à Mme de La Sablière*, qui est,
au vrai, de la poésie philosophique. Il y expose le méca-
nicisme cartésien, il apporte des exemples qui en font
apparaître l'arbitraire. Il lui oppose l'hypothèse gassendiste, l'idée d'une âme matérielle, quintessence d'atome,
subtile comme la lumière, et qui serait, comme l'avait
dit son ami le gassendiste Bernier, « une espèce de milieu
et de lien pour unir et joindre l'âme raisonnable avec le
corps ».

Nous devons avoir cette situation présente à l'esprit
lorsque nous lisons les fables de 1678-1679. C'est elle qui
nous permet de comprendre leur exacte portée. La fable
*Un Animal dans la Lune* semblerait, à première vue, nous
offrir une conclusion bien banale : qu'il est vrai que les

sens nous trompent, mais que la raison rectifie leurs erreurs. Mais lorsque nous éclairons cette pensée par les développements de Bernier sur le même sujet, nous découvrons que La Fontaine a dans l'esprit, de façon fort précise, « l'expérience organisée » de Gassendi. C'est même en cela que le Gassendisme corrigeait Montaigne, son inspirateur habituel. Car celui-ci avait surtout insisté sur les erreurs que nos sens si facilement commettent. Mais Gassendi avait montré qu'en s'organisant l'expérience sensible est capable de les surmonter. Et la raison, dans son système, c'était justement cela, et non l'orgueilleuse « pensée » cartésienne, qui prétendait atteindre d'emblée aux principes premiers de l'être.

De même, la morale qui se dégageait des nouveaux recueils, ce n'était plus la sagesse qu'enseignaient les fables d'Ésope. C'était l'attitude du Sage, tel que le Gassendisme l'avait défini. Persuadée que l'homme est mené par l'opinion et par les erreurs communes, la tradition gassendiste avait recommandé de se méfier, de peser avec soin les affirmations les plus habituellement admises. De même, elle conseillait aux sages d'accepter l'ordre des choses, celui de la nature, celui de la société. Car il est vain de se révolter, vain aussi de rêver d'un ordre meilleur et de s'affliger parce que la réalité ne se conforme pas à nos chimères. Ce qui, dans le premier recueil, était fidélité à une antique tradition de sagesse, revêtait dans le second le caractère d'une philosophie morale très précisément définie.

De cette philosophie, nous devons nous attacher à dégager les éléments de noblesse, de dignité, de désintéressement. Certains accusent La Fontaine de nous avoir enseigné l'égoïsme, la sécheresse, la lâche acceptation de l'ordre établi. Le plus ridicule sans doute est ce Saint-Marc Girardin qui reproche au poète de ne pas imiter les prophètes juifs et de ne pas aller comme eux écouter la voix de Dieu dans le désert.

Mais La Fontaine n'était, à coup sûr, ni médiocre, ni lâche. Il faut beaucoup de courage pour garder tant de sérénité au milieu d'un monde d'injustice et de violence, pour ne pas s'indigner ni maudire, pour rester pur, pour dominer en soi les passions de la vanité et de l'avarice. Il faut beaucoup de courage aussi pour envisager d'un œil ferme l'ordre naturel des choses et la destruction finale à laquelle nous sommes voués. La Fontaine ne nous recommande pas l'insensibilité. *La Mort et le*

*Mourant* aboutit à une méditation d'une admirable noblesse.

Observons aussi la place que tient dans cette morale l'amitié. Le thème n'était pas nouveau. Toute la tradition libertine, à prendre ce terme dans son sens élevé, avait exalté l'amitié, pure union des esprits, lien social par excellence. Cette idée, elle l'avait elle-même empruntée au vieil épicurisme. La Fontaine la reprend. Mais il est clair aussi qu'il y a mis ce qu'il y avait en lui de plus profond, de plus intimement senti. Peut-être toute son œuvre, peut-être toute notre poésie n'ont-elles rien de plus beau que la fable des *Deux Pigeons*, et plus particulièrement ses derniers vers, cette méditation d'un vieil homme qui se retourne vers son passé et se souvient qu'il a aimé. Ceux qui ont parlé de la sécheresse de La Fontaine, nous en sommes réduits à penser qu'ils ne savaient pas lire.

Il avait apporté à son recueil une autre nouveauté encore. Depuis dix ans plusieurs volumes avaient paru qui faisaient mieux connaître à la France les choses de l'Inde. Au surplus La Fontaine rencontrait chez Mme de La Sablière François Bernier, le philosophe voyageur, récemment revenu d'Orient. Son esprit était trop curieux, trop ouvert aux nouveautés, pour ignorer cet élargissement de nos connaissances. A côté des fables empruntées aux sources traditionnelles, nous trouvons dans les recueils de 1678-1679 plus d'une fable tirée du *Livre des Lumières* de Bidpay, ou de récents ouvrages sur l'Inde.

Le XIIᵉ livre des *Fables* fut publié par La Fontaine quinze ans plus tard, en 1694. Dix de ces apologues avaient d'ailleurs paru en 1685, trois autres en 1690 et 1691. Si nous attendions de ce dernier recueil un renouvellement de la forme ou des préoccupations nouvelles, nous serions déçus. Mais ce qu'il est juste d'admirer, c'est que cette œuvre de la vieillesse marque la permanence des qualités éminentes qui avaient fait le mérite des volumes précédents. C'est la même variété de ton et de rythme, la même subtilité d'esprit, une jeunesse de l'intelligence qui s'amuse au spectacle de la vie, et qui multiplie les allusions et les sous-entendus moqueurs.

De tous ceux qui ont parlé de La Fontaine, c'est Gide sans doute qui a dit le mot le plus juste, celui qui allait le plus loin dans l'intelligence du poète. « Un miracle de

culture », a-t-il écrit. Culture littéraire, en effet, et derrière
La Fontaine, c'est toute la tradition gréco-latine que nous
discernons, associée à la plus authentique tradition française. Culture morale aussi, aboutissement merveilleux de
la sagesse antique, et, pour être plus exact, de toute la
sagesse humaine. En ce présent siècle, qui a perdu jusqu'au sens de la culture, et qui, sans le savoir, est un siècle
barbare parce qu'il croit que rien n'a existé avant lui, il
importe de façon toute particulière de maintenir les *Fables*
de La Fontaine parmi les lectures familières des nouvelles
générations, comme un moyen éminent de les préserver
contre la vulgarité, contre l'enflure, et, pour tout dire,
contre la barbarie.

Antoine ADAM.

# BIBLIOGRAPHIE

Sur la vie et l'œuvre de La Fontaine, on consultera le livre de M. Pierre CLARAC, *La Fontaine, l'homme et l'œuvre*, 1947, mis à jour depuis lors.

La meilleure édition des *Fables* reste celle de la collection des *Grands Écrivains de France*. Les autres éditions annotées ne font guère que l'utiliser, en y joignant quelques détails.

M. Pierre CLARAC a publié dans la *Pléiade* une édition des *Œuvres diverses*, qui est un instrument de travail de valeur exceptionnelle pour l'étude de La Fontaine.

On se reportera à l'*Histoire de la Littérature française au XVIIe siècle* d'A. ADAM, tome II, p. 102-106, et tome IV, p. 7-78, qui résume les travaux antérieurs et en dégage les résultats.

# FABLES

# A MONSEIGNEUR LE DAUPHIN

MONSEIGNEUR,

S'il y a quelque chose d'ingénieux dans la République des Lettres, on peut dire que c'est la manière dont Ésope a débité sa morale. Il serait véritablement à souhaiter que d'autres mains que les miennes y eussent ajouté les ornements de la poésie, puisque le plus sage des Anciens a jugé qu'ils n'y étaient pas inutiles. J'ose, MONSEIGNEUR, vous en présenter quelques Essais. C'est un Entretien convenable à vos premières années. Vous êtes en un âge où l'amusement et les jeux sont permis aux Princes; mais en même temps vous devez donner quelques-unes de vos pensées à des réflexions sérieuses. Tout cela se rencontre aux fables que nous devons à Ésope. L'apparence en est puérile, je le confesse; mais ces puérilités servent d'enveloppe à des vérités importantes.

Je ne doute point, MONSEIGNEUR, que vous ne regardiez favorablement des inventions si utiles et tout ensemble si agréables : car que peut-on souhaiter davantage que ces deux points ? Ce sont eux qui ont introduit les Sciences parmi les hommes. Ésope a trouvé un art singulier de les joindre l'un avec l'autre. La lecture de son Ouvrage répand insensiblement dans une âme les semences de la vertu, et lui apprend à se connaître sans qu'elle s'aperçoive de cette étude, et tandis qu'elle croit faire toute autre chose.

C'est une adresse dont s'est servi très heureusement celui sur lequel Sa Majesté a jeté les yeux pour vous donner des instructions. Il fait en sorte que vous apprenez sans peine, ou, pour mieux parler, avec plaisir, tout ce qu'il est nécessaire qu'un Prince sache. Nous espérons beaucoup de cette conduite. Mais, à dire la vérité, il y a des choses dont nous espérons infiniment davantage : ce sont, MONSEIGNEUR, les qualités que notre invincible Monarque vous a données avec la Naissance; c'est l'Exemple que tous les jours il vous donne. Quand vous le voyez former de si grands Desseins; quand vous le considérez qui regarde sans s'étonner l'agitation de l'Europe et les machines qu'elle remue pour le détourner de son entreprise; quand il pénètre dès sa première démarche jusque dans le cœur d'une Province où l'on trouve à chaque pas des barrières insurmontables, et qu'il en subjugue une autre en huit jours, pendant la saison la plus ennemie de la guerre, lorsque le repos et les plaisirs règnent dans les Cours des autres Princes; quand, non content de dompter les hommes, il veut triompher aussi des Éléments et quand au retour de cette expédition, où il a vaincu comme un Alexandre, vous le voyez gouverner ses peuples comme un Auguste; avouez le vrai, MONSEIGNEUR, vous soupirez pour la gloire aussi bien que lui, malgré l'impuissance de vos années; vous attendez avec impatience le temps où vous pourrez vous déclarer son Rival dans l'amour de cette divine Maîtresse. Vous ne l'attendez pas, MONSEIGNEUR : vous le prévenez. Je n'en veux pour témoignage que ces nobles inquiétudes, cette vivacité, cette ardeur, ces marques d'esprit, de courage, et de grandeur d'âme, que vous faites paraître à tous les moments. Certainement c'est une joie bien sensible à notre Monarque; mais c'est un spectacle bien agréable pour l'Univers que de voir ainsi croître une jeune Plante qui couvrira un jour de son ombre tant de Peuples et de Nations. Je devrais m'étendre sur ce sujet; mais, comme le dessein que j'ai de vous divertir est plus proportionné à mes forces que celui de vous louer, je me hâte de venir aux Fables, et n'ajouterai aux vérités que je vous ai dites que celle-ci : c'est, MONSEIGNEUR, que je suis, avec un zèle respectueux,

Votre très humble, très obéissant,
et très fidèle serviteur,

DE LA FONTAINE.

## PRÉFACE

L'indulgence que l'on a eue pour quelques-unes de mes Fables me donne lieu d'espérer la même grâce pour ce Recueil. Ce n'est pas qu'un des Maîtres de notre Éloquence n'ait désapprouvé le dessein de les mettre en vers. Il a cru que leur principal ornement est de n'en avoir aucun; que d'ailleurs la contrainte de la Poésie, jointe à la sévérité de notre langue, m'embarrasseraient en beaucoup d'endroits, et banniraient de la plupart de ces Récits la brèveté, qu'on peut fort bien appeler l'âme du Conte, puisque sans elle il faut nécessairement qu'il languisse. Cette opinion ne saurait partir que d'un homme d'excellent goût; je demanderais seulement qu'il en relâchât quelque peu, et qu'il crût que les Grâces lacédémoniennes ne sont pas tellement ennemies des Muses Françaises, que l'on ne puisse souvent les faire marcher de compagnie.

Après tout, je n'ai entrepris la chose que sur l'exemple, je ne veux pas dire des Anciens, qui ne tire point à conséquence pour moi, mais sur celui des Modernes. C'est de tout temps, et chez tous les peuples qui font profession de poésie, que le Parnasse a jugé ceci de son apanage. A peine les Fables qu'on attribue à Ésope virent le jour, que Socrate trouva à propos de les habiller des livrées des Muses. Ce que Platon en rapporte est si agréable, que je ne puis m'empêcher d'en faire un des ornements de cette Préface. Il dit que, Socrate étant condamné au dernier supplice, l'on remit l'exécution de l'Arrêt, à cause de certaines Fêtes. Cébès l'alla voir le jour de sa mort. Socrate lui dit que les Dieux l'avaient averti plusieurs fois pendant son sommeil, qu'il devait s'appliquer à la Musique avant qu'il mourût. Il n'avait pas entendu d'abord ce que ce songe signifiait; car, comme la Musique ne rend pas l'homme meilleur, à quoi bon s'y attacher ? Il fallait qu'il y eût du

mystère là-dessous : d'autant plus que les Dieux ne se
lassaient point de lui envoyer la même inspiration. Elle
lui était encore venue une de ces Fêtes. Si bien qu'en son-
geant aux choses que le Ciel pouvait exiger de lui, il s'était
avisé que la Musique et la Poésie ont tant de rapport, que
possible était-ce de la dernière qu'il s'agissait. Il n'y a
point de bonne Poésie sans Harmonie; mais il n'y en a
point non plus sans fiction; et Socrate ne savait que dire
la vérité. Enfin il avait trouvé un tempérament : c'était
de choisir des Fables qui continssent quelque chose de
véritable, telles que sont celles d'Ésope. Il employa donc
à les mettre en Vers les derniers moments de sa vie.

Socrate n'est pas le seul qui ait considéré comme sœurs
la Poésie et nos Fables. Phèdre a témoigné qu'il était de
ce sentiment; et par l'excellence de son ouvrage, nous
pouvons juger de celui du Prince des Philosophes. Après
Phèdre, Avienus a traité le même sujet. Enfin les Modernes
les ont suivis : nous en avons des exemples, non seulement
chez les Étrangers, mais chez nous. Il est vrai que lorsque
nos gens y ont travaillé, la Langue était si différente de ce
qu'elle est, qu'on ne les doit considérer que comme
Étrangers. Cela ne m'a point détourné de mon entreprise : au contraire, je me suis flatté de l'espérance que si
je ne courais dans cette carrière avec succès, on me don-
nerait au moins la gloire de l'avoir ouverte.

Il arrivera possible que mon travail fera naître à d'autres
personnes l'envie de porter la chose plus loin. Tant s'en
faut que cette matière soit épuisée, qu'il reste encore plus
de Fables à mettre en vers que je n'en ai mis. J'ai choisi
véritablement les meilleures, c'est-à-dire celles qui m'ont
semblé telles; mais outre que je puis m'être trompé dans
mon choix, il ne sera pas difficile de donner un autre tour
à celles-là même que j'ai choisies; et si ce tour est moins
long, il sera sans doute plus approuvé. Quoi qu'il en
arrive, on m'aura toujours obligation; soit que ma témérité
ait été heureuse, et que je ne me sois point trop écarté du
chemin qu'il fallait tenir, soit que j'aie seulement excité
les autres à mieux faire.

Je pense avoir justifié suffisamment mon dessein :
quant à l'exécution, le Public en sera juge. On ne trouvera
pas ici l'élégance ni l'extrême brèveté qui rendent Phèdre
recommandable : ce sont qualités au-dessus de ma portée.
Comme il m'était impossible de l'imiter en cela, j'ai cru
qu'il fallait en récompense égayer l'Ouvrage plus qu'il n'a
fait. Non que je le blâme d'en être demeuré dans ces

termes : la Langue Latine n'en demandait pas davantage ; et si l'on y veut prendre garde, on reconnaîtra dans cet Auteur le vrai caractère et le vrai génie de Térence. La simplicité est magnifique chez ces grands Hommes ; moi, qui n'ai pas les perfections du langage comme ils les ont eues, je ne la puis élever à un si haut point. Il a donc fallu se récompenser d'ailleurs : c'est ce que j'ai fait avec d'autant plus de hardiesse, que Quintilien dit qu'on ne saurait trop égayer les Narrations. Il ne s'agit pas ici d'en apporter une raison ; c'est assez que Quintilien l'ait dit. J'ai pourtant considéré que, ces Fables étant sues de tout le monde, je ne ferais rien si je ne les rendais nouvelles par quelques traits qui en relevassent le goût. C'est ce qu'on demande aujourd'hui : on veut de la nouveauté et de la gaieté. Je n'appelle pas gaieté ce qui excite le rire ; mais un certain charme, un air agréable qu'on peut donner à toutes sortes de sujets, même les plus sérieux.

Mais ce n'est pas tant par la forme que j'ai donnée à cet Ouvrage qu'on en doit mesurer le prix, que par son utilité et par sa matière ; car qu'y a-t-il de recommandable dans les productions de l'esprit, qui ne se rencontre dans l'Apologue ? C'est quelque chose de si divin, que plusieurs personnages de l'Antiquité ont attribué la plus grande partie de ces Fables à Socrate, choisissant pour leur servir de père celui des mortels qui avait le plus de communication avec les Dieux. Je ne sais comme ils n'ont point fait descendre du ciel ces mêmes Fables, et comme ils ne leur ont point assigné un Dieu qui en eût la direction, ainsi qu'à la Poésie et à l'Éloquence. Ce que je dis n'est pas tout à fait sans fondement, puisque, s'il m'est permis de mêler ce que nous avons de plus sacré parmi les erreurs du paganisme, nous voyons que la Vérité a parlé aux hommes par paraboles ; et la parabole est-elle autre chose que l'Apologue, c'est-à-dire un exemple fabuleux, et qui s'insinue avec d'autant plus de facilité et d'effet, qu'il est plus commun et plus familier ? Qui ne nous proposerait à imiter que les Maîtres de la Sagesse nous fournirait un sujet d'excuse : il n'y en a point quand des Abeilles et des Fourmis sont capables de cela même qu'on nous demande.

C'est pour ces raisons que Platon, ayant banni Homère de sa République, y a donné à Ésope une place très honorable. Il souhaite que les enfants sucent ces Fables avec le lait ; il recommande aux Nourrices de les leur apprendre : car on ne saurait s'accoutumer de trop bonne heure à la sagesse et à la vertu ; plutôt que d'être réduits à corriger nos habitudes, il faut travailler à les rendre bonnes pendant qu'elles sont encore indifférentes au bien ou au mal. Or, quelle méthode y peut contribuer plus utilement que ces Fables ? Dites à un enfant que Crassus, allant contre les Parthes, s'engagea dans leur pays sans considérer comment il en sortirait; que cela le fit périr, lui et son Armée, quelque effort qu'il fît pour se retirer. Dites au même enfant que le Renard et le Bouc descendirent au fond d'un puits pour y éteindre leur soif; que le Renard en sortit s'étant servi des épaules et des cornes de son camarade comme d'une échelle; au contraire le Bouc y demeura pour n'avoir pas eu tant de prévoyance; et par conséquent il faut considérer en toute chose la fin. Je demande lequel de ces deux exemples fera le plus d'impression sur cet enfant. Ne s'arrêtera-t-il pas au dernier, comme plus conforme et moins disproportionné que l'autre à la petitesse de son esprit ? Il ne faut pas m'alléguer que les pensées de l'enfance sont d'elles-mêmes assez enfantines, sans y joindre encore de nouvelles badineries. Ces badineries ne sont telles qu'en apparence; car dans le fond elles portent un sens très solide. Et comme, par la définition du Point, de la Ligne, de la Surface, et par d'autres principes très familiers, nous parvenons à des connaissances qui mesurent enfin le Ciel et la Terre, de même aussi, par les raisonnements et conséquences que l'on peut tirer de ces Fables, on se forme le jugement et les mœurs, on se rend capable des grandes choses.

Elles ne sont pas seulement Morales, elles donnent encore d'autres connaissances. Les propriétés des Animaux et leurs divers caractères y sont exprimés; par conséquent les nôtres aussi, puisque nous sommes l'abrégé de ce qu'il y a de bon et de mauvais dans les créatures irraisonnables. Quand Prométhée voulut former l'homme, il prit la qualité dominante de chaque bête : de ces pièces si différentes il composa notre espèce; il fit cet ouvrage qu'on appelle *le petit Monde*. Ainsi ces fables sont un tableau où chacun de nous se trouve dépeint. Ce qu'elles nous représentent confirme les personnes d'âge avancé dans les connaissances que l'usage leur a données, et apprend aux enfants ce qu'il faut qu'ils sachent. Comme ces derniers sont nouveaux venus dans le monde, ils n'en connaissent pas encore les habitants, ils ne se connaissent pas eux-mêmes. On ne les doit laisser dans cette ignorance que le moins qu'on peut : il leur faut apprendre ce que c'est qu'un Lion, un Renard, ainsi du reste; et pourquoi

l'on compare quelquefois un homme à ce renard ou à ce
lion. C'est à quoi les Fables travaillent : les premières
Notions de ces choses proviennent d'elles.

J'ai déjà passé la longueur ordinaire des Préfaces;
cependant je n'ai pas encore rendu raison de la conduite
de mon Ouvrage. L'Apologue est composé de deux parties, dont on peut appeler l'une le Corps, l'autre l'Ame. Le
Corps est la Fable; l'Ame, la Moralité. Aristote n'admet
dans la fable que les animaux; il en exclut les Hommes et
les Plantes. Cette règle est moins de nécessité que de bienséance, puisque ni Ésope, ni Phèdre, ni aucun des Fabulistes, ne l'a gardée : tout au contraire de la Moralité, dont
aucun ne se dispense. Que s'il m'est arrivé de le faire, ce
n'a été que dans les endroits où elle n'a pu entrer avec
grâce, et où il est aisé au lecteur de la suppléer. On ne
considère en France que ce qui plaît : c'est la grande règle,
et pour ainsi dire la seule. Je n'ai donc pas cru que ce
fût un crime de passer par-dessus les anciennes Coutumes
lorsque je ne pouvais les mettre en usage sans leur faire
tort. Du temps d'Ésope la fable était contée simplement;
la moralité séparée, et toujours en suite. Phèdre est venu,
qui ne s'est pas assujetti à cet ordre : il embellit la Narration, et transporte quelquefois la Moralité de la fin au
commencement. Quand il serait nécessaire de lui trouver
place, je ne manque à ce précepte que pour en observer un
qui n'est pas moins important : c'est Horace qui nous
le donne. Cet Auteur ne veut pas qu'un Écrivain s'opiniâtre
contre l'incapacité de son esprit, ni contre celle de sa
matière. Jamais, à ce qu'il prétend, un homme qui veut
réussir n'en vient jusque-là; il abandonne les choses dont
il voit bien qu'il ne saurait rien faire de bon :

> *Et quæ*
> *Desperat tractata nitescere posse relinquit.*

C'est ce que j'ai fait à l'égard de quelques Moralités du
succès desquelles je n'ai pas bien espéré.

Il ne reste plus qu'à parler de la vie d'Ésope. Je ne vois
presque personne qui ne tienne pour fabuleuse celle que
Planude nous a laissée. On s'imagine que cet Auteur a
voulu donner à son Héros un caractère et des aventures qui
répondissent à ses Fables. Cela m'a paru d'abord spécieux;
mais j'ai trouvé à la fin peu de certitude en cette critique.
Elle est en partie fondée sur ce qui se passe entre Xantus
et Ésope : on y trouve trop de niaiserie; et qui est le sage

à qui de pareilles choses n'arrivent point ? Toute la vie de
Socrate n'a pas été sérieuse. Ce qui me confirme en mon
sentiment, c'est que le caractère que Planude donne à
Ésope est semblable à celui que Plutarque lui a donné dans
son *Banquet des sept Sages*, c'est-à-dire d'un homme subtil, et qui ne laisse rien passer. On me dira que le Banquet
des sept Sages est aussi une invention. Il est aisé de douter
de tout ; quant à moi, je ne vois pas bien pourquoi Plutarque aurait voulu imposer à la postérité dans ce traité-
là, lui qui fait profession d'être véritable partout ailleurs,
et de conserver à chacun son caractère. Quand cela serait,
je ne saurais que mentir sur la foi d'autrui : me croira-t-on
moins que si je m'arrête à la mienne ? Car ce que je puis
est de composer un tissu de mes conjectures, lequel
j'intitulerai : *Vie d'Ésope*. Quelque vraisemblable que je
le rende, on ne s'y assurera pas ; et Fable pour Fable, le
lecteur préférera toujours celle de Planude à la mienne.

# LA VIE D'ÉSOPE LE PHRYGIEN

Nous n'avons rien d'assuré touchant la naissance d'Homère et d'Ésope. A peine même sait-on ce qui leur est arrivé de plus remarquable. C'est de quoi il y a lieu de s'étonner, vu que l'Histoire ne rejette pas des choses moins agréables et moins nécessaires que celle-là. Tant de destructeurs de nations, tant de princes sans mérite, ont trouvé des gens qui nous ont appris jusqu'aux moindres particularités de leur vie; et nous ignorons les plus importantes de celles d'Ésope et d'Homère, c'est-à-dire des deux personnages qui ont le mieux mérité des siècles suivants. Car Homère n'est pas seulement le Père des Dieux, c'est aussi celui des bons Poètes. Quant à Ésope il me semble qu'on le devait mettre au nombre des Sages dont la Grèce s'est vantée, lui qui enseignait la véritable sagesse, et qui l'enseignait avec bien plus d'art que ceux qui en donnent des Définitions et des Règles. On a véritablement recueilli les vies de ces deux grands Hommes; mais la plupart des savants les tiennent toutes deux fabuleuses, particulièrement celle que Planude a écrite. Pour moi, je n'ai pas voulu m'engager dans cette critique. Comme Planude vivait dans un siècle où la mémoire des choses arrivées à Ésope ne devait pas être encore éteinte, j'ai cru qu'il savait par tradition ce qu'il a laissé. Dans cette croyance, je l'ai suivi sans retrancher de ce qu'il a dit d'Ésope que ce qui m'a semblé trop puéril, ou qui s'écartait en quelque façon de la bienséance.

Ésope était Phrygien, d'un Bourg appelé Amorium. Il naquit vers la cinquante-septième olympiade, quelque deux cents ans après la fondation de Rome. On ne saurait dire s'il eut sujet de remercier la nature, ou bien de se plaindre d'elle : car en le douant d'un très bel esprit, elle le fit naître difforme et laid de visage, ayant à peine figure d'homme, jusqu'à lui refuser presque entièrement l'usage de la parole. Avec ces défauts, quand il n'aurait pas été de condition à être Esclave, il ne pouvait manquer de le devenir. Au reste, son âme se maintint toujours libre et indépendante de la fortune.

Le premier Maître qu'il eut l'envoya aux champs labourer la terre; soit qu'il le jugeât incapable de toute autre chose, soit pour s'ôter de devant les yeux un objet si désagréable. Or il arriva que ce Maître étant allé voir sa maison des champs, un Paysan lui donna des figues : il les trouva belles, et les fit serrer fort soigneusement, donnant ordre à son sommelier, appelé Agathopus, de les lui apporter au sortir du bain. Le hasard voulut qu'Ésope eut affaire dans le logis. Aussitôt qu'il y fut entré, Agathopus se servit de l'occasion, et mangea les Figues avec quelques-uns de ses Camarades; puis ils rejetèrent cette friponnerie sur Ésope, ne croyant pas qu'il se pût jamais justifier, tant il était bègue, et paraissait idiot. Les châtiments dont les Anciens usaient envers leurs esclaves étaient fort cruels, et cette faute très punissable. Le pauvre Ésope se jeta aux pieds de son maître; et se faisant entendre du mieux qu'il put, il témoigna qu'il demandait pour toute grâce qu'on sursît de quelques moments sa punition. Cette grâce lui ayant été accordée, il alla querir de l'eau tiède, la but en présence de son Seigneur, se mit les doigts dans la bouche, et ce qui s'ensuit, sans rendre autre chose que cette eau seule. Après s'être ainsi justifié, il fit signe qu'on obligeât les autres d'en faire autant. Chacun demeura surpris : on n'aurait pas cru qu'une telle invention pût partir d'Ésope. Agathopus et ses Camarades ne parurent point étonnés. Ils burent de l'eau comme le Phrygien avait fait, et se mirent les doigts dans la bouche; mais ils se gardèrent bien de les enfoncer trop avant. L'eau ne laissa pas d'agir, et de mettre en évidence les Figues toutes crues encore et toutes vermeilles. Par ce moyen Ésope se garantit : ses accusateurs furent punis doublement, pour leur gourmandise et pour leur méchanceté.

Le lendemain, après que leur Maître fut parti, et le Phrygien étant à son travail ordinaire, quelques Voyageurs égarés (aucuns disent que c'étaient des Prêtres de Diane) le prièrent, au nom de Jupiter Hospitalier, qu'il leur enseignât le chemin qui conduisait à la Ville. Ésope les obligea premièrement de se reposer à l'ombre; puis leur ayant présenté une légère collation, il voulut être leur guide, et ne les quitta qu'après qu'il les eut remis dans leur chemin. Les bonnes gens levèrent les mains au Ciel, et prièrent Jupiter de ne pas laisser cette action charitable sans récompense. A peine Ésope les eut quittés, que le chaud et la lassitude le contraignirent de s'endormir. Pendant son sommeil, il s'imagina que la Fortune était debout devant lui, qui lui déliait la langue, et par même moyen lui faisait présent de cet Art dont on peut dire qu'il est l'Auteur. Réjoui de cette aventure, il s'éveilla en sursaut; et en s'éveillant : « Qu'est ceci ? dit-il; ma voix est devenue libre; je prononce bien un râteau, une charrue, tout ce que je veux.

Cette merveille fut cause qu'il changea de maître. Car, comme un certain Zénas, qui était là en qualité d'Œconome et qui avait l'œil sur les Esclaves, en eut battu un outrageusement pour une faute qui ne le méritait pas, Ésope ne put s'empêcher de le reprendre, et le menaça que ses mauvais traitements seraient sus : Zénas, pour le prévenir et pour se venger de lui, alla dire au maître qu'il était arrivé un prodige dans sa maison, que le Phrygien avait recouvré la parole, mais que le méchant ne s'en servait qu'à blasphémer, et à médire de leur Seigneur. Le Maître le crut, et passa bien plus avant; car il lui donna Ésope, avec liberté d'en faire ce qu'il voudrait. Zénas de retour aux champs, un Marchand l'alla trouver, et lui demanda si pour de l'argent il le voulait accommoder de quelque bête de somme. Non pas cela, dit Zénas : je n'en ai pas le pouvoir; mais je te vendrai, si tu veux, un de nos Esclaves. Là-dessus ayant fait venir Ésope, le Marchand dit : Est-ce afin de te moquer que tu me proposes l'achat de ce personnage ? On le prendrait pour un Outre. Dès que le marchand eut ainsi parlé, il prit congé d'eux, partie murmurant, partie riant de ce bel objet. Ésope le rappela, et lui dit : Achète-moi hardiment : je ne te serai pas inutile. Si tu as des enfants qui crient et qui soient méchants, ma mine les fera taire : on les menacera de moi comme de la Bête. Cette raillerie plut au marchand. Il acheta notre Phrygien trois oboles, et dit en riant : Les Dieux soient loués; je n'ai pas fait grande acquisition, à la vérité, aussi n'ai-je pas déboursé grand argent.

Entre autres denrées, ce marchand trafiquait d'esclaves; si bien qu'allant à Éphèse pour se défaire de ceux qu'il avait, ce que chacun d'eux devait porter pour la commodité du voyage fut départi selon leur emploi et selon leurs forces. Ésope pria que l'on eût égard à sa taille; qu'il était

nouveau venu, et devait être traité doucement. Tu ne
porteras rien, si tu veux, lui repartirent ses Camarades.
Ésope se piqua d'honneur, et voulut avoir sa charge comme
les autres. On le laissa donc choisir. Il prit le Panier au
pain : c'était le fardeau le plus pesant. Chacun crut qu'il
l'avait fait par bêtise ; mais dès la dînée le panier fut entamé,
et le Phrygien déchargé d'autant ; ainsi le soir, et de même
le lendemain ; de façon qu'au bout de deux jours il marchait à vide. Le bon sens et le raisonnement du personnage
furent admirés.

Quant au Marchand, il se défit de tous ses Esclaves, à
la réserve d'un Grammairien, d'un Chantre et d'Ésope,
lesquels il alla exposer en vente à Samos. Avant que de
les mener sur la place, il fit habiller les deux premiers le
plus proprement qu'il put, comme chacun farde sa marchandise. Ésope, au contraire, ne fut vêtu que d'un sac,
et placé entre ses deux Compagnons, afin de leur donner
lustre. Quelques acheteurs se présentèrent, entre autres
un philosophe appelé Xantus. Il demanda au Grammairien et au Chantre ce qu'ils savaient faire : Tout, repri-
rent-ils. Cela fit rire le Phrygien, on peut s'imaginer de
quel air. Planude rapporte qu'il s'en fallut peu qu'on ne
prît la fuite, tant il fit une effroyable grimace. Le Marchand
fit son Chantre mille oboles, son Grammairien trois mille ;
et en cas que l'on achetât l'un des deux, il devait donner
Ésope par-dessus le marché. La cherté du Grammairien
et du Chantre dégoûta Xantus. Mais, pour ne pas retourner chez soi sans avoir fait quelque emplette, ses disciples
lui conseillèrent d'acheter ce petit bout d'homme qui avait
ri de si bonne grâce : on en ferait un épouvantail ; il diver-
tirait les gens par sa mine. Xantus se laissa persuader, et
fit prix d'Ésope à soixante oboles. Il lui demanda, devant
que de l'acheter, à quoi il lui serait propre, comme il
l'avait demandé à ses camarades. Ésope répondit : A rien,
puisque les deux autres avaient tout retenu pour eux. Les
commis de la douane remirent généreusement à Xantus le
sou pour livre, et lui en donnèrent quittance sans rien
payer.

Xantus avait une femme de goût assez délicat, et à qui
toutes sortes de gens ne plaisaient pas : si bien que de lui
aller présenter sérieusement son nouvel Esclave, il n'y avait
pas d'apparence, à moins qu'il ne la voulût mettre en
colère et se faire moquer de lui. Il jugea plus à propos d'en
faire un sujet de plaisanterie, et alla dire au logis qu'il
venait d'acheter un jeune Esclave le plus beau du monde

et le mieux fait. Sur cette nouvelle, les filles qui servaient
sa femme se pensèrent battre à qui l'aurait pour son serviteur; mais elles furent bien étonnées quand le Personnage parut. L'une se mit la main devant les yeux, l'autre
s'enfuit, l'autre fit un cri. La Maîtresse du logis dit
c'était pour la chasser qu'on lui amenait un tel monstre;
qu'il y avait longtemps que le Philosophe se lassait d'elle.
De parole en parole, le différend s'échauffa jusqu'à tel
point que la femme demanda son bien et voulut se retirer
chez ses parents. Xantus fit tant par sa patience, et Ésope
par son esprit, que les choses s'accommodèrent. On ne
parla plus de s'en aller, et peut-être que l'accoutumance
effaça à la fin une partie de la laideur du nouvel Esclave.

Je laisserai beaucoup de petites choses où il fit paraître
la vivacité de son esprit : car quoiqu'on puisse juger par
là de son caractère, elles sont de trop peu de conséquence
pour en informer la postérité. Voici seulement un échan-
tillon de son bon sens et de l'ignorance de son Maître.
Celui-ci alla chez un Jardinier se choisir lui-même une
salade. Les herbes cueillies, le Jardinier le pria de lui
satisfaire l'esprit sur une difficulté qui regardait la Philosophie aussi bien que le Jardinage. C'est que les herbes
qu'il plantait et qu'il cultivait avec un grand soin ne pro-
fitaient point, tout au contraire de celles que la terre pro-
duisait d'elle-même, sans culture ni amendement. Xantus
rapporta le tout à la Providence, comme on a coutume
de faire quand on est court : Ésope se mit à rire, et ayant
tiré son Maître à part, il lui conseilla de dire à ce Jardinier
qu'il lui avait fait une réponse ainsi générale, parce que
la question n'était pas digne de lui : il le laissait donc avec
son garçon, qui assurément le satisferait. Xantus s'étant
allé promener d'un autre côté du jardin, Ésope compara
la terre à une femme qui, ayant des enfants d'un premier
mari, en épouserait un second qui aurait aussi des enfants
d'une autre femme. Sa nouvelle épouse ne manquerait
pas de concevoir de l'aversion pour ceux-ci, et leur ôterait
la nourriture, afin que les siens en profitassent. Il en était
ainsi de la terre, qui n'adoptait qu'avec peine les productions du travail et de la culture, et qui réservait toute
sa tendresse et tous ses bienfaits pour les siennes seules :
elle était marâtre des unes, et mère passionnée des autres.
Le Jardinier parut si content de cette raison, qu'il offrit
à Ésope tout ce qui était dans son jardin.

Il arriva quelque temps après un grand différend entre
le Philosophe et sa femme. Le Philosophe, étant de fes-

tin, mit à part quelques friandises, et dit à Ésope : Va
porter ceci à ma bonne Amie. Ésope l'alla donner à une
petite Chienne qui était les délices de son Maître. Xantus
de retour ne manqua pas de demander des nouvelles de
son présent, et si on l'avait trouvé bon. Sa femme ne com-
prenait rien à ce langage : on fit venir Ésope pour l'éclaircir.
Xantus, qui ne cherchait qu'un prétexte pour le faire
battre, lui demanda s'il ne lui avait pas dit expressément :
Va-t'en porter de ma part ces friandises à ma bonne Amie.
Ésope répondit là-dessus que la bonne Amie n'était pas
la femme, qui pour la moindre parole menaçait de faire
un divorce : c'était la Chienne qui endurait tout, et qui
revenait faire caresses après qu'on l'avait battue. Le Philosophe demeura court ; mais sa femme entra dans une
telle colère qu'elle se retira d'avec lui. Il n'y eut parent
ni ami par qui Xantus ne lui fît parler, sans que les raisons
ni les prières y gagnassent rien. Ésope s'avisa d'un stratagème. Il acheta force gibier, comme pour une noce
considérable, et fit tant qu'il fut rencontré par un des
domestiques de sa Maîtresse. Celui-ci lui demanda pourquoi tant d'apprêts. Ésope lui dit que son Maître, ne
pouvant obliger sa femme de revenir, en allait épouser
une autre. Aussitôt que la Dame sut cette nouvelle, elle
retourna chez son Mari, par esprit de contradiction ou
par jalousie. Ce ne fut pas sans la garder bonne à Ésope,
qui tous les jours faisait de nouvelles pièces à son Maître,
et tous les jours se sauvait du châtiment par quelque trait
de subtilité. Il n'était pas possible au Philosophe de le
confondre.

Un certain jour de marché, Xantus qui avait dessein de
régaler quelques-uns de ses Amis, lui commanda d'acheter
ce qu'il y aurait de meilleur, et rien autre chose. Je t'appren-
drai, dit en soi-même le Phrygien, à spécifier ce que tu
souhaites, sans t'en remettre à la discrétion d'un esclave.
Il n'acheta que des langues, lesquelles il fit accommoder
à toutes les sauces, l'Entrée, le Second, l'Entremets,
tout ne fut que langues. Les Conviés louèrent d'abord le
choix de ces mets ; à la fin ils s'en dégoûtèrent. Ne t'ai-je
pas commandé, dit Xantus, d'acheter ce qu'il y aurait de
meilleur ? — Et qu'y a-t-il de meilleur que la langue ?
reprit Ésope. C'est le lien de la vie civile, la Clef des Sciences, l'Organe de la Vérité et de la Raison. Par elle on bâtit
les Villes et on les police ; on instruit ; on persuade ; on
règne dans les Assemblées ; on s'acquitte du premier de
tous les devoirs, qui est de louer les Dieux. — Eh bien

(dit Xantus, qui prétendait l'attraper), achète-moi demain ce qui est de pire : ces mêmes personnes viendront chez moi; et je veux diversifier. Le lendemain Ésope ne fit servir que le même mets, disant que la Langue est la pire chose qui soit au monde. C'est la Mère de tous débats, la Nourrice des procès, la source des divisions et des guerres. Si l'on dit qu'elle est l'organe de la Vérité, c'est aussi celui de l'erreur, et qui pis est, de la Calomnie. Par elle on détruit les Villes, on persuade de méchantes choses. Si d'un côté elle loue les Dieux, de l'autre elle profère des blasphèmes contre leur puissance. Quelqu'un de la compagnie dit à Xantus que véritablement ce Valet lui était fort nécessaire; car il savait le mieux du monde exercer la patience d'un Philosophe. « De quoi vous mettez-vous en peine ? » reprit Ésope. — Et trouve-moi, dit Xantus, un homme qui ne se mette en peine de rien.

Ésope alla le lendemain sur la Place, et voyant un Paysan qui regardait toutes choses avec la froideur et l'indifférence d'une statue, il amena ce Paysan au logis. Voilà, dit-il à Xantus, l'homme sans souci que vous demandez. Xantus commanda à sa femme de faire chauffer de l'eau, de la mettre dans un bassin, puis de laver elle-même les pieds de son nouvel Hôte. Le Paysan la laissa faire, quoiqu'il sût fort bien qu'il ne méritait pas cet honneur; mais il disait en lui-même : C'est peut-être la coutume d'en user ainsi. On le fit asseoir au haut bout : il prit sa place sans cérémonie. Pendant le repas, Xantus ne fit autre chose que blâmer son Cuisinier; rien ne lui plaisait : ce qui était doux, il le trouvait trop salé, et ce qui était trop salé, il le trouvait doux. L'homme sans souci le laissait dire, et mangeait de toutes ses dents. Au Dessert on mit sur la table un Gâteau que la femme du Philosophe avait fait : Xantus le trouva mauvais, quoiqu'il fût très bon. Voilà, dit-il, la pâtisserie la plus méchante que j'aie jamais mangée; il faut brûler l'Ouvrière; car elle ne fera de sa vie rien qui vaille : qu'on apporte des fagots. — Attendez, dit le paysan; je m'en vais querir ma femme : on ne fera qu'un bûcher pour toutes les deux. Ce dernier trait désarçonna le Philosophe, et lui ôta l'espérance de jamais attraper le Phrygien.

Or ce n'était pas seulement avec son Maître qu'Ésope trouvait occasion de rire et de dire de bons mots. Xantus l'avait envoyé en certain endroit; il rencontra en chemin le Magistrat, qui lui demanda où il allait. Soit qu'Ésope fût distrait, ou par une autre raison, il répondit qu'il n'en savait rien. Le Magistrat, tenant à mépris et irrévérence cette réponse, le fit mener en prison. Comme les Huissiers le conduisaient : Ne voyez-vous pas, dit-il, que j'ai très bien répondu ? Savais-je qu'on me ferait aller où je vas ? Le Magistrat le fit relâcher, et trouva Xantus heureux d'avoir un Esclave si plein d'esprit.

Xantus, de sa part, voyait par là de quelle importance il lui était de ne point affranchir Ésope, et combien la possession d'un tel Esclave lui faisait d'honneur. Même un jour, faisant la débauche avec ses disciples, Ésope, qui les servait, vit que les fumées leur échauffaient déjà la cervelle, aussi bien au Maître qu'aux Écoliers. La débauche de vin, leur dit-il, a trois degrés : le premier de volupté, le second, d'ivrognerie, le troisième, de fureur. On se moqua de son observation et on continua de vider les pots. Xantus s'en donna jusqu'à perdre la raison et à se vanter qu'il boirait la Mer. Cela fit rire la Compagnie. Xantus soutint ce qu'il avait dit, gagea sa maison qu'il boirait la Mer tout entière; et pour assurance de la gageure, il déposa l'Anneau qu'il avait au doigt. Le jour suivant, que les vapeurs de Bacchus furent dissipées, Xantus fut extrêmement surpris de ne plus trouver son anneau, lequel il tenait fort cher. Ésope lui dit qu'il était perdu, et que sa maison l'était aussi par la gageure qu'il avait faite. Voilà le Philosophe bien alarmé. Il pria Ésope de lui enseigner une défaite. Ésope s'avisa de celle-ci.

Quand le jour que l'on avait pris pour l'exécution de la gageure fut arrivé, tout le peuple de Samos accourut au rivage de la Mer pour être témoin de la honte du Philosophe. Celui de ses Disciples qui avait gagé contre lui triomphait déjà. Xantus dit à l'Assemblée : Messieurs, j'ai gagé véritablement que je boirais toute la Mer, mais non pas les Fleuves qui entrent dedans. C'est pourquoi que celui qui a gagé contre moi détourne leurs cours, et puis je ferai ce que je me suis vanté de faire. Chacun admira l'expédient que Xantus avait trouvé pour sortir à son honneur d'un si mauvais pas. Le Disciple confessa qu'il était vaincu, et demanda pardon à son Maître. Xantus fut reconduit jusqu'en son logis avec acclamations.

Pour récompense, Ésope lui demanda la liberté. Xantus la lui refusa, et dit que le temps de l'affranchir n'était pas encore venu : si toutefois les Dieux l'ordonnaient ainsi, il y consentait : partant, qu'il prît garde au premier présage qu'il aurait étant sorti du logis : s'il était heureux, et que, par exemple, deux Corneilles se présentassent à sa

vue, la liberté lui serait donnée; s'il n'en voyait qu'une,
qu'il ne se lassât point d'être Esclave. Ésope sortit aussitôt.
Son Maître était logé à l'écart, et apparemment vers un
lieu couvert de grands arbres. A peine notre Phrygien fut
hors qu'il aperçut deux Corneilles qui s'abattirent sur le
plus haut. Il en alla avertir son Maître, qui voulut voir
lui-même s'il disait vrai. Tandis que Xantus venait, l'une
des Corneilles s'envola. Me tromperas-tu toujours ? dit-il
à Ésope. Qu'on lui donne les étrivières. L'ordre fut exécuté.
Pendant le supplice du pauvre Ésope, on vint inviter
Xantus à un repas : il promit qu'il s'y trouverait. Hélas!
s'écria Ésope, les présages sont bien menteurs! Moi, qui
ai vu deux Corneilles, je suis battu; mon Maître, qui n'en
a vu qu'une, est prié de noces. Ce mot plut tellement à
Xantus, qu'il commanda qu'on cessât de fouetter Ésope;
mais quant à la liberté, il ne se pouvait résoudre à la lui
donner, encore qu'il la lui promît en diverses occasions.

Un jour ils se promenaient tous deux parmi de vieux
monuments, considérant avec beaucoup de plaisir les
Inscriptions qu'on y avait mises. Xantus en aperçut
une qu'il ne put entendre, quoiqu'il demeurât longtemps
à en chercher l'explication. Elle était composée des premières lettres de certains mots. Le Philosophe avoua
ingénument que cela passait son esprit. Si je vous fais
trouver un Trésor par le moyen de ces lettres, lui dit
Ésope, quelle récompense aurai-je ? Xantus lui promit la
liberté, et la moitié du Trésor. Elles signifient, poursuivit
Ésope, qu'à quatre pas de cette Colonne nous en ren-
contrerons un. En effet, ils le trouvèrent, après avoir
creusé quelque peu dans la terre. Le Philosophe fut sommé
de tenir parole; mais il reculait toujours. Les Dieux me
gardent de t'affranchir, dit-il à Ésope, que tu ne m'aies
donné avant cela l'intelligence de ces lettres; ce me sera
un autre trésor plus précieux que celui lequel nous avons
trouvé. — On les a ici gravées, poursuivit Ésope, comme
étant les premières lettres de ces mots : Ἀποβὰς βήματα, etc.;
c'est-à-dire : *Si vous reculez quatre pas, et que vous
creusiez, vous trouverez un trésor.* — Puisque tu es si subtil,
repartit Xantus, j'aurais tort de me défaire de toi : n'espère
donc pas que je t'affranchisse. — Et moi, répliqua Ésope,
je vous dénoncerai au Roi Denys; car c'est à lui que le
trésor appartient, et ces mêmes lettres commencent d'autres mots qui le signifient. Le Philosophe intimidé dit au
Phrygien qu'il prît sa part de l'argent, et qu'il n'en dît
mot; de quoi Ésope déclara ne lui avoir aucune obligation,

ces lettres ayant été choisies de telle manière qu'elles enfermaient un triple sens, et signifiaient encore : *En vous en allant, vous partagerez le trésor que vous aurez rencontré.* Dès qu'ils furent de retour, Xantus commanda que l'on enfermât le Phrygien, et que l'on lui mît les fers aux pieds, de crainte qu'il n'allât publier cette aventure. Hélas ! s'écria Ésope, est-ce ainsi que les Philosophes s'acquittent de leurs promesses ? Mais faites ce que vous voudrez, il faudra que vous m'affranchissiez malgré vous. Sa prédiction se trouva vraie.

Il arriva un prodige qui mit fort en peine les Samiens. Un Aigle enleva l'Anneau public (c'était apparemment quelque Sceau que l'on apposait aux délibérations du Conseil), et le fit tomber au sein d'un Esclave. Le Philosophe fut consulté là-dessus, et comme étant Philosophe, et comme étant un des premiers de la République. Il demanda temps, et eut recours à son Oracle ordinaire : c'était Ésope. Celui-ci lui conseilla de le produire en public, parce que, s'il rencontrait bien, l'honneur en serait toujours à son Maître ; sinon, il n'y aurait que l'Esclave de blâmé. Xantus approuva la chose, et le fit monter à la Tribune aux Harangues. Dès qu'on le vit, chacun s'éclata de rire ; personne ne s'imagina qu'il pût rien partir de raisonnable d'un homme fait de cette manière. Ésope leur dit qu'il ne fallait pas considérer la forme du vase, mais la liqueur qui y était enfermée. Les Samiens lui crièrent qu'il dît donc sans crainte ce qu'il jugeait de ce Prodige. Ésope s'en excusa sur ce qu'il n'osait le faire. La fortune, disait-il, avait mis un débat de gloire entre le Maître et l'Esclave : si l'Esclave disait mal, il serait battu ; s'il disait mieux que le Maître, il serait battu encore. Aussitôt on pressa Xantus de l'affranchir. Le Philosophe résista longtemps. A la fin le Prévôt de Ville le menaça de le faire de son office, et en vertu du pouvoir qu'il en avait comme Magistrat : de façon que le Philosophe fut obligé de donner les mains. Cela fait, Ésope dit que les Samiens étaient menacés de servitude par ce Prodige ; et que l'Aigle enlevant leur Sceau ne signifiait autre chose qu'un Roi puissant, qui voulait les assujettir.

Peu de temps après, Crésus, Roi des Lydiens, fit dénoncer à ceux de Samos qu'ils eussent à se rendre ses tributaires : sinon, qu'il les y forcerait par les armes. La plupart étaient d'avis qu'on lui obéît. Ésope leur dit que la Fortune présentait deux chemins aux hommes : l'un, de liberté, rude et épineux au commencement, mais dans la suite très agréable; l'autre, d'Esclavage, dont les commencements étaient plus aisés, mais la suite laborieuse. C'était conseiller assez intelligiblement aux Samiens de défendre leur liberté. Ils renvoyèrent l'ambassadeur de Crésus avec peu de satisfaction. Crésus se mit en état de les attaquer. L'Ambassadeur lui dit que tant qu'ils auraient Ésope avec eux, il aurait peine à les réduire à ses volontés, vu la confiance qu'ils avaient au bon sens du Personnage. Crésus le leur envoya demander, avec la promesse de leur laisser la liberté s'ils le lui livraient. Les Principaux de la Ville trouvèrent ces conditions avantageuses, et ne crurent pas que leur repos leur coûtât trop cher quand ils l'achèteraient aux dépens d'Ésope. Le Phrygien leur fit changer de sentiment en leur contant que les Loups et les Brebis ayant fait un traité de paix, celles-ci donnèrent leurs Chiens pour otages. Quand elles n'eurent plus de défenseurs, les Loups les étranglèrent avec moins de peine qu'ils ne faisaient. Cet Apologue fit son effet : les Samiens prirent une délibération toute contraire à celle qu'ils avaient prise.

Ésope voulut toutefois aller vers Crésus, et dit qu'il les servirait plus utilement étant près du Roi, que s'il demeurait à Samos. Quand Crésus le vit, il s'étonna qu'une si chétive créature lui eût été un si grand obstacle. Quoi! voilà celui qui fait qu'on s'oppose à mes volontés! s'écriat-il. Ésope se prosterna à ses pieds. Un homme prenait des Sauterelles, dit-il; une Cigale lui tomba aussi sous la main. Il s'en allait la tuer comme il avait fait les sauterelles. Que vous ai-je fait ? dit-elle à cet homme : je ne ronge point vos blés; je ne vous procure aucun dommage; vous ne trouverez en moi que la voix, dont je me sers fort innocemment. Grand Roi, je ressemble à cette cigale : je n'ai que la voix, et ne m'en suis point servi pour vous offenser. Crésus, touché d'admiration et de pitié, non seulement lui pardonna, mais il laissa en repos les Samiens à sa considération.

En ce temps-là, le Phrygien composa ses Fables, lesquelles il laissa au Roi de Lydie, et fut envoyé par lui vers les Samiens, qui décernèrent à Ésope de grands honneurs. Il lui prit aussi envie de voyager, et d'aller par le monde, s'entretenant de diverses choses avec ceux que l'on appelait Philosophes. Enfin il se mit en grand crédit près de Lycérus, Roi de Babylone. Les rois d'alors s'envoyaient les uns aux autres des problèmes à soudre sur toutes sortes de matières, à condition de se payer une espèce de tribut ou d'amende, selon qu'ils répondraient bien ou mal aux questions proposées : en quoi Lycérus, assisté d'Ésope, avait toujours l'avantage et se rendait illustre parmi les autres, soit à résoudre, soit à proposer.

Cependant notre Phrygien se maria; et, ne pouvant avoir d'enfants, il adopta un jeune homme d'extraction noble, appelé Ennus. Celui-ci le paya d'ingratitude, et fut si méchant que d'oser souiller le lit de son bien-facteur. Cela étant venu à la connaissance d'Ésope, il le chassa. L'autre, afin de s'en venger, contrefit des lettres par lesquelles il semblait qu'Ésope eût intelligence avec les Rois qui étaient émules de Lycérus. Lycérus, persuadé par le cachet et par la signature de ces lettres, commanda à un de ses officiers nommé Hermippus, que sans chercher de plus grandes preuves, il fît mourir promptement le traître Ésope. Cet Hermippus, étant ami du Phrygien, lui sauva la vie, et à l'insu de tout le monde, le nourrit longtemps dans un Sépulcre, jusqu'à ce que Necténabo, roi d'Égypte, sur le bruit de la mort d'Ésope crut à l'avenir rendre Lycérus son tributaire. Il osa le provoquer, et le défia de lui envoyer des Architectes qui sussent bâtir une Tour en l'air, et par un même moyen, un homme prêt à répondre à toutes sortes de questions. Lycérus ayant lu les lettres et les ayant communiquées aux plus habiles de son État, chacun d'eux demeura court; ce qui fit que le Roi regretta Ésope, quand Hermippus lui dit qu'il n'était pas mort, et le fit venir. Le Phrygien fut très bien reçu, se justifia, et pardonna à Ennus. Quant à la Lettre du Roi d'Égypte, il n'en fit que rire, et manda qu'il envoirait au printemps les Architectes et le Répondant à toutes sortes de questions.

Lycérus remit Ésope en possession de tous ses biens, et lui fit livrer Ennus pour en faire ce qu'il voudrait. Ésope le reçut comme son enfant, et pour toute punition, lui recommanda d'honorer les Dieux et son prince; se rendre terrible à ses ennemis, facile, et commode aux autres; bien traiter sa femme, sans pourtant lui confier son secret; parler peu et chasser de chez soi les babillards; ne se point laisser abattre aux malheurs; avoir soin du lendemain, car il vaut mieux enrichir ses ennemis par sa mort que d'être importun à ses amis pendant son vivant; surtout n'être point envieux du bonheur ni de la vertu d'autrui, d'autant que c'est se faire du mal à soi-même. Ennus, touché de ces avertissements et de la bonté d'Ésope,

comme d'un trait qui lui aurait pénétré le cœur, mourut
peu de temps après.

Pour revenir au défi de Necténabo, Ésope choisit des
Aiglons, et les fit instruire (chose difficile à croire), il les
fit, dis-je, instruire à porter en l'air chacun un panier,
dans lequel était un jeune enfant. Le printemps venu, il
s'en alla en Égypte avec tout cet équipage, non sans tenir
en grande admiration et en attente de son dessein les
peuples chez qui il passait. Necténabo, qui, sur le bruit
de sa mort, avait envoyé l'énigme, fut extrêmement surpris
de son arrivée. Il ne s'y attendait pas, et ne se fût jamais
engagé dans un tel défi contre Lycérus, s'il eût cru
Ésope vivant. Il lui demanda s'il avait amené les Architectes et le Répondant. Ésope dit que le Répondant était
lui-même, et qu'il ferait voir les Architectes quand il
serait sur le lieu. On sortit en pleine campagne, où les
Aigles enlevèrent les paniers avec les petits enfants, qui
criaient qu'on leur donnât du mortier, des pierres, et du
bois. Vous voyez, dit Ésope à Necténabo, je vous ai trouvé les
Ouvriers ; fournissez-leur des matériaux. Necténabo avoua
que Lycérus était le vainqueur. Il proposa toutefois ceci
à Ésope. J'ai des cavales en Égypte qui conçoivent au
hannissement des chevaux qui sont devers Babylone.
Qu'avez-vous à répondre là-dessus ? Le Phrygien remit
sa réponse au lendemain, et retourné qu'il fut au logis,
il commanda à des enfants de prendre un Chat, et de le
mener fouettant par les rues. Les Égyptiens, qui adorent
cet animal, se trouvèrent extrêmement scandalisés du
traitement que l'on lui faisait. Ils l'arrachèrent des mains
des enfants, et allèrent se plaindre au Roi. On fit venir
en sa présence le Phrygien. Ne savez-vous pas, lui dit
le Roi, que cet Animal est un de nos dieux ? Pourquoi
donc le faites-vous traiter de la sorte ? — C'est pour l'offense qu'il a commise envers Lycérus, reprit Ésope : car, la
nuit dernière, il lui a étranglé un Coq extrêmement cou-
rageux et qui chantait à toutes les heures. — Vous êtes
un menteur, repartit le Roi ; comment serait-il possible
que ce chat eût fait en si peu de temps un si long voyage ?
— Et comment est-il possible, reprit Ésope, que vos
juments entendent de si loin nos chevaux hannir, et
conçoivent pour les entendre ?

En suite de cela le Roi fit venir d'Héliopolis certains
personnages d'esprit subtil, et savants en questions énig-
matiques. Il leur fit un grand régal où le Phrygien fut
invité. Pendant le repas, ils proposèrent à Ésope diverses

choses, celle-ci entre autres. Il y a un grand Temple qui
est appuyé sur une Colonne entourée de douze Villes,
chacune desquelles à trente arcboutants; et autour de
ces arcboutants se promènent, l'une après l'autre, deux
femmes, l'une blanche, l'autre noire. Il faut renvoyer, dit
Ésope, cette question aux petits enfants de notre pays. Le
Temple est le Monde; la Colonne, l'An; les Villes, ce
sont les Mois; et les Arcboutants, les Jours, autour des-
quels se promènent alternativement le Jour et la Nuit.

Le lendemain, Necténabo assembla tous ses amis.
Souffrirez-vous, leur dit-il, qu'une moitié d'homme, qu'un
avorton soit la cause que Lycérus remporte le prix, et
que j'aie la confusion pour mon partage ? Un d'eux s'avisa
de demander à Ésope qu'il leur fît des questions de choses
dont ils n'eussent jamais entendu parler. Ésope écrivit
une cédule par laquelle Necténabo confessait devoir deux
mille talents à Lycérus. La cédule fut mise entre les mains
de Necténabo toute cachetée. Avant qu'on l'ouvrît, les
amis du Prince soutinrent que la chose contenue dans cet
Écrit était de leur connaissance. Quand on l'eut ouverte,
Necténabo s'écria : Voilà la plus grande fausseté du
monde; je vous en prends à témoin tous tant que vous
êtes. — Il est vrai, repartirent-ils, que nous n'en avons
jamais entendu parler. — J'ai donc satisfait à votre demande, reprit
Ésope.

Necténabo le renvoya comblé de présents, tant pour
lui que pour son maître. Le séjour qu'il fit en Égypte
est peut-être cause que quelques-uns ont écrit qu'il fut
Esclave avec Rhodopé, celle-là qui, des libéralités de ses
amants, fit élever une des trois Pyramides qui subsistent
encore, et qu'on voit avec admiration : c'est la plus petite,
mais celle qui est bâtie avec le plus d'art.

Ésope, à son retour dans Babylone, fut reçu de Lycérus
avec de grandes démonstrations de joie et de bienveillance.
Ce Roi lui fit ériger une statue. L'envie de voir et d'apprendre le fit renoncer à tous ces honneurs. Il quitta la cour de
Lycérus, où il avait tous les avantages qu'on peut souhaiter,
et prit congé de ce prince pour voir la Grèce encore une
fois. Lycérus ne le laissa point partir sans embrassements
et sans larmes, et sans faire promettre sur les autels qu'il
reviendrait achever ses jours auprès de lui.

Entre les Villes où il s'arrêta, Delphes fut une des
principales. Les Delphiens l'écoutèrent fort volontiers,
mais ils ne lui rendirent point d'honneurs. Ésope, piqué
de ce mépris, les compara aux bâtons qui flottent sur

l'onde. On s'imagine de loin que c'est quelque chose de
considérable; de près, on trouve que ce n'est rien. La
comparaison lui coûta cher. Les Delphiens en conçurent
une telle haine et un si violent désir de vengeance (outre
qu'ils craignaient d'être décriés par lui), qu'ils résolurent
de l'ôter du monde. Pour y parvenir, ils cachèrent parmi ses
hardes un de leurs vases sacrés, prétendant que par ce
moyen ils convaincraient Ésope de vol et de sacrilège, et
qu'ils le condamneraient à la mort. Comme il fut sorti de
Delphes, et qu'il eut pris le chemin de la Phocide, les
Delphiens accoururent comme gens qui étaient en peine.
Ils l'accusèrent d'avoir dérobé leur vase. Ésope le nia
avec des serments : on chercha dans son équipage, et il
fut trouvé. Tout ce qu'Ésope put dire n'empêcha point
qu'on ne le traitât comme un criminel infâme. Il fut ramené
à Delphes chargé de fers, mis dans les cachots, puis
condamné à être précipité. Rien ne lui servit de se défendre
avec ses armes ordinaires, et de raconter des apologues;
les Delphiens s'en moquèrent. La Grenouille, leur dit-il,
avait invité le Rat à la venir voir; afin de lui faire traverser
l'onde, elle l'attacha à son pied. Dès qu'il fut sur l'eau,
elle voulut le tirer au fond, dans le dessein de le noyer,
et d'en faire ensuite un repas. Le malheureux Rat résista
quelque peu de temps. Pendant qu'il se débattait sur l'eau,
un Oiseau de proie l'aperçut, fondit sur lui, et l'ayant
enlevé avec la Grenouille, qui ne se put détacher, il se
reput de l'un et de l'autre. C'est ainsi, Delphiens abomi-
nables, qu'un plus puissant que nous me vengera : je
périrai; mais vous périrez aussi. Comme on le conduisait
au supplice, il trouva moyen de s'échapper, et entra dans
une petite Chapelle dédiée à Apollon. Les Delphiens l'en
arrachèrent. Vous violez cet Asile, leur dit-il, parce que
ce n'est qu'une petite Chapelle, mais un jour viendra
que votre méchanceté ne trouvera point de retraite sûre,
non pas même dans les Temples. Il vous arrivera la même
chose qu'à l'Aigle, laquelle, nonobstant les prières de
l'Escarbot, enleva un Lièvre qui s'était réfugié chez lui; la
génération de l'Aigle en fut punie jusque dans le giron de
Jupiter. Les Delphiens peu touchés de tous ces exemples,
le précipitèrent.

Peu de temps après sa mort, une peste très violente
exerça sur eux ses ravages. Ils demandèrent à l'Oracle
par quels moyens ils pourraient apaiser le courroux des
Dieux. L'oracle leur répondit qu'il n'y en avait point
d'autre que d'expier leur forfait, et satisfaire aux Mânes

d'Ésope. Aussitôt une Pyramide fut élevée. Les Dieux ne témoignèrent pas seuls combien ce crime leur déplaisait : les hommes vengèrent aussi la mort de leur Sage. La Grèce envoya des Commissaires pour en informer, et en fit une punition rigoureuse.

## A MONSEIGNEUR LE DAUPHIN

Je chante les Héros dont Ésope est le Père,
Troupe de qui l'Histoire, encor que mensongère,
Contient des vérités qui servent de leçons.
Tout parle en mon Ouvrage, et même les Poissons :
Ce qu'ils disent s'adresse à tous tant que nous sommes.      5
Je me sers d'Animaux pour instruire les Hommes.
ILLUSTRE REJETON D'UN PRINCE aimé des Cieux,
Sur qui le Monde entier a maintenant les yeux,
Et qui, faisant fléchir les plus superbes Têtes,
Comptera désormais ses jours par ses conquêtes,      10
Quelque autre te dira d'une plus forte voix
Les faits de tes Aïeux et les vertus des Rois.
Je vais t'entretenir de moindres Aventures,
Te tracer en ces vers de légères peintures.
Et, si de t'agréer je n'emporte le prix,      15
J'aurai du moins l'honneur de l'avoir entrepris.

# LIVRE PREMIER

## FABLE I

## LA CIGALE ET LA FOURMI

La Cigale, ayant chanté
        Tout l'Été,
Se trouva fort dépourvue
Quand la bise fut venue.
Pas un seul petit morceau       5
De mouche ou de vermisseau.
Elle alla crier famine
Chez la Fourmi sa voisine,
La priant de lui prêter
Quelque grain pour subsister       10
Jusqu'à la saison nouvelle.
Je vous paierai, lui dit-elle,
Avant l'Oût, foi d'animal,
Intérêt et principal.
La Fourmi n'est pas prêteuse;       15
C'est là son moindre défaut.
« Que faisiez-vous au temps chaud ?
Dit-elle à cette emprunteuse.
— Nuit et jour à tout venant
Je chantais, ne vous déplaise.       20
— Vous chantiez ? j'en suis fort aise.
Eh bien! dansez maintenant. »

## FABLE II

## LE CORBEAU ET LE RENARD

Maître Corbeau, sur un arbre perché,
  Tenait en son bec un fromage.
Maître Renard, par l'odeur alléché,
  Lui tint à peu près ce langage :
  Et bonjour, Monsieur du Corbeau.                         5
Que vous êtes joli! que vous me semblez beau!
  Sans mentir, si votre ramage
  Se rapporte à votre plumage,
Vous êtes le Phénix des hôtes de ces bois.
A ces mots, le Corbeau ne se sent pas de joie;            10
  Et pour montrer sa belle voix,
Il ouvre un large bec, laisse tomber sa proie.
Le Renard s'en saisit, et dit : Mon bon Monsieur,
  Apprenez que tout flatteur
Vit aux dépens de celui qui l'écoute.                     15
Cette leçon vaut bien un fromage, sans doute.
  Le Corbeau honteux et confus
Jura, mais un peu tard, qu'on ne l'y prendrait plus.


## FABLE III

## LA GRENOUILLE QUI SE VEUT FAIRE
## AUSSI GROSSE QUE LE BŒUF

Une Grenouille vit un bœuf
  Qui lui sembla de belle taille.
Elle qui n'était pas grosse en tout comme un œuf
Envieuse s'étend, et s'enfle, et se travaille
      Pour égaler l'animal en grosseur,                    5
      Disant : Regardez bien, ma sœur;
Est-ce assez ? dites-moi; n'y suis-je point encore ?

— Nenni. — M'y voici donc ? — Point du tout. — M'y
[voilà ?
— Vous n'en approchez point. La chétive pécore
    S'enfla si bien qu'elle creva.          10
Le monde est plein de gens qui ne sont pas plus sages :
Tout Bourgeois veut bâtir comme les grands Seigneurs,
    Tout petit Prince a des Ambassadeurs,
        Tout Marquis veut avoir des Pages.


## FABLE IV

### LES DEUX MULETS

Deux Mulets cheminaient : l'un d'avoine chargé,
    L'autre portant l'argent de la Gabelle.
Celui-ci, glorieux d'une charge si belle,
N'eût voulu pour beaucoup en être soulagé.
        Il marchait d'un pas relevé,          5
        Et faisait sonner sa sonnette :
        Quand, l'ennemi se présentant,
        Comme il en voulait à l'argent,
Sur le Mulet du fisc une troupe se jette,
        Le saisit au frein et l'arrête.          10
        Le Mulet en se défendant
Se sent percer de coups : il gémit, il soupire.
Est-ce donc là, dit-il, ce qu'on m'avait promis ?
Ce Mulet qui me suit du danger se retire,
        Et moi j'y tombe, et je péris.          15
        — Ami, lui dit son camarade,
Il n'est pas toujours bon d'avoir un haut Emploi :
Si tu n'avais servi qu'un Meunier, comme moi,
        Tu ne serais pas si malade.

## FABLE V

## LE LOUP ET LE CHIEN

Un Loup n'avait que les os et la peau ;
    Tant les Chiens faisaient bonne garde.
Ce Loup rencontre un Dogue aussi puissant que beau,
Gras, poli, qui s'était fourvoyé par mégarde.
    L'attaquer, le mettre en quartiers,                              5
    Sire Loup l'eût fait volontiers.
    Mais il fallait livrer bataille,
    Et le Mâtin était de taille
    A se défendre hardiment.
    Le Loup donc l'aborde humblement,                               10
Entre en propos, et lui fait compliment
    Sur son embonpoint, qu'il admire.
    Il ne tiendra qu'à vous, beau Sire,
D'être aussi gras que moi, lui repartit le Chien.
    Quittez les bois, vous ferez bien :                             15
    Vos pareils y sont misérables,
    Cancres, haires, et pauvres diables,
Dont la condition est de mourir de faim.
Car quoi ? Rien d'assuré : point de franche lippée :
    Tout à la pointe de l'épée.                                      20
Suivez-moi : vous aurez un bien meilleur destin.
    Le Loup reprit : Que me faudra-t-il faire ?
Presque rien, dit le Chien, donner la chasse aux gens
    Portants bâtons, et mendiants ;
Flatter ceux du logis, à son Maître complaire ;                         25
    Moyennant quoi votre salaire
Sera force reliefs de toutes les façons :
    Os de poulets, os de pigeons :
    Sans parler de mainte caresse.
Le Loup déjà se forge une félicité                                      30
    Qui le fait pleurer de tendresse.
Chemin faisant, il vit le col du Chien pelé.     [ de chose.
Qu'est-ce là ? lui dit-il. — Rien. — Quoi ? rien ? — Peu
— Mais encor ? — Le collier dont je suis attaché
De ce que vous voyez est peut-être la cause.                            35
— Attaché ? dit le Loup : vous ne courez donc pas

Où vous voulez ? — Pas toujours, mais qu'importe ?
— Il importe si bien, que de tous vos repas
    Je ne veux en aucune sorte,
Et ne voudrais pas même à ce prix un trésor.                          40
Cela dit, maître Loup s'enfuit, et court encor.


## FABLE VI

## LA GÉNISSE, LA CHÈVRE ET LA BREBIS, EN SOCIÉTÉ AVEC LE LION

La Génisse, la Chèvre et leur sœur la Brebis,
Avec un fier Lion, Seigneur du voisinage,
Firent société, dit-on, au temps jadis,
Et mirent en commun le gain et le dommage.
Dans les lacs de la Chèvre un Cerf se trouva pris.                     5
Vers ses associés aussitôt elle envoie.
Eux venus, le Lion par ses ongles compta,
Et dit : Nous sommes quatre à partager la proie ;
Puis en autant de parts le Cerf il dépeça ;
Prit pour lui la première en qualité de Sire :                        10
Elle doit être à moi, dit-il ; et la raison,
    C'est que je m'appelle Lion :
    A cela l'on n'a rien à dire.
La seconde, par droit, me doit échoir encor :
Ce droit, vous le savez, c'est le droit du plus fort.                 15
Comme le plus vaillant je prétends la troisième.
Si quelqu'une de vous touche à la quatrième
    Je l'étranglerai tout d'abord.

# FABLE VII

## LA BESACE

Jupiter dit un jour : Que tout ce qui respire
S'en vienne comparaître aux pieds de ma grandeur.
Si dans son composé quelqu'un trouve à redire,
    Il peut le déclarer sans peur :
    Je mettrai remède à la chose.          5
Venez, Singe; parlez le premier, et pour cause.
Voyez ces animaux, faites comparaison
    De leurs beautés avec les vôtres.
Êtes-vous satisfait ? — Moi, dit-il, pourquoi non ?
N'ai-je pas quatre pieds aussi bien que les autres ?    10
Mon portrait jusqu'ici ne m'a rien reproché;
Mais pour mon frère l'Ours, on ne l'a qu'ébauché :
Jamais, s'il me veut croire, il ne se fera peindre.
L'Ours venant là-dessus, on crut qu'il s'allait plaindre.
Tant s'en faut : de sa forme il se loua très fort    15
Glosa sur l'Éléphant; dit qu'on pourrait encor
Ajouter à sa queue, ôter à ses oreilles;
Que c'était une masse informe et sans beauté.
    L'Éléphant étant écouté,
Tout sage qu'il était, dit des choses pareilles.    20
    Il jugea qu'à son appétit
    Dame Baleine était trop grosse.
Dame Fourmi trouva le Ciron trop petit,
    Se croyant, pour elle, un colosse.
Jupin les renvoya s'étant censurés tous,    25
Du reste, contents d'eux; mais parmi les plus fous
Notre espèce excella; car tout ce que nous sommes,
Lynx envers nos pareils, et Taupes envers nous,
Nous nous pardonnons tout, et rien aux autres hommes.
On se voit d'un autre œil qu'on ne voit son prochain.    30
    Le Fabricateur souverain
Nous créa Besaciers tous de même manière,
Tant ceux du temps passé que du temps d'aujourd'hui.
Il fit pour nos défauts la poche de derrière
Et celle de devant pour les défauts d'autrui.    35

## FABLE VIII

## L'HIRONDELLE ET LES PETITS OISEAUX

     Une Hirondelle en ses voyages
Avait beaucoup appris. Quiconque a beaucoup vu
     Peut avoir beaucoup retenu.
Celle-ci prévoyait jusqu'aux moindres orages,
     Et devant qu'ils fussent éclos,     5
     Les annonçait aux Matelots.
Il arriva qu'au temps que le chanvre se sème,
Elle vit un Manant en couvrir maints sillons.
Ceci ne me plaît pas, dit-elle aux Oisillons.
Je vous plains : car pour moi, dans ce péril extrême,     10
Je saurai m'éloigner, ou vivre en quelque coin.
Voyez-vous cette main qui par les airs chemine ?
     Un jour viendra, qui n'est pas loin,
Que ce qu'elle répand sera votre ruine.
De là naîtront engins à vous envelopper,     15
     Et lacets pour vous attraper,
     Enfin mainte et mainte machine
     Qui causera dans la saison
     Votre mort ou votre prison.
     Gare la cage ou le chaudron.     20
     C'est pourquoi, leur dit l'Hirondelle,
     Mangez ce grain; et croyez-moi.
     Les Oiseaux se moquèrent d'elle :
     Ils trouvaient aux champs trop de quoi.
     Quand la chènevière fut verte,     25
L'Hirondelle leur dit : Arrachez brin à brin
     Ce qu'a produit ce maudit grain,
     Ou soyez sûrs de votre perte.
— Prophète de malheur, babillarde, dit-on,
     Le bel emploi que tu nous donnes!     30
     Il nous faudrait mille personnes
     Pour éplucher tout ce canton.
     La chanvre étant tout à fait crue,
L'Hirondelle ajouta : Ceci ne va pas bien;
     Mauvaise graine est tôt venue.     35
Mais puisque jusqu'ici l'on ne m'a crue en rien,

Dès que vous verrez que la terre
Sera couverte, et qu'à leurs blés
Les gens n'étant plus occupés
Feront aux Oisillons la guerre;                        40
Quand reginglettes et réseaux
Attraperont petits Oiseaux,
Ne volez plus de place en place,
Demeurez au logis, ou changez de climat :
Imitez le Canard, la Grue, et la Bécasse.             45
    Mais vous n'êtes pas en état
De passer comme nous les déserts et les ondes,
    Ni d'aller chercher d'autres mondes.
C'est pourquoi vous n'avez qu'un parti qui soit sûr :
C'est de vous renfermer aux trous de quelque mur.     50
    Les Oisillons, las de l'entendre,
Se mirent à jaser aussi confusément
Que faisaient les Troyens quand la pauvre Cassandre
    Ouvrait la bouche seulement.
    Il en prit aux uns comme aux autres :             55
Maint oisillon se vit esclave retenu.
Nous n'écoutons d'instincts que ceux qui sont les nôtres,
Et ne croyons le mal que quand il est venu.


## FABLE IX

## LE RAT DE VILLE ET LE RAT DES CHAMPS

Autrefois le Rat de ville
Invita le Rat des champs,
D'une façon fort civile,
A des reliefs d'Ortolans.

Sur un Tapis de Turquie                                5
Le couvert se trouva mis.
Je laisse à penser la vie
Que firent ces deux amis.

Le régal fut fort honnête,
Rien ne manquait au festin;                            10
Mais quelqu'un troubla la fête
Pendant qu'ils étaient en train.

A la porte de la salle
Ils entendirent du bruit :
Le Rat de ville détale;                                    15
Son camarade le suit.

Le bruit cesse, on se retire :
Rats en campagne aussitôt;
Et le citadin de dire :
Achevons tout notre rôt.                                   20

— C'est assez, dit le rustique;
Demain vous viendrez chez moi :
Ce n'est pas que je me pique
De tous vos festins de Roi;

Mais rien ne vient m'interrompre :                         25
Je mange tout à loisir.
Adieu donc; fi du plaisir
Que la crainte peut corrompre.


## FABLE X

## LE LOUP ET L'AGNEAU

La raison du plus fort est toujours la meilleure :
  Nous l'allons montrer tout à l'heure.
  Un Agneau se désaltérait
  Dans le courant d'une onde pure.
Un Loup survient à jeun qui cherchait aventure,           5
  Et que la faim en ces lieux attirait.
Qui te rend si hardi de troubler mon breuvage ?
  Dit cet animal plein de rage :
Tu seras châtié de ta témérité.
— Sire, répond l'Agneau, que votre Majesté                10
  Ne se mette pas en colère;
  Mais plutôt qu'elle considère
  Que je me vas désaltérant
      Dans le courant,
  Plus de vingt pas au-dessous d'Elle,                    15

Et que par conséquent, en aucune façon,
   Je ne puis troubler sa boisson.
— Tu la troubles, reprit cette bête cruelle,
Et je sais que de moi tu médis l'an passé.
— Comment l'aurais-je fait si je n'étais pas né ?      20
   Reprit l'Agneau, je tette encor ma mère.
     — Si ce n'est toi, c'est donc ton frère.
— Je n'en ai point. — C'est donc quelqu'un des tiens :
     Car vous ne m'épargnez guère,
     Vous, vos bergers, et vos chiens.      25
On me l'a dit : il faut que je me venge.
      Là-dessus, au fond des forêts
      Le Loup l'emporte, et puis le mange,
      Sans autre forme de procès.


## FABLE XI

### L'HOMME ET SON IMAGE

#### POUR M. L. D. D. L. R.


Un homme qui s'aimait sans avoir de rivaux
Passait dans son esprit pour le plus beau du monde.
Il accusait toujours les miroirs d'être faux,
Vivant plus que content dans son erreur profonde.
Afin de le guérir, le sort officieux      5
     Présentait partout à ses yeux
Les Conseillers muets dont se servent nos Dames :
Miroirs dans les logis, miroirs chez les Marchands,
     Miroirs aux poches des galands,
     Miroirs aux ceintures des femmes.      10
Que fait notre Narcisse ? Il va se confiner
Aux lieux les plus cachés qu'il peut s'imaginer
N'osant plus des miroirs éprouver l'aventure.
Mais un canal, formé par une source pure,
     Se trouve en ces lieux écartés;      15
Il s'y voit; il se fâche; et ses yeux irrités
Pensent apercevoir une chimère vaine.
Il fait tout ce qu'il peut pour éviter cette eau;
     Mais quoi, le canal est si beau
     Qu'il ne le quitte qu'avec peine.      20

On voit bien où je veux venir.
   Je parle à tous; et cette erreur extrême
Est un mal que chacun se plaît d'entretenir.
Notre âme, c'est cet Homme amoureux de lui-même;
Tant de Miroirs, ce sont les sottises d'autrui,                    25
Miroirs, de nos défauts les Peintres légitimes;
      Et quant au Canal, c'est celui
   Que chacun sait, le Livre des *Maximes*.


### FABLE XII

### LE DRAGON A PLUSIEURS TÊTES,
### ET LE DRAGON A PLUSIEURS QUEUES


   Un Envoyé du Grand Seigneur
Préférait, dit l'Histoire, un jour chez l'Empereur,
Les forces de son Maître à celles de l'Empire.
      Un Allemand se mit à dire :
      Notre prince a des dépendants                               5
      Qui de leur chef sont si puissants
Que chacun d'eux pourrait soudoyer une armée.
      Le Chiaoux, homme de sens,
      Lui dit : Je sais par renommée
Ce que chaque Électeur peut de monde fournir;                     10
      Et cela me fait souvenir
D'une aventure étrange, et qui pourtant est vraie.
J'étais en un lieu sûr, lorsque je vis passer
Les cent têtes d'une Hydre au travers d'une haie.
      Mon sang commence à se glacer;                              15
      Et je crois qu'à moins on s'effraie.
Je n'en eus toutefois que la peur sans le mal.
      Jamais le corps de l'animal
Ne put venir vers moi, ni trouver d'ouverture.
      Je rêvais à cette aventure,                                 20
Quand un autre Dragon, qui n'avait qu'un seul chef
Et bien plus d'une queue, à passer se présente.
      Me voilà saisi derechef
      D'étonnement et d'épouvante.
Ce chef passe, et le corps, et chaque queue aussi.               25
Rien ne les empêcha; l'un fit chemin à l'autre.
      Je soutiens qu'il en est ainsi
      De votre Empereur et du nôtre.

## FABLE XIII

## LES VOLEURS ET L'ANE

Pour un Ane enlevé deux Voleurs se battaient :
L'un voulait le garder ; l'autre le voulait vendre.
　　Tandis que coups de poing trottaient,
Et que nos champions songeaient à se défendre,
　　Arrive un troisième larron                                    5
　　Qui saisit maître Aliboron.
L'Ane, c'est quelquefois une pauvre province.
　　Les voleurs sont tel ou tel prince,
Comme le Transylvain, le Turc, et le Hongrois.
　　Au lieu de deux, j'en ai rencontré trois :                    10
　　Il est assez de cette marchandise.
De nul d'eux n'est souvent la Province conquise :
Un quart Voleur survient, qui les accorde net
　　En se saisissant du Baudet.

## FABLE XIV

## SIMONIDE PRÉSERVÉ PAR LES DIEUX

On ne peut trop louer trois sortes de personnes :
　　Les Dieux, sa Maîtresse, et son Roi.
Malherbe le disait ; j'y souscris quant à moi :
　　Ce sont maximes toujours bonnes.
La louange chatouille et gagne les esprits ;                      5
Les faveurs d'une belle en sont souvent le prix.
Voyons comme les Dieux l'ont quelquefois payée.
　　Simonide avait entrepris
L'éloge d'un Athlète, et, la chose essayée,
Il trouva son sujet plein de récits tout nus.                     10
Les parents de l'Athlète étaient gens inconnus,
Son père, un bon Bourgeois, lui sans autre mérite :
　　Matière infertile et petite.

Le Poète d'abord parla de son Héros.
Après en avoir dit ce qu'il en pouvait dire,                              15
Il se jette à côté, se met sur le propos
De Castor et Pollux, ne manque pas d'écrire
Que leur exemple était aux lutteurs glorieux,
Élève leurs combats, spécifiant les lieux
Où ces frères s'étaient signalés davantage.                               20
    Enfin l'éloge de ces Dieux
    Faisait les deux tiers de l'ouvrage.
L'Athlète avait promis d'en payer un talent;
    Mais quand il le vit, le galand
N'en donna que le tiers, et dit fort franchement                         25
Que Castor et Pollux acquitassent le reste.
Faites-vous contenter par ce couple céleste.
    Je vous veux traiter cependant :
Venez souper chez moi, nous ferons bonne vie.
    Les conviés sont gens choisis,                                  30
    Mes parents, mes meilleurs amis.
    Soyez donc de la compagnie.
Simonide promit. Peut-être qu'il eut peur
De perdre, outre son dû, le gré de sa louange.
    Il vient, l'on festine, l'on mange.                             35
    Chacun étant en belle humeur,
Un domestique accourt, l'avertit qu'à la porte
Deux hommes demandaient à le voir promptement.
    Il sort de table, et la cohorte
    N'en perd pas un seul coup de dent.                             40
Ces deux hommes étaient les gémeaux de l'éloge.
Tous deux lui rendent grâce; et pour prix de ses vers,
    Ils l'avertissent qu'il déloge,
Et que cette maison va tomber à l'envers.
    La prédiction en fut vraie;                                     45
    Un pilier manque; et le plafonds,
    Ne trouvant plus rien qui l'étaie,
Tombe sur le festin, brise plats et flacons,
    N'en fait pas moins aux Échansons.
Ce ne fut pas le pis; car, pour rendre complète                          50
    La vengeance due au Poète,
Une poutre cassa les jambes à l'Athlète,
    Et renvoya les conviés
    Pour la plupart estropiés.
La renommée eut soin de publier l'affaire.                               55
Chacun cria miracle. On doubla le salaire
Que méritaient les vers d'un homme aimé des Dieux.
    Il n'était fils de bonne mère

Qui, les payant à qui mieux mieux,
  Pour ses ancêtres n'en fît faire.                    60
Je reviens à mon texte et dis premièrement
Qu'on ne saurait manquer de louer largement
Les Dieux et leurs pareils; de plus, que Melpomène
Souvent sans déroger trafique de sa peine;
Enfin qu'on doit tenir notre art en quelque prix.      65
Les grands se font honneur dès lors qu'ils nous font
  Jadis l'Olympe et le Parnasse              [grâce :
  Étaient frères et bons amis.


## FABLE XV

## LA MORT ET LE MALHEUREUX

### XVI

## LA MORT ET LE BUCHERON

Un Malheureux appelait tous les jours
  La mort à son secours.
O mort, lui disait-il, que tu me sembles belle!
Viens vite, viens finir ma fortune cruelle.
La Mort crut, en venant, l'obliger en effet.          5
Elle frappe à sa porte, elle entre, elle se montre.
  Que vois-je! cria-t-il, ôtez-moi cet objet;
    Qu'il est hideux! que sa rencontre
    Me cause d'horreur et d'effroi!
N'approche pas, ô mort; ô mort, retire-toi.           10
    Mécénas fut un galant homme:
Il a dit quelque part : Qu'on me rende impotent,
Cul-de-jatte, goutteux, manchot, pourvu qu'en somme
Je vive, c'est assez, je suis plus que content.
Ne viens jamais, ô mort; on t'en dit tout autant.     15

*Ce sujet a été traité d'une autre façon par Ésope, comme
la Fable suivante le fera voir. Je composai celle-ci pour une*

*raison qui me contraignait de rendre la chose ainsi générale.*
*Mais quelqu'un me fit connaître que j'eusse beaucoup mieux*
*fait de suivre mon original, et que je laissais passer un des*
*plus beaux traits qui fût dans Ésope. Cela m'obligea d'y avoir*
*recours. Nous ne saurions aller plus avant que les Anciens :*
*ils ne nous ont laissé pour notre part que la gloire de les bien*
*suivre. Je joins toutefois ma Fable à celle d'Ésope, non que*
*la mienne le mérite, mais à cause du mot de Mécénas que*
*j'y fais entrer, et qui est si beau et si à propos que je n'ai pas*
*cru le devoir omettre.*


Un pauvre Bûcheron tout couvert de ramée,
Sous le faix du fagot aussi bien que des ans
Gémissant et courbé marchait à pas pesants,
Et tâchait de gagner sa chaumine enfumée.
Enfin, n'en pouvant plus d'effort et de douleur,          5
Il met bas son fagot, il songe à son malheur.
Quel plaisir a-t-il eu depuis qu'il est au monde ?
En est-il un plus pauvre en la machine ronde ?
Point de pain quelquefois, et jamais de repos.
Sa femme, ses enfants, les soldats, les impôts,           10
    Le créancier, et la corvée
Lui font d'un malheureux la peinture achevée.
Il appelle la mort, elle vient sans tarder,
    Lui demande ce qu'il faut faire
    C'est, dit-il, afin de m'aider                 15
A recharger ce bois ; tu ne tarderas guère.
    Le trépas vient tout guérir ;
    Mais ne bougeons d'où nous sommes.
    Plutôt souffrir que mourir,
    C'est la devise des hommes.                   20

### FABLE XVII

## L'HOMME ENTRE DEUX AGES,
## ET SES DEUX MAITRESSES

Un homme de moyen âge,
Et tirant sur le grison,
Jugea qu'il était saison
De songer au mariage.
    Il avait du comptant,                                    5
    Et partant
De quoi choisir. Toutes voulaient lui plaire;
En quoi notre amoureux ne se pressait pas tant;
  Bien adresser n'est pas petite affaire.
Deux veuves sur son cœur eurent le plus de part :       10
  L'une encor verte, et l'autre un peu bien mûre,
    Mais qui réparait par son art
    Ce qu'avait détruit la nature.
    Ces deux Veuves, en badinant,
    En riant, en lui faisant fête,                         15
    L'allaient quelquefois testonnant,
    C'est-à-dire ajustant sa tête.
La Vieille à tous moments de sa part emportait
    Un peu du poil noir qui restait,
Afin que son amant en fût plus à sa guise.               20
La Jeune saccageait les poils blancs à son tour.
Toutes deux firent tant, que notre tête grise
Demeura sans cheveux, et se douta du tour.
    Je vous rends, leur dit-il, mille grâces, les Belles,
    Qui m'avez si bien tondu;                              25
    J'ai plus gagné que perdu :
    Car d'Hymen point de nouvelles.
Celle que je prendrais voudrait qu'à sa façon
    Je vécusse, et non à la mienne.
    Il n'est tête chauve qui tienne,                       30
Je vous suis obligé, Belles, de la leçon.

## *FABLE XVIII*

## LE RENARD ET LA CIGOGNE

Compère le Renard se mit un jour en frais,
Et retint à dîner commère la Cigogne.
Le régal fut petit, et sans beaucoup d'apprêts ;
    Le galand pour toute besogne
Avait un brouet clair (il vivait chichement).          5
Ce brouet fut par lui servi sur une assiette :
La Cigogne au long bec n'en put attraper miette ;
Et le drôle eut lapé le tout en un moment.
    Pour se venger de cette tromperie,
A quelque temps de là, la Cigogne le prie.            10
Volontiers, lui dit-il, car avec mes amis
    Je ne fais point cérémonie.
    A l'heure dite il courut au logis
        De la Cigogne son hôtesse,
        Loua très fort la politesse,                   15
        Trouva le dîner cuit à point.
Bon appétit surtout ; Renards n'en manquent point.
Il se réjouissait à l'odeur de la viande
Mise en menus morceaux, et qu'il croyait friande.
        On servit, pour l'embarrasser,                 20
En un vase à long col et d'étroite embouchure.
Le bec de la Cigogne y pouvait bien passer,
Mais le museau du Sire était d'autre mesure.
Il lui fallut à jeun retourner au logis,
Honteux comme un Renard qu'une Poule aurait pris,     25
    Serrant la queue, et portant bas l'oreille.
        Trompeurs, c'est pour vous que j'écris :
        Attendez- vous à la pareille.

### FABLE XIX

## L'ENFANT ET LE MAITRE D'ÉCOLE

Dans ce récit je prétends faire voir
D'un certain sot la remontrance vaine.
Un jeune enfant dans l'eau se laissa choir,
En badinant sur les bords de la Seine.
Le Ciel permit qu'un saule se trouva                              5
Dont le branchage, après Dieu, le sauva.
S'étant pris, dis-je, aux branches de ce saule,
Par cet endroit passe un Maître d'école.
L'Enfant lui crie : Au secours, je péris !
Le Magister, se tournant à ses cris,                             10
D'un ton fort grave à contre-temps s'avise
De le tancer : Ah ! le petit babouin !
Voyez, dit-il, où l'a mis sa sottise !
Et puis, prenez de tels fripons le soin.
Que les parents sont malheureux, qu'il faille                    15
Toujours veiller à semblable canaille !
Qu'ils ont de maux ! et que je plains leur sort !
Ayant tout dit, il mit l'enfant à bord.
Je blâme ici plus de gens qu'on ne pense.
Tout babillard, tout censeur, tout pédant,                       20
Se peut connaître au discours que j'avance :
Chacun des trois fait un peuple fort grand ;
Le Créateur en a béni l'engeance.
En toute affaire ils ne font que songer
    Aux moyens d'exercer leur langue.                            25
Hé mon ami, tire-moi de danger :
    Tu feras après ta harangue.

## FABLE XX

### LE COQ ET LA PERLE

Un jour un Coq détourna
Une Perle qu'il donna
Au beau premier Lapidaire.
Je la crois fine, dit-il;
Mais le moindre grain de mil          5
Serait bien mieux mon affaire.

Un ignorant hérita
D'un manuscrit qu'il porta
Chez son voisin le Libraire.
Je crois, dit-il, qu'il est bon;          10
Mais le moindre ducaton
Serait bien mieux mon affaire.

## FABLE XXI

### LES FRELONS ET LES MOUCHES A MIEL

A l'œuvre on connaît l'Artisan.
Quelques rayons de miel sans maître se trouvèrent,
     Des Frelons les réclamèrent.
     Des Abeilles s'opposant,
Devant certaine Guêpe on traduisit la cause.          5
Il était malaisé de décider la chose.
Les témoins déposaient qu'autour de ces rayons
Des animaux ailés, bourdonnants, un peu longs,
De couleur fort tannée et tels que les Abeilles,
Avaient longtemps paru. Mais quoi! dans les Frelons          10
     Ces enseignes étaient pareilles.
La Guêpe, ne sachant que dire à ces raisons,
Fit enquête nouvelle, et pour plus de lumière
     Entendit une fourmilière.

Le point n'en put être éclairci.                                     15
De grâce, à quoi bon tout ceci ?
Dit une Abeille fort prudente,
Depuis tantôt six mois que la cause est pendante,
    Nous voici comme aux premiers jours.
    Pendant cela le miel se gâte.                                    20
Il est temps désormais que le juge se hâte :
    N'a-t-il point assez léché l'Ours ?
Sans tant de contredits et d'interlocutoires,
    Et de fatras, et de grimoires,
    Travaillons, les Frelons et nous :                               25
On verra qui sait faire, avec un suc si doux,
    Des cellules si bien bâties.
    Le refus des Frelons fit voir
    Que cet art passait leur savoir ;
Et la Guêpe adjugea le miel à leurs parties.                         30
Plût à Dieu qu'on réglât ainsi tous les procès !
Que des Turcs en cela l'on suivît la méthode !
Le simple sens commun nous tiendrait lieu de Code ;
    Il ne faudrait point tant de frais ;
    Au lieu qu'on nous mange, on nous gruge,                         35
    On nous mine par des longueurs ;
On fait tant, à la fin, que l'huître est pour le juge,
    Les écailles pour les plaideurs.


## FABLE XXII

### LE CHÊNE ET LE ROSEAU

Le Chêne un jour dit au Roseau :
    Vous avez bien sujet d'accuser la Nature ;
Un Roitelet pour vous est un pesant fardeau.
Le moindre vent qui d'aventure
Fait rider la face de l'eau                                           5
Vous oblige à baisser la tête :
Cependant que mon front, au Caucase pareil,
Non content d'arrêter les rayons du Soleil,
    Brave l'effort de la tempête.
Tout vous est Aquilon, tout me semble Zéphir.                        10
Encor si vous naissiez à l'abri du feuillage
    Dont je couvre le voisinage,

Vous n'auriez pas tant à souffrir :
Je vous défendrais de l'orage;
Mais vous naissez le plus souvent                      15
Sur les humides bords des Royaumes du vent.
La nature envers vous me semble bien injuste.
— Votre compassion, lui répondit l'Arbuste,
Part d'un bon naturel; mais quittez ce souci.
   Les vents me sont moins qu'à vous redoutables.      20
Je plie, et ne romps pas. Vous avez jusqu'ici
   Contre leurs coups épouvantables
   Résisté sans courber le dos;
Mais attendons la fin. Comme il disait ces mots
Du bout de l'horizon accourt avec furie                25
   Le plus terrible des enfants
Que le Nord eût porté jusques-là dans ses flancs.
   L'Arbre tient bon; le Roseau plie.
   Le vent redouble ses efforts,
   Et fait si bien qu'il déracine                      30
Celui de qui la tête au Ciel était voisine,
Et dont les pieds touchaient à l'Empire des Morts.

# LIVRE DEUXIÈME

## FABLE I

### CONTRE CEUX QUI ONT LE GOUT
### DIFFICILE

Quand j'aurais, en naissant, reçu de Calliope
Les dons qu'à ses Amants cette Muse a promis,
Je les consacrerais aux mensonges d'Ésope :
Le mensonge et les vers de tout temps sont amis.
Mais je ne me crois pas si chéri du Parnasse          5
Que de savoir orner toutes ces fictions.
On peut donner du lustre à leurs inventions;
On le peut, je l'essaie; un plus savant le fasse.
Cependant jusqu'ici d'un langage nouveau
J'ai fait parler le Loup et répondre l'Agneau.          10
J'ai passé plus avant : les Arbres et les Plantes
Sont devenus chez moi créatures parlantes.
Qui ne prendrait ceci pour un enchantement ?
    Vraiment, me diront nos Critiques,
    Vous parlez magnifiquement          15
    De cinq ou six contes d'enfant.
— Censeurs, en voulez-vous qui soient plus authentiques
Et d'un style plus haut ? En voici. Les Troyens,
Après dix ans de guerre autour de leurs murailles,
Avaient lassé les Grecs qui, par mille moyens,          20
    Par mille assauts, par cent batailles,
N'avaient pu mettre à bout cette fière Cité;
Quand un cheval de bois par Minerve inventé
    D'un rare et nouvel artifice,
Dans ses énormes flancs reçut le sage Ulysse,          25

Le vaillant Diomède, Ajax l'impétueux,
    Que ce Colosse monstrueux
Avec leurs escadrons devait porter dans Troie,
Livrant à leur fureur ses Dieux mêmes en proie.
Stratagème inouï, qui des fabricateurs             30
    Paya la constance et la peine.
— C'est assez, me dira quelqu'un de nos Auteurs;
La période est longue, il faut reprendre haleine;
    Et puis votre Cheval de bois,
    Vos Héros avec leurs Phalanges,        35
    Ce sont des contes plus étranges
Qu'un Renard qui cajole un Corbeau sur sa voix.
De plus, il vous sied mal d'écrire en si haut style.
— Eh bien, baissons d'un ton. La jalouse Amarylle
Songeait à son Alcippe, et croyait de ses soins    40
N'avoir que ses Moutons et son Chien pour témoins.
Tircis, qui l'aperçut, se glisse entre des Saules;
Il entend la bergère adressant ces paroles
    Au doux Zéphire, et le priant
    De les porter à son Amant.        45
    — Je vous arrête à cette rime,
    Dira mon censeur à l'instant,
    Je ne la tiens pas légitime,
    Ni d'une assez grande vertu.
Remettez, pour le mieux, ces deux vers à la fonte.    50
    — Maudit censeur, te tairas-tu?
    Ne saurais-je achever mon conte?
    C'est un dessein très dangereux
    Que d'entreprendre de te plaire.
    Les délicats sont malheureux:    55
    Rien ne saurait les satisfaire.

## FABLE II

### CONSEIL TENU PAR LES RATS

    Un Chat, nommé Rodilardus
  Faisait de Rats telle déconfiture
    Que l'on n'en voyait presque plus,
Tant il en avait mis dedans la sépulture.
Le peu qu'il en restait, n'osant quitter son trou,    5
Ne trouvait à manger que le quart de son sou;

Et Rodilard passait, chez la gent misérable,
    Non pour un Chat, mais pour un Diable.
    Or un jour qu'au haut et au loin
    Le galand alla chercher femme,          10
Pendant tout le sabbat qu'il fit avec sa Dame,
Le demeurant des Rats tint Chapitre en un coin
    Sur la nécessité présente.
Dès l'abord leur Doyen, personne fort prudente,
Opina qu'il fallait, et plus tôt que plus tard,     15
Attacher un grelot au cou de Rodilard;
    Qu'ainsi, quand il irait en guerre,
De sa marche avertis, ils s'enfuiraient sous terre;
    Qu'il n'y savait que ce moyen.
Chacun fut de l'avis de Monsieur le Doyen,     20
Chose ne leur parut à tous plus salutaire.
La difficulté fut d'attacher le grelot.
L'un dit : Je n'y vas point, je ne suis pas si sot;
L'autre : Je ne saurais. Si bien que sans rien faire
On se quitta. J'ai maints Chapitres vus,     25
    Qui pour néant se sont ainsi tenus :
Chapitres non de Rats, mais Chapitres de Moines,
    Voire Chapitres de Chanoines.


    Ne faut-il que délibérer,
    La Cour en Conseillers foisonne;     30
    Est-il besoin d'exécuter,
    L'on ne rencontre plus personne.


## FABLE III

### LE LOUP
### PLAIDANT CONTRE LE RENARD
### PAR-DEVANT LE SINGE


Un Loup disait que l'on l'avait volé :
Un Renard, son voisin, d'assez mauvaise vie,
Pour ce prétendu vol par lui fut appelé.
    Devant le Singe il fut plaidé,
Non point par Avocats, mais par chaque Partie.     5
    Thémis n'avait point travaillé,
De mémoire de Singe, à fait plus embrouillé.
Le Magistrat suait en son lit de Justice.

Après qu'on eut bien contesté,
Répliqué, crié, tempêté,                                          10
Le Juge, instruit de leur malice,
Leur dit : Je vous connais de longtemps, mes amis;
Et tous deux vous paierez l'amende :
Car toi, Loup, tu te plains, quoiqu'on ne t'ait rien pris;
Et toi, Renard, as pris ce que l'on te demande.              15
Le Juge prétendait qu'à tort et à travers
On ne saurait manquer condamnant un pervers.

*Quelques personnes de bon sens ont cru que l'impossibilité*
*et la contradiction qui est dans le Jugement de ce Singe était*
*une chose à censurer; mais je ne m'en suis servi qu'après*
*Phèdre; et c'est en cela que consiste le bon mot, selon mon avis.*

## FABLE IV

### LES DEUX TAUREAUX
### ET UNE GRENOUILLE

Deux Taureaux combattaient à qui posséderait
        Une Génisse avec l'empire.
        Une Grenouille en soupirait.
        Qu'avez-vous ? se mit à lui dire
        Quelqu'un du peuple croassant.                         5
        — Et ne voyez-vous pas, dit-elle,
        Que la fin de cette querelle
Sera l'exil de l'un; que l'autre, le chassant,
Le fera renoncer aux campagnes fleuries ?
Il ne régnera plus sur l'herbe des prairies,                   10
Viendra dans nos marais régner sur les roseaux,
Et nous foulant aux pieds jusques au fond des eaux,
Tantôt l'une, et puis l'autre, il faudra qu'on pâtisse
Du combat qu'a causé Madame la Génisse.

        Cette crainte était de bon sens.                       15
        L'un des Taureaux en leur demeure
        S'alla cacher à leurs dépens :
        Il en écrasait vingt par heure.
        Hélas! on voit que de tout temps
Les petits ont pâti des sottises des grands.                   20

## FABLE V

### LA CHAUVE-SOURIS
### ET LES DEUX BELETTES

Une Chauve-souris donna tête baissée
Dans un nid de Belette; et sitôt qu'elle y fut,
L'autre, envers les souris de longtemps courroucée,
    Pour la dévorer accourut.
Quoi! vous osez, dit-elle, à mes yeux vous produire,    5
Après que votre race a tâché de me nuire!
N'êtes-vous pas Souris? Parlez sans fiction.
Oui, vous l'êtes, ou bien je ne suis pas Belette.
   — Pardonnez-moi, dit la pauvrette,
    Ce n'est pas ma profession.    10
Moi, Souris! Des méchants vous ont dit ces nouvelles.
    Grâce à l'Auteur de l'Univers,
    Je suis Oiseau: voyez mes ailes:
    Vive la gent qui fend les airs!
    Sa raison plut, et sembla bonne.    15
    Elle fait si bien qu'on lui donne
    Liberté de se retirer.
    Deux jours après, notre étourdie
    Aveuglément va se fourrer
Chez une autre Belette aux Oiseaux ennemie.    20
La voilà derechef en danger de sa vie.
La Dame du logis avec son long museau
S'en allait la croquer en qualité d'Oiseau,
Quand elle protesta qu'on lui faisait outrage:
Moi, pour telle passer? Vous n'y regardez pas.    25
    Qui fait l'Oiseau? c'est le plumage.
    Je suis Souris: vivent les Rats!
    Jupiter confonde les Chats!
    Par cette adroite repartie
    Elle sauva deux fois sa vie.    30

Plusieurs se sont trouvés qui d'écharpe changeants
Aux dangers, ainsi qu'elle, ont souvent fait la figue.
    Le Sage dit, selon les gens:
    Vive le Roi, vive la Ligue.

## FABLE VI

## L'OISEAU BLESSÉ D'UNE FLÈCHE

Mortellement atteint d'une flèche empennée,
Un Oiseau déplorait sa triste destinée,
Et disait, en souffrant un surcroît de douleur :
Faut-il contribuer à son propre malheur ?
    Cruels humains, vous tirez de nos ailes                          5
De quoi faire voler ces machines mortelles ;
Mais ne vous moquez point, engeance sans pitié :
Souvent il vous arrive un sort comme le nôtre.
Des enfants de Japet toujours une moitié
        Fournira des armes à l'autre.                                10

## FABLE VII

## LA LICE ET SA COMPAGNE

Une Lice étant sur son terme,
Et ne sachant où mettre un fardeau si pressant,
Fait si bien qu'à la fin sa Compagne consent
De lui prêter sa hutte, où la Lice s'enferme.
Au bout de quelque temps sa Compagne revient.                        5
La Lice lui demande encore une quinzaine.
Ses petits ne marchaient, disait-elle, qu'à peine.
        Pour faire court, elle l'obtient.
Ce second terme échu, l'autre lui redemande
        Sa maison, sa chambre, son lit.                              10
La Lice cette fois montre les dents, et dit :
Je suis prête à sortir avec toute ma bande,
        Si vous pouvez nous mettre hors.
        Ses enfants étaient déjà forts.

Ce qu'on donne aux méchants, toujours on le regrette.      15
    Pour tirer d'eux ce qu'on leur prête,
      Il faut que l'on en vienne aux coups ;
      Il faut plaider, il faut combattre.
      Laissez-leur prendre un pied chez vous,
      Ils en auront bientôt pris quatre.      20

## FABLE VIII

### L'AIGLE ET L'ESCARBOT

L'Aigle donnait la chasse à Maître Jean Lapin,
Qui droit à son terrier s'enfuyait au plus vite.
Le trou de l'Escarbot se rencontre en chemin.
    Je laisse à penser si ce gîte
Était sûr ; mais où mieux ? Jean Lapin s'y blottit.      5
L'Aigle fondant sur lui nonobstant cet asile,
    L'Escarbot intercède, et dit :
Princesse des Oiseaux, il vous est fort facile
D'enlever malgré moi ce pauvre malheureux ;
Mais ne me faites pas cet affront, je vous prie ;      10
Et puisque Jean Lapin vous demande la vie,
Donnez-la-lui, de grâce, ou l'ôtez à tous deux :
    C'est mon voisin, c'est mon compère.
L'oiseau de Jupiter, sans répondre un seul mot,
    Choque de l'aile l'Escarbot,      15
    L'étourdit, l'oblige à se taire,
Enlève Jean Lapin. L'Escarbot indigné
Vole au nid de l'oiseau, fracasse en son absence
Ses œufs, ses tendres œufs, sa plus douce espérance :
    Pas un seul ne fut épargné.      20
L'Aigle étant de retour et voyant ce ménage,
Remplit le ciel de cris, et pour comble de rage,
Ne sait sur qui venger le tort qu'elle a souffert.
Elle gémit en vain, sa plainte au vent se perd.
Il fallut pour cet an vivre en mère affligée.      25
L'an suivant, elle mit son nid en lieu plus haut.
L'Escarbot prend son temps, fait faire aux œufs le saut :
La mort de Jean Lapin derechef est vengée.
Ce second deuil fut tel que l'écho de ces bois
    N'en dormit de plus de six mois.      30

L'Oiseau qui porte Ganymède
Du monarque des Dieux enfin implore l'aide,
Dépose en son giron ses œufs, et croit qu'en paix
Ils seront dans ce lieu, que pour ses intérêts
Jupiter se verra contraint de les défendre :                    35
 Hardi qui les irait là prendre.
 Aussi ne les y prit-on pas.
 Leur ennemi changea de note,
Sur la robe du Dieu fit tomber une crotte :
Le dieu la secouant jeta les œufs à bas.                        40
 Quand l'Aigle sut l'inadvertance,
 Elle menaça Jupiter
D'abandonner sa Cour, d'aller vivre au désert,
 Avec mainte autre extravagance.
 Le pauvre Jupiter se tut :                                45
Devant son tribunal l'Escarbot comparut,
Fit sa plainte, et conta l'affaire.
On fit entendre à l'Aigle enfin qu'elle avait tort.
Mais les deux ennemis ne voulant point d'accord,
Le Monarque des Dieux s'avisa, pour bien faire,                 50
De transporter le temps où l'Aigle fait l'amour
En une autre saison, quand la race Escarbote
Est en quartier d'hiver, et comme la Marmotte,
 Se cache et ne voit point le jour.


## FABLE IX

## LE LION ET LE MOUCHERON


Va-t'en, chétif insecte, excrément de la terre.
C'est en ces mots que le Lion
Parlait un jour au Moucheron.
L'autre lui déclara la guerre.
Penses-tu, lui dit-il, que ton titre de Roi                     5
 Me fasse peur ni me soucie ?
 Un bœuf est plus puissant que toi,
 Je le mène à ma fantaisie.
 A peine il achevait ces mots
 Que lui-même il sonna la charge,                          10
 Fut le Trompette et le Héros.

Dans l'abord il se met au large,
Puis prend son temps, fond sur le cou
Du Lion, qu'il rend presque fou.
Le quadrupède écume, et son œil étincelle;                    15
Il rugit, on se cache, on tremble à l'environ;
    Et cette alarme universelle
    Est l'ouvrage d'un Moucheron.
Un avorton de Mouche en cent lieux le harcelle,
Tantôt pique l'échine, et tantôt le museau,                   20
    Tantôt entre au fond du naseau.
La rage alors se trouve à son faîte montée.
L'invisible ennemi triomphe, et rit de voir
Qu'il n'est griffe ni dent en la bête irritée
Qui de la mettre en sang ne fasse son devoir.                 25
Le malheureux Lion se déchire lui-même,
Fait résonner sa queue à l'entour de ses flancs,
Bat l'air, qui n'en peut mais; et sa fureur extrême
Le fatigue, l'abat; le voilà sur les dents.
L'insecte du combat se retire avec gloire :                   30
Comme il sonna la charge, il sonne la victoire,
Va partout l'annoncer, et rencontre en chemin
    L'embuscade d'une araignée :
    Il y rencontre aussi sa fin.

Quelle chose par là nous peut être enseignée ?               35
J'en vois deux, dont l'une est qu'entre nos ennemis
Les plus à craindre sont souvent les plus petits;
L'autre, qu'aux grands périls tel a pu se soustraire,
    Qui périt pour la moindre affaire.


### FABLE X

#### L'ANE CHARGÉ D'ÉPONGES, ET L'ANE
#### CHARGÉ DE SEL


Un Anier, son Sceptre à la main,
Menait, en Empereur Romain,
Deux Coursiers à longues oreilles.
L'un d'éponges chargé marchait comme un Courrier;
Et l'autre se faisant prier                                    5

Portait, comme on dit, les bouteilles :
Sa charge était de sel. Nos gaillards pèlerins,
    Par monts, par vaux et par chemins,
Au gué d'une rivière à la fin arrivèrent,
    Et fort empêchés se trouvèrent.          10
L'Anier, qui tous les jours traversait ce gué-là,
    Sur l'Ane à l'éponge monta,
    Chassant devant lui l'autre bête,
    Qui voulant en faire à sa tête,
    Dans un trou se précipita,          15
    Revint sur l'eau, puis échappa;
    Car au bout de quelques nagées,
    Tout son sel se fondit si bien
    Que le Baudet ne sentit rien
    Sur ses épaules soulagées.          20
Camarade Épongier prit exemple sur lui,
Comme un Mouton qui va dessus la foi d'autrui.
Voilà mon Ane à l'eau : jusqu'au col il se plonge,
    Lui, le Conducteur et l'Éponge.
Tous trois burent d'autant : l'Anier et le Grison    25
    Firent à l'éponge raison.
    Celle-ci devint si pesante,
    Et de tant d'eau s'emplit d'abord,
Que l'Ane succombant ne put gagner le bord.
    L'Anier l'embrassait dans l'attente    30
    D'une prompte et certaine mort.
Quelqu'un vint au secours : qui ce fut, il n'importe;

C'est assez qu'on ait vu par là qu'il ne faut point
    Agir chacun de même sorte.
    J'en voulais venir à ce point.    35

## FABLE XI

### LE LION ET LE RAT

## FABLE XII

### LA COLOMBE ET LA FOURMI

Il faut, autant qu'on peut, obliger tout le monde :
On a souvent besoin d'un plus petit que soi.
De cette vérité deux Fables feront foi,
    Tant la chose en preuves abonde.

    Entre les pattes d'un Lion                          5
Un Rat sortit de terre assez à l'étourdie.
Le Roi des animaux, en cette occasion,
Montra ce qu'il était, et lui donna la vie.
    Ce bienfait ne fut pas perdu.
    Quelqu'un aurait-il jamais cru                  10
    Qu'un Lion d'un Rat eût affaire ?
Cependant il avint qu'au sortir des forêts
    Ce Lion fut pris dans des rets
Dont ses rugissements ne le purent défaire.
Sire Rat accourut, et fit tant par ses dents             15
Qu'une maille rongée emporta tout l'ouvrage,
    Patience et longueur de temps
    Font plus que force ni que rage.

L'autre exemple est tiré d'animaux plus petits.
Le long d'un clair ruisseau buvait une Colombe,        20
Quand sur l'eau se penchant une Fourmi y tombe;
Et dans cet Océan l'on eût vu la Fourmi
S'efforcer, mais en vain, de regagner la rive.
La Colombe aussitôt usa de charité :
Un brin d'herbe dans l'eau par elle étant jeté,        25
Ce fut un promontoire où la Fourmi arrive.
    Elle se sauve; et là-dessus

Passe un certain Croquant qui marchait les pieds nus.
Ce Croquant par hasard avait une arbalète.
    Dès qu'il voit l'Oiseau de Vénus,                30
Il le croit en son pot, et déjà lui fait fête.
Tandis qu'à le tuer mon Villageois s'apprête,
      La Fourmi le pique au talon.
      Le Vilain retourne la tête.
La Colombe l'entend, part, et tire de long.          35
Le soupé du Croquant avec elle s'envole :
      Point de Pigeon pour une obole.


## FABLE XIII

## L'ASTROLOGUE QUI SE LAISSE TOMBER DANS UN PUITS


Un Astrologue un jour se laissa choir
Au fond d'un puits. On lui dit : Pauvre bête,
Tandis qu'à peine à tes pieds tu peux voir,
Penses-tu lire au-dessus de ta tête ?

Cette aventure en soi, sans aller plus avant,      5
Peut servir de leçon à la plupart des hommes.
Parmi ce que de gens sur la terre nous sommes,
      Il en est peu qui fort souvent
      Ne se plaisent d'entendre dire
Qu'au Livre du Destin les mortels peuvent lire.      10
Mais ce Livre qu'Homère et les siens ont chanté,
Qu'est-ce que le hasard parmi l'Antiquité,
      Et parmi nous la Providence ?
   Or du hasard il n'est point de science :
      S'il en était, on aurait tort      15
De l'appeler hasard, ni fortune, ni sort,
      Toutes choses très incertaines.
      Quant aux volontés souveraines
De celui qui fait tout, et rien qu'avec dessein,
Qui les sait, que lui seul ? Comment lire en son sein ?      20
Aurait-il imprimé sur le front des étoiles
Ce que la nuit des temps enferme dans ses voiles ?
A quelle utilité ? Pour exercer l'esprit

De ceux qui de la Sphère et du Globe ont écrit ?
Pour nous faire éviter des maux inévitables ?                    25
Nous rendre dans les biens de plaisir incapables ?
Et causant du dégoût pour ces biens prévenus,
Les convertir en maux devant qu'ils soient venus ?
C'est erreur, ou plutôt c'est crime de le croire.
Le Firmament se meut; les Astres font leur cours,            30
    Le Soleil nous luit tous les jours,
Tous les jours sa clarté succède à l'ombre noire,
Sans que nous en puissions autre chose inférer
Que la nécessité de luire et d'éclairer,
D'amener les saisons, de mûrir les semences,                   35
De verser sur les corps certaines influences.
Du reste, en quoi répond au sort toujours divers
Ce train toujours égal dont marche l'Univers ?
    Charlatans, faiseurs d'horoscope,
    Quittez les Cours des Princes de l'Europe;          40
Emmenez avec vous les souffleurs tout d'un temps.
Vous ne méritez pas plus de foi que ces gens.
Je m'emporte un peu trop : revenons à l'histoire
De ce Spéculateur qui fut contraint de boire.
Outre la vanité de son art mensonger,                              45
C'est l'image de ceux qui bâillent aux chimères,
    Cependant qu'ils sont en danger,
    Soit pour eux, soit pour leurs affaires.


## FABLE XIV

## LE  LIÈVRE  ET  LES  GRENOUILLES

    Un Lièvre en son gîte songeait
(Car que faire en un gîte, à moins que l'on ne songe ?);
Dans un profond ennui ce Lièvre se plongeait :
Cet animal est triste, et la crainte le ronge.
    Les gens de naturel peureux                                5
    Sont, disait-il, bien malheureux;
Ils ne sauraient manger morceau qui leur profite.
Jamais un plaisir pur, toujours assauts divers :
Voilà comme je vis : cette crainte maudite
M'empêche de dormir, sinon les yeux ouverts.                    10

Corrigez-vous, dira quelque sage cervelle.
   Et la peur se corrige-t-elle ?
   Je crois même qu'en bonne foi
   Les hommes ont peur comme moi.
   Ainsi raisonnait notre Lièvre           15
   Et cependant faisait le guet.
   Il était douteux, inquiet :
Un souffle, une ombre, un rien, tout lui donnait la fièvre.
   Le mélancolique animal,
   En rêvant à cette matière,                 20
Entend un léger bruit : ce lui fut un signal
   Pour s'enfuir devers sa tanière.
Il s'en alla passer sur le bord d'un Étang.
Grenouilles aussitôt de sauter dans les ondes,
Grenouilles de rentrer en leurs grottes profondes.     25
   Oh! dit-il, j'en fais faire autant
   Qu'on m'en fait faire! Ma présence
Effraie aussi les gens, je mets l'alarme au camp!
   Et d'où me vient cette vaillance ?
Comment! des animaux qui tremblent devant moi!         30
   Je suis donc un foudre de guerre ?
Il n'est, je le vois bien, si poltron sur la terre
Qui ne puisse trouver un plus poltron que soi.


*FABLE XV*


## LE COQ ET LE RENARD


Sur la branche d'un arbre était en sentinelle
   Un vieux Coq adroit et matois.
Frère, dit un Renard, adoucissant sa voix,
   Nous ne sommes plus en querelle :
   Paix générale cette fois.                    5
Je viens te l'annoncer; descends que je t'embrasse.
   Ne me retarde point, de grâce :
Je dois faire aujourd'hui vingt postes sans manquer.
   Les tiens et toi pouvez vaquer
Sans nulle crainte à vos affaires;                     10
   Nous vous y servirons en frères.
   Faites-en les feux dès ce soir.

Et cependant viens recevoir
Le baiser d'amour fraternelle.
— Ami, reprit le Coq, je ne pouvais jamais          15
Apprendre une plus douce et meilleure nouvelle
        Que celle
        De cette paix;
    Et ce m'est une double joie
De la tenir de toi. Je vois deux Lévriers,          20
        Qui, je m'assure, sont courriers
        Que pour ce sujet on envoie.
Ils vont vite, et seront dans un moment à nous.
Je descends; nous pourrons nous entre-baiser tous.
— Adieu, dit le Renard, ma traite est longue à faire :   25
Nous nous réjouirons du succès de l'affaire
    Une autre fois. Le galand aussitôt
        Tire ses grègues, gagne au haut,
        Mal content de son stratagème;
    Et notre vieux Coq en soi-même             30
        Se mit à rire de sa peur;
Car c'est double plaisir de tromper le trompeur.


## FABLE XVI

## LE CORBEAU
## VOULANT IMITER L'AIGLE

L'Oiseau de Jupiter enlevant un mouton,
        Un Corbeau témoin de l'affaire,
Et plus faible de reins, mais non pas moins glouton,
        En voulut sur l'heure autant faire.
        Il tourne à l'entour du troupeau,          5
Marque entre cent Moutons le plus gras, le plus beau,
        Un vrai Mouton de sacrifice :
On l'avait réservé pour la bouche des Dieux.
Gaillard Corbeau disait, en le couvant des yeux :
        Je ne sais qui fut ta nourrice;           10
Mais ton corps me paraît en merveilleux état :
        Tu me serviras de pâture.
Sur l'animal bêlant à ces mots il s'abat.
        La Moutonnière créature

Pesait plus qu'un fromage, outre que sa toison            15
    Était d'une épaisseur extrême,
Et mêlée à peu près de la même façon
    Que la barbe de Polyphème.
Elle empêtra si bien les serres du Corbeau
Que le pauvre animal ne put faire retraite.              20
  Le Berger vient, le prend, l'encage bien et beau,
Le donne à ses enfants pour servir d'amusette.
Il faut se mesurer, la conséquence est nette :
Mal prend aux Volereaux de faire les Voleurs.

    L'exemple est un dangereux leurre :            25
Tous les mangeurs de gens ne sont pas grands Seigneurs ;
Où la Guêpe a passé, le Moucheron demeure.


## FABLE XVII

## LE  PAON  SE  PLAIGNANT  A  JUNON


    Le Paon se plaignait à Junon :
Déesse, disait-il, ce n'est pas sans raison
    Que je me plains, que je murmure :
    Le chant dont vous m'avez fait don
    Déplaît à toute la Nature ;                    5
Au lieu qu'un Rossignol, chétive créature,
  Forme des sons aussi doux qu'éclatants,
  Est lui seul l'honneur du Printemps.
    Junon répondit en colère :
    Oiseau jaloux, et qui devrais te taire,          10
Est-ce à toi d'envier la voix du Rossignol,
Toi que l'on voit porter à l'entour de ton col
Un arc-en-ciel nué de cent sortes de soies ;
    Qui te panades, qui déploies
Une si riche queue, et qui semble à nos yeux             15
    La Boutique d'un Lapidaire ?
    Est-il quelque oiseau sous les Cieux
    Plus que toi capable de plaire ?
Tout animal n'a pas toutes propriétés.
Nous vous avons donné diverses qualités :               20
Les uns ont la grandeur et la force en partage ;
Le Faucon est léger, l'Aigle plein de courage ;

Le Corbeau sert pour le présage,
La Corneille avertit des malheurs à venir;
   Tous sont contents de leur ramage.     25
Cesse donc de te plaindre, ou bien, pour te punir,
   Je t'ôterai ton plumage.

## FABLE XVIII

### LA CHATTE MÉTAMORPHOSÉE
### EN FEMME

Un Homme chérissait éperdument sa Chatte;
Il la trouvait mignonne, et belle, et délicate,
   Qui miaulait d'un ton fort doux.
   Il était plus fou que les fous.
  Cet Homme donc, par prières, par larmes,     5
   Par sortilèges et par charmes,
   Fait tant qu'il obtient du destin
   Que sa Chatte en un beau matin
   Devient femme, et le matin même,
   Maître sot en fait sa moitié.     10
   Le voilà fou d'amour extrême,
   De fou qu'il était d'amitié.
   Jamais la Dame la plus belle
   Ne charma tant son Favori
   Que fait cette épouse nouvelle     15
   Son hypocondre de mari.
   Il l'amadoue, elle le flatte;
   Il n'y trouve plus rien de Chatte,
   Et poussant l'erreur jusqu'au bout,
   La croit femme en tout et partout,     20
Lorsque quelques Souris qui rongeaient de la natte
Troublèrent le plaisir des nouveaux mariés.
   Aussitôt la femme est sur pieds :
   Elle manqua son aventure.
Souris de revenir, femme d'être en posture.     25
  Pour cette fois elle accourut à point :
   Car ayant changé de figure,
   Les souris ne la craignaient point.
   Ce lui fut toujours une amorce,
   Tant le naturel a de force.     30

Il se moque de tout, certain âge accompli :
Le vase est imbibé, l'étoffe a pris son pli.
    En vain de son train ordinaire
    On le veut désaccoutumer.
    Quelque chose qu'on puisse faire,        35
    On ne saurait le réformer.
    Coups de fourche ni d'étrivières
    Ne lui font changer de manières;
    Et, fussiez-vous embâtonnés,
    Jamais vous n'en serez les maîtres.      40
    Qu'on lui ferme la porte au nez,
    Il reviendra par les fenêtres.

## FABLE XIX

## LE LION ET L'ANE CHASSANT

Le roi des animaux se mit un jour en tête
    De giboyer. Il célébrait sa fête.
Le gibier du Lion, ce ne sont pas moineaux,
Mais beaux et bons Sangliers, Daims et Cerfs bons et beaux.
    Pour réussir dans cette affaire,       5
    Il se servit du ministère
    De l'Ane à la voix de Stentor.
L'Ane à Messer Lion fit office de Cor.
Le Lion le posta, le couvrit de ramée,
Lui commanda de braire, assuré qu'à ce son     10
Les moins intimidés fuiraient de leur maison.
Leur troupe n'était pas encore accoutumée
    A la tempête de sa voix;
L'air en retentissait d'un bruit épouvantable;
La frayeur saisissait les hôtes de ces bois.     15
Tous fuyaient, tous tombaient au piège inévitable
    Où les attendait le Lion.
N'ai-je pas bien servi dans cette occasion ?
Dit l'Ane, en se donnant tout l'honneur de la chasse.
— Oui, reprit le Lion, c'est bravement crié :     20
Si je connaissais ta personne et ta race,
    J'en serais moi-même effrayé.
L'Ane, s'il eût osé, se fût mis en colère,

Encor qu'on le raillât avec juste raison :
Car qui pourrait souffrir un Ane fanfaron ?          25
    Ce n'est pas là leur caractère.


## FABLE XX

## TESTAMENT EXPLIQUÉ PAR ÉSOPE

    Si ce qu'on dit d'Ésope est vrai,
    C'était l'Oracle de la Grèce :
    Lui seul avait plus de sagesse
Que tout l'Aréopage. En voici pour essai          5
    Une histoire des plus gentilles,
    Et qui pourra plaire au Lecteur.

    Un certain homme avait trois filles,
    Toutes trois de contraire humeur :
    Une buveuse, une coquette,
    La troisième avare parfaite.          10
    Cet homme, par son Testament,
    Selon les Lois municipales,
Leur laissa tout son bien par portions égales,
    En donnant à leur Mère tant,
    Payable quand chacune d'elles          15
Ne posséderait plus sa contingente part.
    Le Père mort, les trois femelles
Courent au Testament sans attendre plus tard.
    On le lit ; on tâche d'entendre
    La volonté du Testateur ;          20
    Mais en vain : car comment comprendre
    Qu'aussitôt que chacune sœur
Ne possédera plus sa part héréditaire,
    Il lui faudra payer sa Mère ?
    Ce n'est pas un fort bon moyen          25
    Pour payer, que d'être sans bien.
    Que voulait donc dire le Père ?
L'affaire est consultée, et tous les Avocats,
    Après avoir tourné le cas
    En cent et cent mille manières,          30
Y jettent leur bonnet, se confessent vaincus,
    Et conseillent aux héritières

De partager le bien sans songer au surplus.
    Quant à la somme de la veuve,
Voici, leur dirent-ils, ce que le conseil treuve :      35
Il faut que chaque sœur se charge par traité
    Du tiers, payable à volonté,
Si mieux n'aime la Mère en créer une rente,
    Dès le décès du mort courante.
La chose ainsi réglée, on composa trois lots :      40
    En l'un, les maisons de bouteille,
    Les buffets dressés sous la treille,
La vaisselle d'argent, les cuvettes, les brocs,
    Les magasins de malvoisie,
Les esclaves de bouche, et, pour dire en deux mots,    45
    L'attirail de la goinfrerie;
Dans un autre celui de la coquetterie :
La maison de la Ville et les meubles exquis,
    Les Eunuques et les Coiffeuses,
      Et les Brodeuses,    50
    Les joyaux, les robes de prix;
Dans le troisième lot, les fermes, le ménage,
    Les troupeaux et le pâturage,
    Valets et bêtes de labeur.
Ces lots faits, on jugea que le sort pourrait faire    55
    Que peut-être pas une sœur
    N'aurait ce qui lui pourrait plaire.
Ainsi chacune prit son inclination;
    Le tout à l'estimation.
    Ce fut dans la ville d'Athènes    60
    Que cette rencontre arriva.
    Petits et grands, tout approuva
Le partage et le choix. Ésope seul trouva
    Qu'après bien du temps et des peines
    Les gens avaient pris justement    65
    Le contre-pied du Testament.
Si le défunt vivait, disait-il, que l'Attique
    Aurait de reproches de lui!
    Comment! ce peuple qui se pique
D'être le plus subtil des peuples d'aujourd'hui    70
A si mal entendu la volonté suprême
   D'un testateur! Ayant ainsi parlé,
    Il fait le partage lui-même,
Et donne à chaque sœur un lot contre son gré,
    Rien qui pût être convenable,    75
    Partant rien aux sœurs d'agréable :
    A la Coquette, l'attirail

Qui suit les personnes buveuses ;
La Biberonne eut le bétail;
La Ménagère eut les coiffeuses.                          80
Tel fut l'avis du Phrygien,
Alléguant qu'il n'était moyen
Plus sûr pour obliger ces filles
A se défaire de leur bien,
Qu'elles se marieraient dans les bonnes familles,       85
    Quand on leur verrait de l'argent;
    Paieraient leur Mère tout comptant;
Ne posséderaient plus les effets de leur Père,
    Ce que disait le Testament.
Le peuple s'étonna comme il se pouvait faire            90
    Qu'un homme seul eût plus de sens
    Qu'une multitude de gens.

# LIVRE TROISIÈME

## FABLE I

## LE MEUNIER, SON FILS ET L'ANE

*A M. D. M.*

L'invention des Arts étant un droit d'aînesse,
Nous devons l'Apologue à l'ancienne Grèce.
Mais ce champ ne se peut tellement moissonner
Que les derniers venus n'y trouvent à glaner.
La feinte est un pays plein de terres désertes.          5
Tous les jours nos Auteurs y font des découvertes.
Je t'en veux dire un trait assez bien inventé ;
Autrefois à Racan Malherbe l'a conté.
Ces deux rivaux d'Horace, héritiers de sa Lyre,
Disciples d'Apollon, nos Maîtres, pour mieux dire,     10
Se rencontrant un jour tout seuls et sans témoins
(Comme ils se confiaient leurs pensers et leurs soins),
Racan commence ainsi : Dites-moi, je vous prie,
Vous qui devez savoir les choses de la vie,
Qui par tous ses degrés avez déjà passé,                15
Et que rien ne doit fuir en cet âge avancé,
A quoi me résoudrai-je ? Il est temps que j'y pense.
Vous connaissez mon bien, mon talent, ma naissance.
Dois-je dans la Province établir mon séjour,
Prendre emploi dans l'Armée, ou bien charge à la Cour ?  20
Tout au monde est mêlé d'amertume et de charmes.
La guerre a ses douceurs, l'Hymen a ses alarmes.
Si je suivais mon goût, je saurais où buter ;
Mais j'ai les miens, la cour, le peuple à contenter.

Malherbe là-dessus : Contenter tout le monde !                    25
Écoutez ce récit avant que je réponde.

J'ai lu dans quelque endroit qu'un Meunier et son fils,
L'un vieillard, l'autre enfant, non pas des plus petits,
Mais garçon de quinze ans, si j'ai bonne mémoire,
Allaient vendre leur Ane, un certain jour de foire.          30
Afin qu'il fût plus frais et de meilleur débit,
On lui lia les pieds, on vous le suspendit ;
Puis cet homme et son fils le portent comme un lustre.
Pauvres gens, idiots, couple ignorant et rustre.
Le premier qui les vit de rire s'éclata.                          35
Quelle farce, dit-il, vont jouer ces gens-là ?
Le plus âne des trois n'est pas celui qu'on pense.
Le Meunier à ces mots connaît son ignorance ;
Il met sur pieds sa bête, et la fait détaler.
L'Ane, qui goûtait fort l'autre façon d'aller,                    40
Se plaint en son patois. Le Meunier n'en a cure.
Il fait monter son fils, il suit, et d'aventure
Passent trois bons Marchands. Cet objet leur déplut.
Le plus vieux au garçon s'écria tant qu'il put :
Oh là ! oh ! descendez, que l'on ne vous le dise,                 45
Jeune homme, qui menez Laquais à barbe grise.
C'était à vous de suivre, au vieillard de monter.
— Messieurs, dit le Meunier, il vous faut contenter.
L'enfant met pied à terre, et puis le vieillard monte,
Quand trois filles passant, l'une dit : C'est grand'honte          50
Qu'il faille voir ainsi clocher ce jeune fils,
Tandis que ce nigaud, comme un Évêque assis,
Fait le veau sur son Ane, et pense être bien sage.
— Il n'est, dit le Meunier, plus de Veaux à mon âge :
Passez votre chemin, la fille, et m'en croyez.                    55
Après maints quolibets coup sur coup renvoyés,
L'homme crut avoir tort, et mit son fils en croupe.
Au bout de trente pas, une troisième troupe
Trouve encore à gloser. L'un dit : Ces gens sont fous,
Le Baudet n'en peut plus ; il mourra sous leurs coups.            60
Hé quoi ! charger ainsi cette pauvre bourrique !
N'ont-ils point de pitié de leur vieux domestique ?
Sans doute qu'à la Foire ils vont vendre sa peau.
— Parbieu, dit le Meunier, est bien fou du cerveau
Qui prétend contenter tout le monde et son père.                  65
Essayons toutefois, si par quelque manière
Nous en viendrons à bout. Ils descendent tous deux.
L'Ane, se prélassant, marche seul devant eux.

Un quidam les rencontre, et dit : Est-ce la mode
Que Baudet aille à l'aise, et Meunier s'incommode ?          70
Qui de l'âne ou du maître est fait pour se lasser ?
Je conseille à ces gens de le faire enchâsser.
Ils usent leurs souliers, et conservent leur Ane.
Nicolas au rebours, car, quand il va voir Jeanne,
Il monte sur sa bête; et la chanson le dit.                 75
Beau trio de Baudets! Le Meunier repartit :
Je suis Ane, il est vrai, j'en conviens, je l'avoue;
Mais que dorénavant on me blâme, on me loue;
Qu'on dise quelque chose ou qu'on ne dise rien;
J'en veux faire à ma tête. Il le fit, et fit bien.          80


Quant à vous, suivez Mars, ou l'Amour, ou le Prince;
Allez, venez, courez; demeurez en Province;
Prenez femme, Abbaye, Emploi, Gouvernement :
Les gens en parleront, n'en doutez nullement.


## FABLE II

## LES MEMBRES ET L'ESTOMAC

Je devais par la Royauté
Avoir commencé mon Ouvrage.
A la voir d'un certain côté,
Messer Gaster * en est l'image.
S'il a quelque besoin, tout le corps s'en ressent.            5
De travailler pour lui les membres se lassant,
Chacun d'eux résolut de vivre en Gentilhomme,
Sans rien faire, alléguant l'exemple de Gaster.
Il faudrait, disaient-ils, sans nous qu'il vécût d'air.
Nous suons, nous peinons, comme bêtes de somme.              10
Et pour qui ? Pour lui seul; nous n'en profitons pas :
Notre soin n'aboutit qu'à fournir ses repas.
Chommons, c'est un métier qu'il veut nous faire apprendre.
Ainsi dit, ainsi fait. Les mains cessent de prendre,
   Les bras d'agir, les jambes de marcher.                   15
Tous dirent à Gaster qu'il en allât chercher.

* « L'Estomach. » (Note de La Fontaine.)

Ce leur fut une erreur dont ils se repentirent.
Bientôt les pauvres gens tombèrent en langueur ;
Il ne se forma plus de nouveau sang au cœur :
Chaque membre en souffrit, les forces se perdirent.          20
    Par ce moyen, les mutins virent
Que celui qu'ils croyaient oisif et paresseux,
A l'intérêt commun contribuait plus qu'eux.
Ceci peut s'appliquer à la grandeur Royale.
Elle reçoit et donne, et la chose est égale.                 25
Tout travaille pour elle, et réciproquement
    Tout tire d'elle l'aliment.
Elle fait subsister l'artisan de ses peines,
Enrichit le Marchand, gage le Magistrat,
Maintient le Laboureur, donne paie au soldat,               30
Distribue en cent lieux ses grâces souveraines,
    Entretient seule tout l'État.
    Ménénius le sut bien dire.
La Commune s'allait séparer du Sénat.
Les mécontents disaient qu'il avait tout l'Empire,          35
Le pouvoir, les trésors, l'honneur, la dignité ;
Au lieu que tout le mal était de leur côté,
Les tributs, les impôts, les fatigues de guerre.
Le peuple hors des murs était déjà posté,
La plupart s'en allaient chercher une autre terre,          40
    Quand Ménénius leur fit voir
    Qu'ils étaient aux membres semblables,
Et par cet apologue, insigne entre les Fables,
    Les ramena dans leur devoir.


### FABLE III

### LE LOUP DEVENU BERGER


Un Loup qui commençait d'avoir petite part
    Aux Brebis de son voisinage,
Crut qu'il fallait s'aider de la peau du Renard
    Et faire un nouveau personnage.
Il s'habille en Berger, endosse un hoqueton,                  5
    Fait sa houlette d'un bâton,
    Sans oublier la Cornemuse.

Pour pousser jusqu'au bout la ruse,
Il aurait volontiers écrit sur son chapeau :
C'est moi qui suis Guillot, berger de ce troupeau.          10
  Sa personne étant ainsi faite
Et ses pieds de devant posés sur sa houlette,
Guillot le sycophante * approche doucement.
Guillot le vrai Guillot étendu sur l'herbette,
  Dormait alors profondément.                               15
Son chien dormait aussi, comme aussi sa musette.
La plupart des Brebis dormaient pareillement.
  L'hypocrite les laissa faire,
Et pour pouvoir mener vers son fort les Brebis
Il voulut ajouter la parole aux habits,                     20
  Chose qu'il croyait nécessaire.
  Mais cela gâta son affaire,
Il ne put du Pasteur contrefaire la voix.
Le ton dont il parla fit retentir les bois,
  Et découvrit tout le mystère.                             25
  Chacun se réveille à ce son,
  Les Brebis, le Chien, le Garçon.
  Le pauvre Loup, dans cet esclandre,
  Empêché par son hoqueton,
  Ne put ni fuir ni se défendre.                            30

Toujours par quelque endroit fourbes se laissent prendre.
  Quiconque est Loup agisse en Loup :
  C'est le plus certain de beaucoup.


### FABLE IV

### LES GRENOUILLES
### QUI DEMANDENT UN ROI


Les Grenouilles, se lassant
  De l'état Démocratique,
Par leurs clameurs firent tant
Que Jupin les soumit au pouvoir Monarchique.
Il leur tomba du Ciel un Roi tout pacifique :              5

* « Trompeur. » *(Note de La Fontaine.)*

Ce Roi fit toutefois un tel bruit en tombant
    Que la gent marécageuse,
    Gent fort sotte et fort peureuse,
    S'alla cacher sous les eaux,
    Dans les joncs, dans les roseaux,        10
    Dans les trous du marécage,
Sans oser de longtemps regarder au visage
Celui qu'elles croyaient être un géant nouveau;
    Or c'était un Soliveau,
De qui la gravité fit peur à la première        15
    Qui de le voir s'aventurant
    Osa bien quitter sa tanière.
    Elle approcha, mais en tremblant.
Une autre la suivit, une autre en fit autant,
    Il en vint une fourmilière;        20
Et leur troupe à la fin se rendit familière
    Jusqu'à sauter sur l'épaule du Roi.
Le bon Sire le souffre, et se tient toujours coi.
Jupin en a bientôt la cervelle rompue.
Donnez-nous, dit ce peuple, un Roi qui se remue.    25
Le Monarque des Dieux leur envoie une Grue,
      Qui les croque, qui les tue,
      Qui les gobe à son plaisir,
      Et Grenouilles de se plaindre;
Et Jupin de leur dire : Eh quoi! votre désir    30
    A ses lois croit-il nous astreindre?
    Vous avez dû premièrement
    Garder votre Gouvernement;
Mais, ne l'ayant pas fait, il vous devait suffire
Que votre premier roi fût débonnaire et doux :    35
    De celui-ci contentez-vous,
    De peur d'en rencontrer un pire.


### *FABLE V*

### LE RENARD ET LE BOUC

Capitaine Renard allait de compagnie
Avec son ami Bouc des plus haut encornés.
Celui-ci ne voyait pas plus loin que son nez;
L'autre était passé maître en fait de tromperie.

La soif les obligea de descendre en un puits.                   5
    Là chacun d'eux se désaltère.
Après qu'abondamment tous deux en eurent pris,
Le Renard dit au Bouc : Que ferons-nous, compère ?
Ce n'est pas tout de boire, il faut sortir d'ici.
Lève tes pieds en haut, et tes cornes aussi :                   10
Mets-les contre le mur. Le long de ton échine
    Je grimperai premièrement ;
    Puis sur tes cornes m'élevant,
    A l'aide de cette machine,
    De ce lieu-ci je sortirai,                               15
    Après quoi je t'en tirerai.
— Par ma barbe, dit l'autre, il est bon ; et je loue
    Les gens bien sensés comme toi.
    Je n'aurais jamais, quant à moi,
    Trouvé ce secret, je l'avoue.                            20
Le Renard sort du puits, laisse son compagnon,
    Et vous lui fait un beau sermon
    Pour l'exhorter à patience.
Si le ciel t'eût, dit-il, donné par excellence
Autant de jugement que de barbe au menton,                      25
    Tu n'aurais pas, à la légère,
Descendu dans ce puits. Or, adieu, j'en suis hors.
Tâche de t'en tirer, et fais tous tes efforts :
    Car pour moi, j'ai certaine affaire
Qui ne me permet pas d'arrêter en chemin.                       30
En toute chose il faut considérer la fin.


## FABLE VI

### L'AIGLE, LA LAIE, ET LA CHATTE

L'Aigle avait ses petits au haut d'un arbre creux.
    La Laie au pied, la Chatte entre les deux ;
Et sans s'incommoder, moyennant ce partage,
Mères et nourrissons faisaient leur tripotage.
La Chatte détruisit par sa fourbe l'accord.                     5
Elle grimpa chez l'Aigle, et lui dit : Notre mort
(Au moins de nos enfants, car c'est tout un aux mères)
    Ne tardera possible guères.

Voyez-vous à nos pieds fouir incessamment
Cette maudite Laie, et creuser une mine ?                    10
C'est pour déraciner le chêne assurément,
Et de nos nourrissons attirer la ruine.
   L'arbre tombant, ils seront dévorés :
     Qu'ils s'en tiennent pour assurés.
S'il m'en restait un seul, j'adoucirais ma plainte.          15
Au partir de ce lieu, qu'elle remplit de crainte,
    La perfide descend tout droit
       A l'endroit
    Où la Laie était en gésine.
    Ma bonne amie et ma voisine,                      20
Lui dit-elle tout bas, je vous donne un avis.
L'aigle, si vous sortez, fondra sur vos petits :
    Obligez-moi de n'en rien dire :
    Son courroux tomberait sur moi.
Dans cette autre famille ayant semé l'effroi,               25
    La Chatte en son trou se retire.
L'Aigle n'ose sortir, ni pourvoir aux besoins
  De ses petits ; la Laie encore moins :
Sottes de ne pas voir que le plus grand des soins,
Ce doit être celui d'éviter la famine.                      30
A demeurer chez soi l'une et l'autre s'obstine
Pour secourir les siens dedans l'occasion :
    L'Oiseau Royal, en cas de mine,
    La Laie, en cas d'irruption.
La faim détruisit tout : il ne resta personne               35
De la gent Marcassine et de la gent Aiglonne,
    Qui n'allât de vie à trépas :
    Grand renfort pour Messieurs les Chats.


Que ne sait point ourdir une langue traîtresse
    Par sa pernicieuse adresse ?                      40
      Des malheurs qui sont sortis
      De la boîte de Pandore,
Celui qu'à meilleur droit tout l'Univers abhorre,
    C'est la fourbe, à mon avis.

## *FABLE VII*

## L'IVROGNE ET SA FEMME

Chacun a son défaut où toujours il revient :
    Honte ni peur n'y remédie.
  Sur ce propos, d'un conte il me souvient :
    Je ne dis rien que je n'appuie
  De quelque exemple. Un suppôt de Bacchus     5
Altérait sa santé, son esprit et sa bourse.
Telles gens n'ont pas fait la moitié de leur course
    Qu'ils sont au bout de leurs écus.
Un jour que celui-ci plein du jus de la treille,
Avait laissé ses sens au fond d'une bouteille,     10
Sa femme l'enferma dans un certain tombeau.
    Là les vapeurs du vin nouveau
Cuvèrent à loisir. A son réveil il treuve
L'attirail de la mort à l'entour de son corps :
    Un luminaire, un drap des morts.     15
Oh ! dit-il, qu'est ceci ? Ma femme est-elle veuve ?
Là-dessus, son épouse, en habit d'Alecton,
Masquée et de sa voix contrefaisant le ton,
Vient au prétendu mort, approche de sa bière,
Lui présente un chaudeau propre pour Lucifer.     20
L'Époux alors ne doute en aucune manière
    Qu'il ne soit citoyen d'enfer.
Quelle personne es-tu ? dit-il à ce fantôme.
    — La cellerière du royaume
De Satan, reprit-elle ; et je porte à manger     25
    A ceux qu'enclôt la tombe noire.
    Le Mari repart sans songer :
    Tu ne leur portes point à boire ?

### FABLE VIII

## LA GOUTTE ET L'ARAIGNÉE

Quand l'Enfer eut produit la Goutte et l'Araignée :
Mes filles, leur dit-il, vous pouvez vous vanter
    D'être pour l'humaine lignée
    Également à redouter.
Or, avisons aux lieux qu'il vous faut habiter.                         5
    Voyez-vous ces cases étrètes,
Et ces Palais si grands, si beaux, si bien dorés ?
Je me suis proposé d'en faire vos retraites.
    Tenez donc, voici deux bûchettes :
    Accommodez-vous, ou tirez.                          10
— Il n'est rien, dit l'Aragne, aux cases qui me plaise.
L'autre, tout au rebours, voyant les Palais pleins
    De ces gens nommés Médecins,
Ne crut pas y pouvoir demeurer à son aise.
Elle prend l'autre lot, y plante le piquet,                            15
S'étend à son plaisir sur l'orteil d'un pauvre homme,
Disant : Je ne crois pas qu'en ce poste je chomme,
Ni que d'en déloger et faire mon paquet
    Jamais Hippocrate me somme.
L'Aragne cependant se campe en un lambris,                             20
Comme si de ces lieux elle eût fait bail à vie;
Travaille à demeurer : voilà sa toile ourdie;
    Voilà des moucherons de pris.
Une servante vient balayer tout l'ouvrage.
Autre toile tissue, autre coup de balai :                              25
Le pauvre Bestion tous les jours déménage.
    Enfin après un vain essai,
Il va trouver la Goutte. Elle était en campagne,
    Plus malheureuse mille fois
    Que la plus malheureuse Aragne.                     30
Son hôte la menait tantôt fendre du bois,
Tantôt fouir, houer. Goutte bien tracassée
    Est, dit-on, à demi pansée.
Oh! je ne saurais plus, dit-elle, y résister.
Changeons, ma sœur l'Aragne. Et l'autre d'écouter.                     35

Elle la prend au mot, se glisse en la cabane :
Point de coup de balai qui l'oblige à changer.
La Goutte d'autre part, va tout droit se loger
    Chez un Prélat qu'elle condamne
      A jamais du lit ne bouger.                              40
Cataplasmes, Dieu sait. Les gens n'ont point de honte
De faire aller le mal toujours de pis en pis.
L'une et l'autre trouva de la sorte son conte ;
Et fit très sagement de changer de logis.


## FABLE IX

### LE LOUP ET LA CIGOGNE

    Les Loups mangent gloutonnement.
    Un Loup donc étant de frairie,
    Se pressa, dit-on, tellement
    Qu'il en pensa perdre la vie.
Un os lui demeura bien avant au gosier.                              5
De bonheur pour ce Loup, qui ne pouvait crier,
    Près de là passe une Cigogne.
    Il lui fait signe, elle accourt.
Voilà l'Opératrice aussitôt en besogne.
Elle retira l'os ; puis pour un si bon tour                          10
    Elle demanda son salaire.
    Votre salaire ? dit le Loup :
    Vous riez, ma bonne commère.
    Quoi ! ce n'est pas encor beaucoup
D'avoir de mon gosier retiré votre cou ?                             15
    Allez, vous êtes une ingrate ;
    Ne tombez jamais sous ma patte.

## FABLE X

## LE LION ABATTU PAR L'HOMME

On exposait une peinture
Où l'Artisan avait tracé
Un Lion d'immense stature
Par un seul homme terrassé.
Les regardants en tiraient gloire,                         5
Un Lion en passant rabattit leur caquet.
Je vois bien, dit-il, qu'en effet
On vous donne ici la victoire;
Mais l'Ouvrier vous a déçus :
Il avait liberté de feindre.                              10
Avec plus de raison nous aurions le dessus,
Si mes confrères savaient peindre.


## FABLE XI

## LE RENARD ET LES RAISINS

Certain Renard Gascon, d'autres disent Normand,
Mourant presque de faim, vit au haut d'une treille
Des Raisins mûrs apparemment
Et couverts d'une peau vermeille.
Le galand en eût fait volontiers un repas;                5
Mais comme il n'y pouvait atteindre :
Ils sont trop verts, dit-il, et bons pour des goujats.
Fit-il pas mieux que de se plaindre ?

## FABLE XII

### LE CYGNE ET LE CUISINIER

> Dans une ménagerie
> De volatiles remplie
> Vivaient le Cygne et l'Oison :
> Celui-là destiné pour les regards du Maître,
> Celui-ci pour son goût; l'un qui se piquait d'être          5
> Commensal du jardin, l'autre, de la maison.
> Des fossés du Château faisant leurs galeries,
> Tantôt on les eût vus côte à côte nager,
> Tantôt courir sur l'onde, et tantôt se plonger,
> Sans pouvoir satisfaire à leurs vaines envies.          10
> Un jour le Cuisinier, ayant trop bu d'un coup,
> Prit pour Oison le Cygne, et le tenant au cou,
> Il allait l'égorger, puis le mettre en potage.
> L'oiseau, prêt à mourir, se plaint en son ramage.
> Le Cuisinier fut fort surpris,          15
> Et vit bien qu'il s'était mépris.
> Quoi ? je mettrais, dit-il, un tel chanteur en soupe!
> Non, non, ne plaise aux Dieux que jamais ma main coupe
> La gorge à qui s'en sert si bien.

> Ainsi dans les dangers qui nous suivent en croupe          20
> Le doux parler ne nuit de rien.

## FABLE XIII

### LES LOUPS ET LES BREBIS

Après mille ans et plus de guerre déclarée,
Les Loups firent la paix avecque les Brebis.
C'était apparemment le bien des deux partis :
Car si les Loups mangeaient mainte bête égarée,
Les Bergers de leur peau se faisaient maints habits.          5

Jamais de liberté, ni pour les pâturages,
    Ni d'autre part pour les carnages.
Ils ne pouvaient jouir qu'en tremblant de leurs biens.
La paix se conclut donc; on donne des otages :
Les Loups leurs Louveteaux, et les Brebis leurs Chiens.  10
L'échange en étant fait aux formes ordinaires,
    Et réglé par des Commissaires,
Au bout de quelque temps que Messieurs les Louvats
Se virent Loups parfaits et friands de tuerie,
Ils vous prennent le temps que dans la Bergerie        15
    Messieurs les Bergers n'étaient pas,
Étranglent la moitié des Agneaux les plus gras,
Les emportent aux dents, dans les bois se retirent.
Ils avaient averti leurs gens secrètement.
Les Chiens, qui, sur leur foi, reposaient sûrement,    20
    Furent étranglés en dormant :
Cela fut sitôt fait qu'à peine ils le sentirent.
Tout fut mis en morceaux; un seul n'en échappa.
    Nous pouvons conclure de là
Qu'il faut faire aux méchants guerre continuelle.      25
    La paix est fort bonne de soi,
      J'en conviens; mais de quoi sert-elle
      Avec des ennemis sans foi ?


## FABLE XIV

## LE LION DEVENU VIEUX


      Le Lion, terreur des forêts,
Chargé d'ans, et pleurant son antique prouesse,
Fut enfin attaqué par ses propres sujets,
    Devenus forts par sa faiblesse.
Le Cheval s'approchant lui donne un coup de pied,      5
Le Loup un coup de dent, le Bœuf un coup de corne.
Le malheureux Lion, languissant, triste, et morne,
Peut à peine rugir, par l'âge estropié.
Il attend son destin, sans faire aucunes plaintes,
Quand voyant l'Ane même à son antre accourir :         10
Ah! c'est trop, lui dit-il : je voulais bien mourir;
Mais c'est mourir deux fois que souffrir tes atteintes.

## FABLE XV

## PHILOMÈLE ET PROGNÉ

Autrefois Progné l'hirondelle
De sa demeure s'écarta,
Et loin des Villes s'emporta
Dans un Bois où chantait la pauvre Philomèle.
Ma sœur, lui dit Progné, comment vous portez-vous ?      5
Voici tantôt mille ans que l'on ne vous a vue :
Je ne me souviens point que vous soyez venue
Depuis le temps de Thrace habiter parmi nous.
        Dites-moi, que pensez-vous faire ?
Ne quitterez-vous point ce séjour solitaire ?              10
— Ah ! reprit Philomèle, en est-il de plus doux ?
Progné lui repartit : Eh quoi, cette musique,
        Pour ne chanter qu'aux animaux,
        Tout au plus à quelque rustique ?
Le désert est-il fait pour des talents si beaux ?          15
Venez faire aux cités éclater leurs merveilles.
        Aussi bien, en voyant les bois,
Sans cesse il vous souvient que Térée autrefois
        Parmi des demeures pareilles
Exerça sa fureur sur vos divins appas.                     20
— Et c'est le souvenir d'un si cruel outrage
Qui fait, reprit sa sœur, que je ne vous suis pas :
        En voyant les hommes, hélas !
        Il m'en souvient bien davantage.

## FABLE XVI

## LA FEMME NOYÉE

Je ne suis pas de ceux qui disent : Ce n'est rien :
    C'est une femme qui se noie.
Je dis que c'est beaucoup; et ce sexe vaut bien
Que nous le regrettions, puisqu'il fait notre joie.
Ce que j'avance ici n'est point hors de propos,                    5
    Puisqu'il s'agit dans cette Fable,
    D'une femme qui dans les flots
Avait fini ses jours par un sort déplorable.
    Son Époux en cherchait le corps,
    Pour lui rendre en cette aventure                          10
    Les honneurs de la sépulture.
    Il arriva que sur les bords
    Du fleuve auteur de sa disgrâce
Des gens se promenaient ignorant l'accident.
    Ce mari donc leur demandant                                15
S'ils n'avaient de sa femme aperçu nulle trace :
Nulle, reprit l'un d'eux; mais cherchez-la plus bas;
    Suivez le fil de la rivière.
Un autre repartit : Non, ne le suivez pas;
    Rebroussez plutôt en arrière.                              20
Quelle que soit la pente et l'inclination
    Dont l'eau par sa course l'emporte,
    L'esprit de contradiction
    L'aura fait flotter d'autre sorte.
Cet homme se raillait assez hors de saison.                        25
    Quant à l'humeur contredisante,
    Je ne sais s'il avait raison;
    Mais que cette humeur soit, ou non,
    Le défaut du sexe et sa pente,
    Quiconque avec elle naîtra                                 30
    Sans faute avec elle mourra,
    Et jusqu'au bout contredira,
    Et, s'il peut, encor par-delà.

*FABLE XVII*

## LA BELETTE
### ENTRÉE DANS UN GRENIER

Damoiselle Belette, au corps long et floüet,
Entra dans un Grenier par un trou fort étroit :
    Elle sortait de maladie.
    Là, vivant à discrétion,
    La galante fit chère lie,                          5
    Mangea, rongea : Dieu sait la vie,
Et le lard qui périt en cette occasion.
    La voilà pour conclusion
    Grasse, maflue, et rebondie.
Au bout de la semaine, ayant dîné son soû,                10
Elle entend quelque bruit, veut sortir par le trou,
Ne peut plus repasser, et croit s'être méprise.
    Après avoir fait quelques tours,
C'est, dit-elle, l'endroit : me voilà bien surprise;
J'ai passé par ici depuis cinq ou six jours.              15
    Un Rat qui la voyait en peine
Lui dit : Vous aviez lors la panse un peu moins pleine.
Vous êtes maigre entrée, il faut maigre sortir.
Ce que je vous dis là, l'on le dit à bien d'autres.
Mais ne confondons point, par trop approfondir,          20
    Leurs affaires avec les vôtres.

*FABLE XVIII*

## LE CHAT ET UN VIEUX RAT

J'ai lu chez un conteur de Fables,
Qu'un second Rodilard, l'Alexandre des Chats,
    L'Attila, le fléau des Rats,
    Rendait ces derniers misérables :
    J'ai lu, dis-je, en certain Auteur,
    Que ce Chat exterminateur,                          5
Vrai Cerbère, était craint une lieue à la ronde :
Il voulait de Souris dépeupler tout le monde.

Les planches qu'on suspend sur un léger appui,
  La mort aux Rats, les Souricières,                    10
  N'étaient que jeux au prix de lui.
  Comme il voit que dans leurs tanières
  Les Souris étaient prisonnières,
Qu'elles n'osaient sortir, qu'il avait beau chercher,
Le galand fait le mort, et du haut d'un plancher          15
  Se pend la tête en bas. La bête scélérate
A de certains cordons se tenait par la patte.
Le peuple des Souris croit que c'est châtiment,
Qu'il a fait un larcin de rôt ou de fromage,
Égratigné quelqu'un, causé quelque dommage,               20
Enfin qu'on a pendu le mauvais garnement.
  Toutes, dis-je, unanimement
Se promettent de rire à son enterrement,
Mettent le nez à l'air, montrent un peu la tête,
  Puis rentrent dans leurs nids à rats,                 25
  Puis, ressortant, font quatre pas,
  Puis enfin se mettent en quête.
  Mais voici bien une autre fête :
Le pendu ressuscite, et sur ses pieds tombant,
  Attrape les plus paresseuses.                          30
Nous en savons plus d'un, dit-il en les gobant :
C'est tour de vieille guerre, et vos cavernes creuses
Ne vous sauveront pas, je vous en avertis;
  Vous viendrez toutes au logis.
Il prophétisait vrai : notre maître Mitis                  35
Pour la seconde fois les trompe et les affine,
  Blanchit sa robe et s'enfarine,
  Et de la sorte déguisé,
Se niche et se blottit dans une huche ouverte.
  Ce fut à lui bien avisé :                              40
La gent trotte-menu s'en vient chercher sa perte.
Un Rat sans plus s'abstient d'aller flairer autour :
C'était un vieux routier : il savait plus d'un tour;
Même il avait perdu sa queue à la bataille.
Ce bloc enfariné ne me dit rien qui vaille,               45
S'écria-t-il de loin au Général des Chats.
Je soupçonne dessous encor quelque machine.
  Rien ne te sert d'être farine;
Car quand tu serais sac, je n'approcherais pas.
C'était bien dit à lui; j'approuve sa prudence :          50
  Il était expérimenté,
  Et savait que la méfiance
  Est mère de la sûreté.

# LIVRE QUATRIÈME

## FABLE I

### LE LION AMOUREUX

#### *A MADEMOISELLE DE SÉVIGNÉ*

Sévigné, de qui les attraits
Servent aux grâces de modèle,
Et qui naquîtes toute belle,
A votre indifférence près,
Pourriez-vous être favorable                    5
Aux jeux innocents d'une Fable,
Et voir sans vous épouvanter
Un Lion qu'Amour sut dompter ?
Amour est un étrange maître.
Heureux qui peut ne le connaître                10
Que par récit, lui ni ses coups !
Quand on en parle devant vous,
Si la vérité vous offense,
La Fable au moins se peut souffrir :
Celle-ci prend bien l'assurance                 15
De venir à vos pieds s'offrir,
Par zèle et par reconnaissance.

Du temps que les bêtes parlaient,
Les Lions, entre autres, voulaient
Être admis dans notre alliance.                 20
Pourquoi non ? puisque leur engeance
Valait la nôtre en ce temps-là,
Ayant courage, intelligence,
Et belle hure outre cela.

Voici comment il en alla.                         25
Un Lion de haut parentage,
En passant par un certain pré,
Rencontra Bergère à son gré :
Il la demande en mariage.
Le père aurait fort souhaité               30
Quelque gendre un peu moins terrible.
La donner lui semblait bien dur;
La refuser n'était pas sûr;
Même un refus eût fait possible
Qu'on eût vu quelque beau matin        35
Un mariage clandestin.
Car outre qu'en toute manière
La belle était pour les gens fiers,
Fille se coiffe volontiers
D'amoureux à longue crinière.              40
Le Père donc ouvertement
N'osant renvoyer notre amant,
Lui dit : Ma fille est délicate;
Vos griffes la pourront blesser
Quand vous voudrez la caresser.         45
Permettez donc qu'à chaque patte
On vous les rogne, et pour les dents,
Qu'on vous les lime en même temps.
Vos baisers en seront moins rudes,
Et pour vous plus délicieux;               50
Car ma fille y répondra mieux,
Étant sans ces inquiétudes.
Le Lion consent à cela,
Tant son âme était aveuglée!
Sans dents ni griffes le voilà,            55
Comme place démantelée.
On lâcha sur lui quelques chiens :
Il fit fort peu de résistance.
Amour, amour, quand tu nous tiens
On peut bien dire : Adieu prudence.      60

## FABLE II

## LE BERGER ET LA MER

Du rapport d'un troupeau dont il vivait sans soins
Se contenta longtemps un voisin d'Amphitrite.
    Si sa fortune était petite,
    Elle était sûre tout au moins.
A la fin les trésors déchargés sur la plage                                  5
Le tentèrent si bien qu'il vendit son troupeau,
Trafiqua de l'argent, le mit entier sur l'eau;
    Cet argent périt par naufrage.
Son maître fut réduit à garder les Brebis,
Non plus Berger en chef comme il était jadis,                               10
Quand ses propres Moutons paissaient sur le rivage;
Celui qui s'était vu Coridon ou Tircis
    Fut Pierrot, et rien davantage.
Au bout de quelque temps il fit quelques profits,
    Racheta des bêtes à laine;                                   15
Et comme un jour les vents retenant leur haleine
Laissaient paisiblement aborder les vaisseaux :
Vous voulez de l'argent, ô Mesdames les Eaux,
Dit-il; adressez-vous, je vous prie, à quelque autre :
    Ma foi, vous n'aurez pas le nôtre.                            20

Ceci n'est pas un conte à plaisir inventé.
    Je me sers de la vérité
    Pour montrer, par expérience,
    Qu'un sou, quand il est assuré,
    Vaut mieux que cinq en espérance;                             25
Qu'il se faut contenter de sa condition;
Qu'aux conseils de la Mer et de l'Ambition
    Nous devons fermer les oreilles.
Pour un qui s'en louera, dix mille s'en plaindront.
    La Mer promet monts et merveilles;                            30
Fiez-vous-y, les vents et les voleurs viendront.

## FABLE III

## LA MOUCHE ET LA FOURMI

La Mouche et la Fourmi contestaient de leur prix.
    O Jupiter! dit la première,
Faut-il que l'amour propre aveugle les esprits
    D'une si terrible manière,
    Qu'un vil et rampant animal        5
A la fille de l'air ose se dire égal?
Je hante les Palais, je m'assieds à ta table :
Si l'on t'immole un bœuf, j'en goûte devant toi;
Pendant que celle-ci, chétive et misérable,
Vit trois jours d'un fétu qu'elle a traîné chez soi.    10
    Mais, ma mignonne, dites-moi,
Vous campez-vous jamais sur la tête d'un Roi,
    D'un Empereur, ou d'une Belle?
Je le fais; et je baise un beau sein quand je veux :
    Je me joue entre des cheveux;    15
Je rehausse d'un teint la blancheur naturelle;
Et la dernière main que met à sa beauté
    Une femme allant en conquête,
C'est un ajustement des Mouches emprunté.
    Puis allez-moi rompre la tête    20
    De vos greniers. — Avez-vous dit?
    Lui répliqua la ménagère.
Vous hantez les Palais; mais on vous y maudit.
    Et quant à goûter la première
    De ce qu'on sert devant les Dieux,    25
    Croyez-vous qu'il en vaille mieux?
Si vous entrez partout, aussi font les profanes.
Sur la tête des Rois et sur celle des Anes
Vous allez vous planter; je n'en disconviens pas;
    Et je sais que d'un prompt trépas    30
Cette importunité bien souvent est punie.
Certain ajustement, dites-vous, rend jolie.
J'en conviens : il est noir ainsi que vous et moi.
Je veux qu'il ait nom Mouche : est-ce un sujet pourquoi
    Vous fassiez sonner vos mérites?    35
Nomme-t-on pas aussi Mouches les parasites?

Cessez donc de tenir un langage si vain :
    N'ayez plus ces hautes pensées.
    Les Mouches de cour sont chassées ;
Les Mouchards sont pendus ; et vous mourrez de faim,     40
    De froid, de langueur, de misère,
Quand Phébus régnera sur un autre hémisphère.
Alors je jouirai du fruit de mes travaux.
    Je n'irai, par monts ni par vaux,
    M'exposer au vent, à la pluie ;     45
    Je vivrai sans mélancolie.
Le soin que j'aurai pris, de soin m'exemptera.
    Je vous enseignerai par là
Ce que c'est qu'une fausse ou véritable gloire.
Adieu : je perds le temps : laissez-moi travailler ;     50
    Ni mon grenier, ni mon armoire
    Ne se remplit à babiller.

## FABLE IV

### LE JARDINIER ET SON SEIGNEUR

    Un amateur du jardinage,
    Demi Bourgeois, demi manant,
    Possédait en certain Village
Un jardin assez propre, et le clos attenant.
Il avait de plant vif fermé cette étendue.     5
Là croissait à plaisir l'oseille et la laitue,
De quoi faire à Margot pour sa fête un bouquet,
Peu de jasmin d'Espagne, et force serpolet.
Cette félicité par un Lièvre troublée
Fit qu'au Seigneur du Bourg notre homme se plaignit.     10
Ce maudit animal vient prendre sa goulée
Soir et matin, dit-il, et des pièges se rit ;
Les pierres, les bâtons y perdent leur crédit.
Il est Sorcier, je crois. — Sorcier ? je l'en défie,
Repartit le Seigneur. Fût-il diable, Miraut,     15
En dépit de ses tours, l'attrapera bientôt.
Je vous en déferai, bon homme, sur ma vie.
— Et quand ? — Et dès demain, sans tarder plus longtemps.
La partie ainsi faite, il vient avec ses gens.

Çà, déjeunons, dit-il : vos poulets sont-ils tendres ?       20
La fille du logis, qu'on vous voie, approchez.
Quand la marierons-nous ? quand aurons-nous des gendres ?
Bon homme, c'est ce coup qu'il faut, vous m'entendez,
    Qu'il faut fouiller à l'escarcelle.
Disant ces mots, il fait connaissance avec elle,           25
    Auprès de lui la fait asseoir,
Prend une main, un bras, lève un coin du mouchoir,
    Toutes sottises dont la Belle
    Se défend avec grand respect ;
Tant qu'au père à la fin cela devient suspect.             30
Cependant on fricasse, on se rue en cuisine.
De quand sont vos jambons ? ils ont fort bonne mine.
.— Monsieur, ils sont à vous. — Vraiment ! dit le Seigneur,
    Je les reçois, et de bon cœur.
Il déjeune très bien ; aussi fait sa famille,             35
Chiens, chevaux, et valets, tous gens bien endentés :
Il commande chez l'hôte, y prend des libertés,
    Boit son vin, caresse sa fille.
L'embarras des chasseurs succède au déjeuné.
    Chacun s'anime et se prépare :                  40
Les trompes et les cors font un tel tintamarre
    Que le bon homme est étonné.
Le pis fut que l'on mit en piteux équipage
Le pauvre potager ; adieu planches, carreaux ;
    Adieu chicorée et porreaux ;                     45
    Adieu de quoi mettre au potage.
Le Lièvre était gîté dessous un maître chou.
On le quête ; on le lance, il s'enfuit par un trou,
Non pas trou, mais trouée, horrible et large plaie
    Que l'on fit à la pauvre haie                    50
Par ordre du Seigneur ; car il eût été mal
Qu'on n'eût pu du jardin sortir tout à cheval.
Le bon homme disait : Ce sont là jeux de Prince.
Mais on le laissait dire ; et les chiens et les gens
Firent plus de dégât en une heure de temps               55
    Que n'en auraient fait en cent ans
    Tous les lièvres de la Province.


Petits Princes, videz vos débats entre vous :
De recourir aux rois vous seriez de grands fous.
Il ne les faut jamais engager dans vos guerres,          60
    Ni les faire entrer sur vos terres.

## FABLE V

## L'ANE ET LE PETIT CHIEN

Ne forçons point notre talent,
Nous ne ferions rien avec grâce :
Jamais un lourdaud, quoi qu'il fasse,
Ne saurait passer pour galant.
Peu de gens que le Ciel chérit et gratifie                5
Ont le don d'agréer infus avec la vie.
    C'est un point qu'il leur faut laisser,
Et ne pas ressembler à l'Ane de la Fable,
    Qui pour se rendre plus aimable
Et plus cher à son Maître, alla le caresser.            10
    Comment! disait-il en son âme,
    Ce Chien, parce qu'il est mignon,
    Vivra de pair à compagnon
    Avec Monsieur, avec Madame,
    Et j'aurai des coups de bâton ?                     15
    Que fait-il ? Il donne la patte ;
    Puis aussitôt il est baisé :
S'il en faut faire autant afin que l'on me flatte,
    Cela n'est pas bien malaisé.
    Dans cette admirable pensée,                        20
Voyant son Maître en joie, il s'en vient lourdement,
    Lève une corne toute usée,
La lui porte au menton fort amoureusement,
Non sans accompagner pour plus grand ornement
De son chant gracieux cette action hardie.              25
Oh! oh! quelle caresse, et quelle mélodie!
Dit le Maître aussitôt. Holà, Martin bâton!
Martin bâton accourt ; l'Ane change de ton.
    Ainsi finit la Comédie.

## FABLE VI

## LE COMBAT DES RATS ET DES BELETTES

La nation des Belettes,
Non plus que celle des Chats,
Ne veut aucun bien aux Rats;
Et sans les portes étrètes
De leurs habitations, 5
L'animal à longue échine
En ferait, je m'imagine,
De grandes destructions.
Or une certaine année
Qu'il en était à foison 10
Leur Roi nommé Ratapon,
Mit en campagne une armée.
Les Belettes de leur part
Déployèrent l'étendard.
Si l'on croit la Renommée, 15
La Victoire balança :
Plus d'un Guéret s'engraissa
Du sang de plus d'une bande.
Mais la perte la plus grande
Tomba presque en tous endroits 20
Sur le peuple Souriquois.
Sa déroute fut entière,
Quoi que pût faire Artapax,
Psicarpax, Méridarpax,
Qui, tout couverts de poussière, 25
Soutinrent assez longtemps
Les efforts des combattants.
Leur résistance fut vaine :
Il fallut céder au sort :
Chacun s'enfuit au plus fort, 30
Tant Soldat que Capitaine.
Les Princes périrent tous.
La racaille, dans des trous
Trouvant sa retraite prête,
Se sauva sans grand travail. 35

Mais les Seigneurs sur leur tête
Ayant chacun un plumail,
Des cornes ou des aigrettes,
Soit comme marques d'honneur,
Soit afin que les Belettes                                40
En conçussent plus de peur :
Cela causa leur malheur.
Trou, ni fente, ni crevasse
Ne fut large assez pour eux,
Au lieu que la populace                                  45
Entrait dans les moindres creux.
La principale jonchée
Fut donc des principaux Rats.
Une tête empanachée
N'est pas petit embarras.                                 50
Le trop superbe équipage
Peut souvent en un passage
Causer du retardement.
Les petits en toute affaire
Esquivent fort aisément ;                                 55
Les grands ne le peuvent faire.


## FABLE VII

## LE SINGE ET LE DAUPHIN

C'était chez les Grecs un usage
Que sur la mer tous voyageurs
Menaient avec eux en voyage
Singes et Chiens de Bateleurs.
Un Navire en cet équipage                                 5
Non loin d'Athènes fit naufrage,
Sans les Dauphins tout eût péri.
Cet animal est fort ami
De notre espèce : en son Histoire
Pline le dit, il le faut croire.                          10
Il sauva donc tout ce qu'il put.
Même un Singe en cette occurrence,
Profitant de la ressemblance,
Lui pensa devoir son salut.

Un Dauphin le prit pour un homme,                              15
Et sur son dos le fit asseoir
Si gravement qu'on eût cru voir
Ce chanteur que tant on renomme.
Le Dauphin l'allait mettre à bord,
Quand par hasard il lui demande :                              20
Êtes-vous d'Athènes la grande ?
— Oui, dit l'autre, on m'y connaît fort ;
S'il vous y survient quelque affaire,
Employez-moi ; car mes parents
Y tiennent tous les premiers rangs :                           25
Un mien cousin est Juge-Maire.
Le Dauphin dit : Bien grand merci :
Et le Pirée a part aussi
A l'honneur de votre présence ?
Vous le voyez souvent ? je pense.                              30
— Tous les jours : il est mon ami,
C'est une vieille connaissance.
Notre Magot prit pour ce coup
Le nom d'un port pour un nom d'homme.
De telles gens il est beaucoup                                 35
Qui prendraient Vaugirard pour Rome,
Et qui, caquetants au plus dru,
Parlent de tout et n'ont rien vu.
Le Dauphin rit, tourne la tête,
Et, le Magot considéré,                                        40
Il s'aperçoit qu'il n'a tiré
Du fond des eaux rien qu'une bête.
Il l'y replonge, et va trouver
Quelque homme afin de le sauver.

## FABLE VIII

### L'HOMME ET L'IDOLE DE BOIS

Certain Païen chez lui gardait un Dieu de bois,
De ces Dieux qui sont sourds, bien qu'ayants des oreilles.
Le Païen cependant s'en promettait merveilles.
    Il lui coûtait autant que trois.
    Ce n'étaient que vœux et qu'offrandes,                     5

Sacrifices de bœufs couronnés de guirlandes.
    Jamais Idole, quel qu'il fût,
    N'avait eu cuisine si grasse.
Sans que pour tout ce culte à son hôte il échût
Succession, trésor, gain au jeu, nulle grâce.          10
Bien plus, si pour un sou d'orage en quelque endroit
    S'amassait d'une ou d'autre sorte,
L'homme en avait sa part, et sa bourse en souffrait.
La pitance du Dieu n'en était pas moins forte.
A la fin, se fâchant de n'en obtenir rien,          15
Il vous prend un levier, met en pièces l'Idole,
Le trouve rempli d'or : Quand je t'ai fait du bien,
M'as-tu valu, dit-il, seulement une obole ?
Va, sors de mon logis : cherche d'autres autels.
    Tu ressembles aux naturels          20
    Malheureux, grossiers et stupides :
On n'en peut rien tirer qu'avecque le bâton.
Plus je te remplissais, plus mes mains étaient vides :
    J'ai bien fait de changer de ton.

## FABLE IX

## LE GEAI PARÉ DES PLUMES DU PAON

    Un Paon muait; un Geai prit son plumage;
    Puis après se l'accommoda;
Puis parmi d'autres Paons tout fier se panada,
    Croyant être un beau personnage.
Quelqu'un le reconnut : il se vit bafoué,          5
    Berné, sifflé, moqué, joué,
Et par Messieurs les Paons plumé d'étrange sorte;
Même vers ses pareils s'étant réfugié,
    Il fut par eux mis à la porte.
Il est assez de geais à deux pieds comme lui,          10
Qui se parent souvent des dépouilles d'autrui,
    Et que l'on nomme plagiaires.
Je m'en tais; et ne veux leur causer nul ennui :
    Ce ne sont pas là mes affaires.

## FABLE X

### LE CHAMEAU
### ET LES BATONS FLOTTANTS

Le premier qui vit un Chameau
S'enfuit à cet objet nouveau;
Le second approcha; le troisième osa faire
Un licou pour le Dromadaire.
L'accoutumance ainsi nous rend tout familier.          5
Ce qui nous paraissait terrible et singulier
S'apprivoise avec notre vue,
Quand ce vient à la continue.
Et puisque nous voici tombés sur ce sujet,
On avait mis des gens au guet,                        10
Qui voyant sur les eaux de loin certain objet,
Ne purent s'empêcher de dire
Que c'était un puissant navire.
Quelques moments après, l'objet devient brûlot,
Et puis nacelle, et puis ballot,                      15
Enfin bâtons flottants sur l'onde.
J'en sais beaucoup de par le monde
A qui ceci conviendrait bien :
De loin c'est quelque chose, et de près ce n'est rien.

## FABLE XI

### LA GRENOUILLE ET LE RAT

Tel, comme dit Merlin, cuide engeigner autrui,
Qui souvent s'engeigne soi-même.
J'ai regret que ce mot soit trop vieux aujourd'hui :
Il m'a toujours semblé d'une énergie extrême.
Mais afin d'en venir au dessein que j'ai pris,        5
Un rat plein d'embonpoint, gras, et des mieux nourris,

Et qui ne connaissait l'Avent ni le Carême,
Sur le bord d'un marais égayait ses esprits.
Une Grenouille approche, et lui dit en sa langue :
Venez me voir chez moi, je vous ferai festin.          10
      Messire Rat promit soudain :
Il n'était pas besoin de plus longue harangue.
Elle allégua pourtant les délices du bain,
La curiosité, le plaisir du voyage,
Cent raretés à voir le long du marécage :              15
Un jour il conterait à ses petits-enfants
Les beautés de ces lieux, les mœurs des habitants,
Et le gouvernement de la chose publique
            Aquatique.
Un point sans plus tenait le galand empêché :          20
Il nageait quelque peu; mais il fallait de l'aide.
La Grenouille à cela trouve un très bon remède :
Le Rat fut à son pied par la patte attaché;
      Un brinc de jonc en fit l'affaire.
Dans le marais entrés, notre bonne commère             25
S'efforce de tirer son hôte au fond de l'eau,
Contre le droit des gens, contre la foi jurée;
Prétend qu'elle en fera gorge-chaude et curée;
(C'était, à son avis, un excellent morceau).
Déjà dans son esprit la galande le croque.             30
Il atteste les Dieux; la perfide s'en moque.
Il résiste; elle tire. En ce combat nouveau,
Un Milan qui dans l'air planait, faisait la ronde,
Voit d'en haut le pauvret se débattant sur l'onde.
Il fond dessus, l'enlève, et, par même moyen           35
            La Grenouille et le lien.
            Tout en fut; tant et si bien,
            Que de cette double proie
            L'oiseau se donne au cœur joie,
            Ayant de cette façon                       40
            A souper chair et poisson.

            La ruse la mieux ourdie
            Peut nuire à son inventeur;
            Et souvent la perfidie
            Retourne sur son auteur.                   45

## FABLE XII

### TRIBUT ENVOYÉ PAR LES ANIMAUX
### A ALEXANDRE

Une Fable avait cours parmi l'antiquité,
    Et la raison ne m'en est pas connue.
Que le Lecteur en tire une moralité.
    Voici la Fable toute nue.

    La Renommée ayant dit en cent lieux                     5
Qu'un fils de Jupiter, un certain Alexandre,
Ne voulant rien laisser de libre sous les Cieux,
    Commandait que sans plus attendre,
    Tout peuple à ses pieds s'allât rendre,
Quadrupèdes, Humains, Éléphants, Vermisseaux,              10
    Les Républiques des Oiseaux;
    La Déesse aux cent bouches, dis-je,
    Ayant mis partout la terreur
En publiant l'Édit du nouvel Empereur,
    Les Animaux, et toute espèce lige                       15
De son seul appétit, crurent que cette fois
    Il fallait subir d'autres lois.
On s'assemble au désert. Tous quittent leur tanière.
Après divers avis, on résout, on conclut
    D'envoyer hommage et tribut.                            20
    Pour l'hommage et pour la manière,
Le Singe en fut chargé : l'on lui mit par écrit
    Ce que l'on voulait qui fût dit.
    Le seul tribut les tint en peine.
    Car que donner ? il fallait de l'argent.                25
    On en prit d'un Prince obligeant,
    Qui possédant dans son domaine
Des mines d'or fournit ce qu'on voulut.
Comme il fut question de porter ce tribut,
    Le Mulet et l'Ane s'offrirent,                          30
Assistés du Cheval ainsi que du Chameau.
    Tous quatre en chemin ils se mirent,
    Avec le Singe, Ambassadeur nouveau.
La Caravane enfin rencontre en un passage

Monseigneur le Lion. Cela ne leur plut point.          35
      Nous nous rencontrons tout à point,
Dit-il, et nous voici compagnons de voyage.
      J'allais offrir mon fait à part;
Mais bien qu'il soit léger, tout fardeau m'embarrasse.
      Obligez-moi de me faire la grâce          40
      Que d'en porter chacun un quart.
Ce ne vous sera pas une charge trop grande,
Et j'en serai plus libre, et bien plus en état,
En cas que les Voleurs attaquent notre bande,
      Et que l'on en vienne au combat.          45
Éconduire un Lion rarement se pratique.
Le voilà donc admis, soulagé, bien reçu,
Et, malgré le Héros de Jupiter issu,
Faisant chère et vivant sur la bourse publique.
      Ils arrivèrent dans un pré          50
Tout bordé de ruisseaux, de fleurs tout diapré,
      Où maint Mouton cherchait sa vie :
      Séjour du frais, véritable patrie
Des Zéphirs. Le Lion n'y fut pas, qu'à ces gens
      Il se plaignit d'être malade.          55
      Continuez votre Ambassade,
Dit-il; je sens un feu qui me brûle au dedans,
Et veux chercher ici quelque herbe salutaire.
      Pour vous, ne perdez point de temps :
Rendez-moi mon argent, j'en puis avoir affaire.          60
On déballe; et d'abord le Lion s'écria,
      D'un ton qui témoignait sa joie :
Que de filles, ô Dieux, mes pièces de monnoie
Ont produites! Voyez; la plupart sont déjà
      Aussi grandes que leurs mères.          65
Le croît m'en appartient. Il prit tout là-dessus;
Ou bien s'il ne prit tout, il n'en demeura guères.
      Le Singe et les sommiers confus,
Sans oser répliquer, en chemin se remirent.
Au fils de Jupiter on dit qu'ils se plaignirent,          70
      Et n'en eurent point de raison.
Qu'eût-il fait ? C'eût été Lion contre Lion;
Et le proverbe dit : Corsaires à Corsaires,
L'un l'autre s'attaquant, ne font pas leurs affaires.

## FABLE XIII

## LE CHEVAL
## S'ÉTANT VOULU VENGER DU CERF

De tout temps les Chevaux ne sont nés pour les hommes.
Lorsque le genre humain de gland se contentait,
Ane, Cheval, et Mule, aux forêts habitait;
Et l'on ne voyait point, comme au siècle où nous sommes,
  Tant de selles et tant de bâts,                                   5
  Tant de harnois pour les combats,
  Tant de chaises, tant de carrosses,
  Comme aussi ne voyait-on pas
  Tant de festins et tant de noces.
Or un Cheval eut alors différent                                            10
  Avec un Cerf plein de vitesse,
 Et ne pouvant l'attraper en courant,
Il eut recours à l'Homme, implora son adresse.
L'Homme lui mit un frein, lui sauta sur le dos,
  Ne lui donna point de repos                                       15
Que le Cerf ne fût pris, et n'y laissât la vie;
  Et cela fait, le Cheval remercie
L'Homme son bienfaiteur, disant : Je suis à vous;
Adieu. Je m'en retourne en mon séjour sauvage.
— Non pas cela, dit l'Homme; il fait meilleur chez nous :       20
  Je vois trop quel est votre usage.
 Demeurez donc; vous serez bien traité.
 Et jusqu'au ventre en la litière.

  Hélas! que sert la bonne chère
  Quand on n'a pas la liberté ?                                     25
Le Cheval s'aperçut qu'il avait fait folie;
Mais il n'était plus temps : déjà son écurie
  Était prête et toute bâtie.
 Il y mourut en traînant son lien.
Sage s'il eût remis une légère offense.                                     30
Quel que soit le plaisir que cause la vengeance,
C'est l'acheter trop cher, que l'acheter d'un bien
  Sans qui les autres ne sont rien.

## FABLE XIV

### LE RENARD ET LE BUSTE

Les Grands, pour la plupart, sont masques de théâtre ;
Leur apparence impose au vulgaire idolâtre.
L'Ane n'en sait juger que par ce qu'il en voit.
Le Renard au contraire à fond les examine,
Les tourne de tout sens ; et quand il s'aperçoit          5
    Que leur fait n'est que bonne mine,
Il leur applique un mot qu'un Buste de Héros
    Lui fit dire fort à propos.
C'était un Buste creux, et plus grand que nature.
Le Renard, en louant l'effort de la sculpture :          10
*Belle tête, dit-il ; mais de cervelle point.*
Combien de grands Seigneurs sont Bustes en ce point ?


## FABLE XV

### LE LOUP, LA CHÈVRE, ET LE CHEVREAU

### XVI

### LE LOUP, LA MÈRE ET L'ENFANT

La Bique allant remplir sa traînante mamelle
    Et paître l'herbe nouvelle,
    Ferma sa porte au loquet,
    Non sans dire à son Biquet :
    Gardez-vous sur votre vie                      5
    D'ouvrir que l'on ne vous die,
    Pour enseigne et mot du guet :
    Foin du Loup et de sa race !

Comme elle disait ces mots,
Le Loup de fortune passe;                                        10
Il les recueille à propos,
Et les garde en sa mémoire.
La Bique, comme on peut croire,
N'avait pas vu le glouton.
Dès qu'il la voit partie, il contrefait son ton,                 15
Et d'une voix papelarde
Il demande qu'on ouvre, en disant Foin du Loup,
Et croyant entrer tout d'un coup.
Le Biquet soupçonneux par la fente regarde.
Montrez-moi patte blanche, ou je n'ouvrirai point,               20
S'écria-t-il d'abord. (Patte blanche est un point
Chez les Loups, comme on sait, rarement en usage.)
Celui-ci, fort surpris d'entendre ce langage,
Comme il était venu s'en retourna chez soi.
Où serait le Biquet s'il eût ajouté foi                          25
Au mot du guet, que de fortune
Notre Loup avait entendu ?
Deux sûretés valent mieux qu'une,
Et le trop en cela ne fut jamais perdu.


Ce Loup me remet en mémoire                                       30
Un de ses compagnons qui fut encor mieux pris.
Il y périt; voici l'histoire.
Un Villageois avait à l'écart son logis.
Messer Loup attendait chape-chute à la porte.
Il avait vu sortir gibier de toute sorte :                        35
Veaux de lait, Agneaux et Brebis,
Régiments de Dindons, enfin bonne Provende.
Le larron commençait pourtant à s'ennuyer.
Il entend un enfant crier.
La mère aussitôt le gourmande,                                    40
Le menace, s'il ne se tait,
De le donner au Loup. L'Animal se tient prêt,
Remerciant les Dieux d'une telle aventure,
Quand la Mère, apaisant sa chère géniture,
Lui dit : Ne criez point; s'il vient, nous le tuerons.           45
— Qu'est ceci ? s'écria le mangeur de Moutons.
Dire d'un, puis d'un autre ? Est-ce ainsi que l'on traite
Les gens faits comme moi ? me prend-on pour un sot ?
Que quelque jour ce beau marmot
Vienne au bois cueillir la noisette!                              50
Comme il disait ces mots, on sort de la maison :
Un chien de cour l'arrête. Épieux et fourches-fières

     L'ajustent de toutes manières.
Que veniez-vous chercher en ce lieu ? lui dit-on.
     Aussitôt il conta l'affaire.             55
     Merci de moi, lui dit la Mère,
Tu mangeras mon Fils! L'ai-je fait à dessein
     Qu'il assouvisse un jour ta faim ?
     On assomma la pauvre bête.
Un manant lui coupa le pied droit et la tête :     60
Le Seigneur du Village à sa porte les mit,
Et ce dicton picard à l'entour fut écrit :
     *Biaux chires Leups, n'écoutez mie*
     *Mère tenchent chen fieux qui crie.*


## FABLE XVII

### PAROLE DE SOCRATE


     Socrate un jour faisant bâtir,
     Chacun censurait son ouvrage :
L'un trouvait les dedans, pour ne lui point mentir,
     Indignes d'un tel personnage;
L'autre blâmait la face, et tous étaient d'avis     5
Que les appartements en étaient trop petits.
Quelle maison pour lui! L'on y tournait à peine.
     Plût au ciel que de vrais amis,
Telle qu'elle est, dit-il, elle pût être pleine!
     Le bon Socrate avait raison     10
De trouver pour ceux-là trop grande sa maison.
Chacun se dit ami; mais fol qui s'y repose :
     Rien n'est plus commun que ce nom,
     Rien n'est plus rare que la chose.

## FABLE XVIII

## LE VIEILLARD ET SES ENFANTS

Toute puissance est faible, à moins que d'être unie.
Écoutez là-dessus l'esclave de Phrygie.
Si j'ajoute du mien à son invention,
C'est pour peindre nos mœurs, et non point par envie;
Je suis trop au-dessous de cette ambition.                        5
Phèdre enchérit souvent par un motif de gloire;
Pour moi, de tels pensers me seraient malséants.
Mais venons à la Fable ou plutôt à l'Histoire
De celui qui tâcha d'unir tous ses enfants.

Un Vieillard prêt d'aller où la mort l'appelait :            10
Mes chers enfants, dit-il (à ses fils, il parlait),
Voyez si vous romprez ces dards liés ensemble;
Je vous expliquerai le nœud qui les assemble.
L'aîné les ayant pris, et fait tous ses efforts,
Les rendit, en disant : Je le donne aux plus forts.         15
Un second lui succède, et se met en posture;
Mais en vain. Un cadet tente aussi l'aventure.
Tous perdirent leur temps, le faisceau résista;
De ces dards joints ensemble un seul ne s'éclata.
Faibles gens! dit le père, il faut que je vous montre         20
Ce que ma force peut en semblable rencontre.
On crut qu'il se moquait; on sourit, mais à tort.
Il sépare les dards, et les rompt sans effort.
Vous voyez, reprit-il, l'effet de la concorde.
Soyez joints, mes enfants, que l'amour vous accorde.          25
Tant que dura son mal, il n'eut autre discours.
Enfin se sentant prêt de terminer ses jours :
Mes chers enfants, dit-il, je vais où sont nos pères.
Adieu, promettez-moi de vivre comme frères;
Que j'obtienne de vous cette grâce en mourant.                30
Chacun de ses trois fils l'en assure en pleurant.
Il prend à tous les mains; il meurt; et les trois frères
Trouvent un bien fort grand, mais fort mêlé d'affaires.
Un créancier saisit, un voisin fait procès.
D'abord notre Trio s'en tire avec succès.                     35

Leur amitié fut courte autant qu'elle était rare.
Le sang les avait joints, l'intérêt les sépare.
L'ambition, l'envie, avec les consultants,
Dans la succession entrent en même temps.
On en vient au partage, on conteste, on chicane.     40
Le Juge sur cent points tour à tour les condamne.
Créanciers et voisins reviennent aussitôt ;
Ceux-là sur une erreur, ceux-ci sur un défaut.
Les frères désunis sont tous d'avis contraire :
L'un veut s'accommoder, l'autre n'en veut rien faire.   45
Tous perdirent leur bien, et voulurent trop tard
Profiter de ces dards unis et pris à part.


## FABLE XIX

### L'ORACLE ET L'IMPIE

Vouloir tromper le Ciel, c'est folie à la Terre ;
Le Dédale des cœurs en ses détours n'enserre
Rien qui ne soit d'abord éclairé par les Dieux.
Tout ce que l'homme fait, il le fait à leurs yeux
Même les actions que dans l'ombre il croit faire.     5
Un Païen qui sentait quelque peu le fagot,
Et qui croyait en Dieu, pour user de ce mot,
       Par bénéfice d'inventaire,
       Alla consulter Apollon.
       Dès qu'il fut en son sanctuaire :            10
Ce que je tiens, dit-il, est-il en vie ou non ?
       Il tenait un moineau, dit-on,
       Prêt d'étouffer la pauvre bête,
       Ou de la lâcher aussitôt
       Pour mettre Apollon en défaut.               15
Apollon reconnut ce qu'il avait en tête :
Mort ou vif, lui dit-il, montre-nous ton moineau,
       Et ne me tends plus de panneau ;
Tu te trouverais mal d'un pareil stratagème.
       Je vois de loin, j'atteins de même.          20

## FABLE XX

## L'AVARE QUI A PERDU SON TRÉSOR

L'Usage seulement fait la possession.
Je demande à ces gens de qui la passion
Est d'entasser toujours, mettre somme sur somme,
Quel avantage ils ont que n'ait pas un autre homme.
Diogène là-bas est aussi riche qu'eux,                             5
Et l'avare ici-haut comme lui vit en gueux.
L'homme au trésor caché qu'Ésope nous propose,
          Servira d'exemple à la chose.
          Ce malheureux attendait
Pour jouir de son bien une seconde vie;                            10
Ne possédait pas l'or, mais l'or le possédait.
Il avait dans la terre une somme enfouie,
     Son cœur avec, n'ayant autre déduit
     Que d'y ruminer jour et nuit,
Et rendre sa chevance à lui-même sacrée.                           15
Qu'il allât ou qu'il vînt, qu'il bût ou qu'il mangeât,
On l'eût pris de bien court, à moins qu'il ne songeât
A l'endroit où gisait cette somme enterrée.
Il y fit tant de tours qu'un Fossoyeur le vit,
Se douta du dépôt, l'enleva sans rien dire.                        20
Notre Avare un beau jour ne trouva que le nid.
Voilà mon homme aux pleurs; il gémit, il soupire.
     Il se tourmente, il se déchire.
Un passant lui demande à quel sujet ses cris.
     C'est mon trésor que l'on m'a pris.                           25
— Votre trésor ? où pris ? — Tout joignant cette pierre.
     — Eh ! sommes-nous en temps de guerre,
Pour l'apporter si loin ? N'eussiez-vous pas mieux fait
De le laisser chez vous en votre cabinet,
     Que de le changer de demeure ?                                30
Vous auriez pu sans peine y puiser à toute heure.
— A toute heure ? bons Dieux ! ne tient-il qu'à cela ?
     L'argent vient-il comme il s'en va ?
Je n'y touchais jamais. — Dites-moi donc, de grâce,
Reprit l'autre, pourquoi vous vous affligez tant,                 35
Puisque vous ne touchiez jamais à cet argent :
     Mettez une pierre à la place,
     Elle vous vaudra tout autant.

## FABLE XXI

## L'ŒIL DU MAITRE

Un Cerf s'étant sauvé dans une étable à bœufs
    Fut d'abord averti par eux
    Qu'il cherchât un meilleur asile.
Mes frères, leur dit-il, ne me décelez pas :
Je vous enseignerai les pâtis les plus gras;      5
Ce service vous peut quelque jour être utile,
    Et vous n'en aurez point regret.
Les Bœufs à toutes fins promirent le secret.
Il se cache en un coin, respire, et prend courage.
Sur le soir on apporte herbe fraîche et fourrage    10
    Comme l'on faisait tous les jours.
  L'on va, l'on vient, les valets font cent tours.
  L'Intendant même, et pas un d'aventure
    N'aperçut ni corps, ni ramure,
  Ni Cerf enfin. L'habitant des forêts      15
Rend déjà grâce aux Bœufs, attend dans cette étable
Que chacun retournant au travail de Cérès,
Il trouve pour sortir un moment favorable.
L'un des Bœufs ruminant lui dit : Cela va bien;
Mais quoi! l'homme aux cent yeux n'a pas fait sa revue.  20
    Je crains fort pour toi sa venue.
Jusque-là, pauvre Cerf, ne te vante de rien.
Là-dessus le Maître entre et vient faire sa ronde.
    Qu'est-ce-ci ? dit-il à son monde.
Je trouve bien peu d'herbe en tous ces râteliers.    25
Cette litière est vieille : allez vite aux greniers.
Je veux voir désormais vos bêtes mieux soignées.
Que coûte-t-il d'ôter toutes ces araignées ?
Ne saurait-on ranger ces jougs et ces colliers ?
En regardant à tout, il voit une autre tête    30
Que celles qu'il voyait d'ordinaire en ce lieu.
Le Cerf est reconnu; chacun prend un épieu;
    Chacun donne un coup à la bête.
Ses larmes ne sauraient la sauver du trépas.
On l'emporte, on la sale, on en fait maint repas,    35
    Dont maint voisin s'éjouit d'être.
Phèdre sur ce sujet dit fort élégamment :
    Il n'est, pour voir, que l'œil du Maître.
Quant à moi, j'y mettrais encor l'œil de l'Amant.

## FABLE XXII

## L'ALOUETTE ET SES PETITS,
## AVEC LE MAITRE D'UN CHAMP

Ne t'attends qu'à toi seul, c'est un commun Proverbe.
    Voici comme Ésope le mit
        En crédit.
    Les Alouettes font leur nid
    Dans les blés, quand ils sont en herbe,      5
    C'est-à-dire environ le temps
Que tout aime et que tout pullule dans le monde :
    Monstres marins au fond de l'onde,
Tigres dans les Forêts, Alouettes aux champs.
    Une pourtant de ces dernières      10
Avait laissé passer la moitié d'un Printemps
Sans goûter le plaisir des amours printanières.
A toute force enfin elle se résolut
D'imiter la Nature, et d'être mère encore.
Elle bâtit un nid, pond, couve, et fait éclore      15
A la hâte ; le tout alla du mieux qu'il put.
Les blés d'alentour mûrs avant que la nitée
    Se trouvât assez forte encor
    Pour voler et prendre l'essor,
De mille soins divers l'Alouette agitée      20
S'en va chercher pâture, avertit ses enfants
D'être toujours au guet et faire sentinelle.
Si le possesseur de ces champs
Vient avecque son fils (comme il viendra), dit-elle,
    Écoutez bien ; selon ce qu'il dira,      25
    Chacun de nous décampera.
Sitôt que l'Alouette eut quitté sa famille,
Le possesseur du champ vient avecque son fils.
Ces blés sont mûrs, dit-il : allez chez nos amis
Les prier que chacun, apportant sa faucille,      30
Nous vienne aider demain dès la pointe du jour.
    Notre Alouette de retour
    Trouve en alarme sa couvée.
L'un commence : Il a dit que l'Aurore levée,
L'on fît venir demain ses amis pour l'aider...      35

— S'il n'a dit que cela, repartit l'Alouette,
Rien ne nous presse encor de changer de retraite ;
Mais c'est demain qu'il faut tout de bon écouter.
Cependant soyez gais ; voilà de quoi manger.
Eux repus, tout s'endort, les petits et la mère.          40
L'aube du jour arrive ; et d'amis point du tout.
L'Alouette à l'essor, le Maître s'en vient faire
    Sa ronde ainsi qu'à l'ordinaire.
Ces blés ne devraient pas, dit-il, être debout.
Nos amis ont grand tort, et tort qui se repose          45
Sur de tels paresseux à servir ainsi lents.
    Mon fils, allez chez nos parents
    Les prier de la même chose.
L'épouvante est au nid plus forte que jamais.
Il a dit ses parents, mère, c'est à cette heure...          50
    — Non, mes enfants dormez en paix ;
    Ne bougeons de notre demeure.
L'Alouette eut raison, car personne ne vint.
Pour la troisième fois le Maître se souvint
De visiter ses blés. Notre erreur est extrême,          55
Dit-il, de nous attendre à d'autres gens que nous.
Il n'est meilleur ami ni parent que soi-même.
Retenez bien cela, mon fils ; et savez-vous
Ce qu'il faut faire ? Il faut qu'avec notre famille
Nous prenions dès demain chacun une faucille :          60
C'est là notre plus court, et nous achèverons
    Notre moisson quand nous pourrons.
Dès lors que ce dessein fut su de l'Alouette :
C'est ce coup qu'il est bon de partir, mes enfants.
    Et les petits, en même temps,          65
    Voletants, se culebutants,
    Délogèrent tous sans trompette.

# LIVRE CINQUIÈME

## *FABLE I*

### LE BUCHERON ET MERCURE

#### A. M. L. C. D. B.

Votre goût a servi de règle à mon ouvrage.
J'ai tenté les moyens d'acquérir son suffrage.
Vous voulez qu'on évite un soin trop curieux,
Et des vains ornements l'effort ambitieux.
Je le veux comme vous; cet effort ne peut plaire.          5
Un auteur gâte tout quand il veut trop bien faire.
Non qu'il faille bannir certains traits délicats :
Vous les aimez, ces traits, et je ne les hais pas.
Quant au principal but qu'Ésope se propose,
    J'y tombe au moins mal que je puis.          10
Enfin si dans ces Vers je ne plais et n'instruis,
Il ne tient pas à moi, c'est toujours quelque chose.
    Comme la force est un point
    Dont je ne me pique point,
Je tâche d'y tourner le vice en ridicule,          15
Ne pouvant l'attaquer avec des bras d'Hercule.
C'est là tout mon talent; je ne sais s'il suffit.
    Tantôt je peins en un récit
La sotte vanité jointe avecque l'envie,
Deux pivots sur qui roule aujourd'hui notre vie.          20
    Tel est ce chétif animal
Qui voulut en grosseur au Bœuf se rendre égal.
J'oppose quelquefois, par une double image,
Le vice à la vertu, la sottise au bon sens,
    Les Agneaux aux Loups ravissants,          25
La Mouche à la Fourmi, faisant de cet ouvrage

Une ample Comédie à cent actes divers,
    Et dont la scène est l'Univers.
Hommes, Dieux, Animaux, tout y fait quelque rôle :
Jupiter comme un autre : Introduisons celui                    30
Qui porte de sa part aux Belles la parole :
Ce n'est pas de cela qu'il s'agit aujourd'hui.


    Un Bûcheron perdit son gagne-pain,
    C'est sa cognée ; et la cherchant en vain,
    Ce fut pitié là-dessus de l'entendre.            35
    Il n'avait pas des outils à revendre.
    Sur celui-ci roulait tout son avoir.
    Ne sachant donc où mettre son espoir,
    Sa face était de pleurs toute baignée.
    O ma cognée ! ô ma pauvre cognée !                40
    S'écriait-il, Jupiter, rends-la-moi ;
    Je tiendrai l'être encore un coup de toi.
    Sa plainte fut de l'Olympe entendue.
    Mercure vient. Elle n'est pas perdue,
    Lui dit ce dieu, la connaîtras-tu bien ?          45
    Je crois l'avoir près d'ici rencontrée.
    Lors une d'or à l'homme étant montrée,
    Il répondit : Je n'y demande rien.
    Une d'argent succède à la première,
    Il la refuse. Enfin une de bois :                 50
    Voilà, dit-il, la mienne cette fois ;
    Je suis content si j'ai cette dernière.
    — Tu les auras, dit le Dieu, toutes trois.
    Ta bonne foi sera récompensée.
    — En ce cas-là je les prendrai, dit-il.           55
    L'Histoire en est aussitôt dispersée ;
    Et Boquillons de perdre leur outil,
    Et de crier pour se le faire rendre.
    Le Roi des Dieux ne sait auquel entendre.
    Son fils Mercure aux criards vient encor,         60
    A chacun d'eux il en montre une d'or.
    Chacun eût cru passer pour une bête
    De ne pas dire aussitôt : La voilà !
    Mercure, au lieu de donner celle-là,
    Leur en décharge un grand coup sur la tête.       65


    Ne point mentir, être content du sien,
    C'est le plus sûr : cependant on s'occupe
    A dire faux pour attraper du bien :
    Que sert cela ? Jupiter n'est pas dupe.

## FABLE II

## LE POT DE TERRE ET LE POT DE FER

Le Pot de fer proposa
Au Pot de terre un voyage.
Celui-ci s'en excusa,
Disant qu'il ferait que sage
De garder le coin du feu :                          5
Car il lui fallait si peu,
Si peu, que la moindre chose
De son débris serait cause.
Il n'en reviendrait morceau.
Pour vous, dit-il, dont la peau               10
Est plus dure que la mienne,
Je ne vois rien qui vous tienne.
— Nous vous mettrons à couvert,
Repartit le Pot de fer.
Si quelque matière dure                         15
Vous menace d'aventure,
Entre deux je passerai,
Et du coup vous sauverai.
Cette offre le persuade.
Pot de fer son camarade                         20
Se met droit à ses côtés.
Mes gens s'en vont à trois pieds,
Clopin-clopant comme ils peuvent,
L'un contre l'autre jetés
Au moindre hoquet qu'ils treuvent.       25
Le Pot de terre én souffre; il n'eut pas fait cent pas
Que par son compagnon il fut mis en éclats,
Sans qu'il eût lieu de se plaindre.
Ne nous associons qu'avecque nos égaux.
Ou bien il nous faudra craindre              30
Le destin d'un de ces Pots.

## FABLE III

## LE PETIT POISSON ET LE PÊCHEUR

Petit poisson deviendra grand,
Pourvu que Dieu lui prête vie.
Mais le lâcher en attendant,
Je tiens pour moi que c'est folie;
Car de le rattraper il n'est pas trop certain.          5
Un Carpeau qui n'était encore que fretin
Fut pris par un Pêcheur au bord d'une rivière.
Tout fait nombre, dit l'homme en voyant son butin;
Voilà commencement de chère et de festin :
      Mettons-le en notre gibecière.          10
Le pauvre Carpillon lui dit en sa manière :
Que ferez-vous de moi ? je ne saurais fournir
      Au plus qu'une demi-bouchée;
      Laissez-moi Carpe devenir :
      Je serai par vous repêchée.          15
Quelque gros Partisan m'achètera bien cher,
      Au lieu qu'il vous en faut chercher
      Peut-être encor cent de ma taille
Pour faire un plat. Quel plat ? croyez-moi; rien qui vaille.
— Rien qui vaille ? Eh bien soit, repartit le Pêcheur;          20
Poisson, mon bel ami, qui faites le Prêcheur,
Vous irez dans la poêle; et vous avez beau dire,
      Dès ce soir on vous fera frire.

Un tien vaut, ce dit-on, mieux que deux tu l'auras :
      L'un est sûr, l'autre ne l'est pas.          25

## FABLE IV

### LES OREILLES DU LIÈVRE

Un animal cornu blessa de quelques coups
    Le Lion, qui plein de courroux,
    Pour ne plus tomber en la peine,
    Bannit des lieux de son domaine
Toute bête portant des cornes à son front.     5
Chèvres, Béliers, Taureaux aussitôt délogèrent,
    Daims, et Cerfs de climat changèrent;
    Chacun à s'en aller fut prompt.
Un Lièvre, apercevant l'ombre de ses oreilles,
    Craignit que quelque Inquisiteur    10
N'allât interpréter à cornes leur longueur,
Ne les soutînt en tout à des cornes pareilles.
Adieu, voisin Grillon, dit-il, je pars d'ici;
Mes oreilles enfin seraient cornes aussi;
Et quand je les aurais plus courtes qu'une Autruche,    15
Je craindrais même encor. Le Grillon repartit :
    Cornes cela ? Vous me prenez pour cruche;
    Ce sont oreilles que Dieu fit.
    — On les fera passer pour cornes,
Dit l'animal craintif, et cornes de Licornes.    20
J'aurai beau protester; mon dire et mes raisons
    Iront aux Petites-Maisons.

## FABLE V

### LE RENARD AYANT LA QUEUE COUPÉE

    Un vieux Renard, mais des plus fins,
Grand croqueur de Poulets, grand preneur de Lapins,
    Sentant son Renard d'une lieue,
    Fut enfin au piège attrapé.
    Par grand hasard en étant échappé,    5

Non pas franc, car pour gage il y laissa sa queue :
S'étant, dis-je, sauvé sans queue, et tout honteux,
Pour avoir des pareils (comme il était habile),
Un jour que les Renards tenaient conseil entre eux :
Que faisons-nous, dit-il, de ce poids inutile,                    10
Et qui va balayant tous les sentiers fangeux ?
Que nous sert cette queue ? Il faut qu'on se la coupe :
   Si l'on me croit, chacun s'y résoudra.
— Votre avis est fort bon, dit quelqu'un de la troupe;
Mais tournez-vous, de grâce, et l'on vous répondra.              15
A ces mots, il se fit une telle huée,
Que le pauvre écourté ne put être entendu.
Prétendre ôter la queue eût été temps perdu;
   La mode en fut continuée.


## FABLE VI

## LA VIEILLE ET LES DEUX SERVANTES


Il était une vieille ayant deux Chambrières.
Elles filaient si bien que les sœurs filandières
Ne faisaient que brouiller au prix de celles-ci.
La Vieille n'avait point de plus pressant souci
Que de distribuer aux Servantes leur tâche.                       5
Dès que Téthis chassait Phébus aux crins dorés,
Tourets entraient en jeu, fuseaux étaient tirés;
   Deçà, delà, vous en aurez;
   Point de cesse, point de relâche.
Dès que l'Aurore, dis-je, en son char remontait,                 10
Un misérable Coq à point nommé chantait.
Aussitôt notre Vieille encor plus misérable
S'affublait d'un jupon crasseux et détestable,
Allumait une lampe, et courait droit au lit
Où de tout leur pouvoir, de tout leur appétit,                   15
   Dormaient les deux pauvres Servantes.
L'une entr'ouvrait un œil, l'autre étendait un bras;
   Et toutes deux, très malcontentes,
Disaient entre leurs dents : Maudit Coq, tu mourras.
Comme elles l'avaient dit, la bête fut grippée.                   20
Le réveille-matin eut la gorge coupée.

Ce meurtre n'amenda nullement leur marché.
Notre couple au contraire à peine était couché
Que la Vieille, craignant de laisser passer l'heure,
Courait comme un Lutin par toute sa demeure.                    25
     C'est ainsi que le plus souvent,
Quand on pense sortir d'une mauvaise affaire,
     On s'enfonce encor plus avant :
     Témoin ce Couple et son salaire.
La Vieille, au lieu du Coq, les fit tomber par là            30
     De Charybde en Scylla.


### FABLE VII

## LE SATYRE ET LE PASSANT

     Au fond d'un antre sauvage,
     Un Satyre et ses enfants
     Allaient manger leur potage
     Et prendre l'écuelle aux dents.

     On les eût vus sur la mousse                          5
     Lui, sa femme, et maint petit ;
     Ils n'avaient tapis ni housse,
     Mais tous fort bon appétit.

     Pour se sauver de la pluie,
     Entre un Passant morfondu.                           10
     Au brouet on le convie :
     Il n'était pas attendu.

     Son hôte n'eut pas la peine
     De le semondre deux fois ;
     D'abord avec son haleine                             15
     Il se réchauffe les doigts.

     Puis sur le mets qu'on lui donne
     Délicat il souffle aussi ;
     Le Satyre s'en étonne :
     Notre hôte, à quoi bon ceci ?                        20

— L'un refroidit mon potage,
L'autre réchauffe ma main.
— Vous pouvez, dit le Sauvage,
Reprendre votre chemin.

Ne plaise aux Dieux que je couche                   25
Avec vous sous même toit.
Arrière ceux dont la bouche
Souffle le chaud et le froid!


## FABLE VIII

## LE CHEVAL ET LE LOUP

Un certain Loup, dans la saison
Que les tièdes Zéphyrs ont l'herbe rajeunie,
Et que les animaux quittent tous la maison,
        Pour s'en aller chercher leur vie;
Un loup, dis-je, au sortir des rigueurs de l'Hiver,     5
Aperçut un Cheval qu'on avait mis au vert.
        Je laisse à penser quelle joie!
Bonne chasse, dit-il, qui l'aurait à son croc.
Eh! que n'es-tu Mouton ? car tu me serais hoc :
Au lieu qu'il faut ruser pour avoir cette proie.        10
Rusons donc. Ainsi dit, il vient à pas comptés,
        Se dit Écolier d'Hippocrate;
Qu'il connaît les vertus et les propriétés
        De tous les Simples de ces prés,
        Qu'il sait guérir, sans qu'il se flatte,          15
Toutes sortes de maux. Si Dom Coursier voulait
        Ne point celer sa maladie,
        Lui Loup gratis le guérirait.
        Car le voir en cette prairie
        Paître ainsi sans être lié                        20
Témoignait quelque mal, selon la Médecine.
        J'ai, dit la Bête chevaline,
        Une apostume sous le pied.
— Mon fils, dit le docteur, il n'est point de partie    25
        Susceptible de tant de maux.
J'ai l'honneur de servir Nosseigneurs les Chevaux,
        Et fais aussi la Chirurgie.

Mon galand ne songeait qu'à bien prendre son temps,
    Afin de happer son malade.
L'autre qui s'en doutait lui lâche une ruade,        30
    Qui vous lui met en marmelade
    Les mandibules et les dents.
C'est bien fait, dit le Loup en soi-même fort triste;
Chacun à son métier doit toujours s'attacher.
    Tu veux faire ici l'Arboriste,        35
    Et ne fus jamais que Boucher.


## FABLE IX

### LE LABOUREUR ET SES ENFANTS

    Travaillez, prenez de la peine :
    C'est le fonds qui manque le moins.
Un riche Laboureur, sentant sa mort prochaine,
Fit venir ses enfants, leur parla sans témoins.
Gardez-vous, leur dit-il, de vendre l'héritage        5
    Que nous ont laissé nos parents.
    Un trésor est caché dedans.
Je ne sais pas l'endroit; mais un peu de courage
Vous le fera trouver, vous en viendrez à bout.
Remuez votre champ dès qu'on aura fait l'Oût.        10
Creusez, fouillez, bêchez; ne laissez nulle place
    Où la main ne passe et repasse.
Le père mort, les fils vous retournent le champ
Deçà, delà, partout; si bien qu'au bout de l'an
    Il en rapporta davantage.        15
D'argent, point de caché. Mais le père fut sage
    De leur montrer avant sa mort
    Que le travail est un trésor.

## FABLE X

## LA MONTAGNE QUI ACCOUCHE

Une Montagne en mal d'enfant
Jetait une clameur si haute,
Que chacun au bruit accourant
Crut qu'elle accoucherait, sans faute,
D'une Cité plus grosse que Paris :                            5
Elle accoucha d'une Souris.

Quand je songe à cette Fable
Dont le récit est menteur
Et le sens est véritable,
Je me figure un Auteur                                       10
Qui dit : Je chanterai la guerre
Que firent les Titans au Maître du tonnerre.
C'est promettre beaucoup : mais qu'en sort-il souvent ?
Du vent.

## FABLE XI

## LA FORTUNE ET LE JEUNE ENFANT

Sur le bord d'un puits très profond
Dormait étendu de son long
Un Enfant alors dans ses classes.
Tout est aux Écoliers couchette et matelas.
Un honnête homme en pareil cas                               5
Aurait fait un saut de vingt brasses.
Près de là tout heureusement
La Fortune passa, l'éveilla doucement,
Lui disant : Mon mignon, je vous sauve la vie.
Soyez une autre fois plus sage, je vous prie.               10
Si vous fussiez tombé, l'on s'en fût pris à moi;
Cependant c'était votre faute.

Je vous demande, en bonne foi,
Si cette imprudence si haute
Provient de mon caprice. Elle part à ces mots.                    15
Pour moi, j'approuve son propos.
Il n'arrive rien dans le monde
Qu'il ne faille qu'elle en réponde.
Nous la faisons de tous Échos.
Elle est prise à garant de toutes aventures.                      20
Est-on sot, étourdi, prend-on mal ses mesures;
On pense en être quitte en accusant son sort :
Bref la Fortune a toujours tort.


## FABLE XII

### LES MÉDECINS

Le Médecin Tant-pis allait voir un malade
Que visitait aussi son confrère Tant-mieux;
Ce dernier espérait, quoique son camarade
Soutînt que le gisant irait voir ses aïeux.
Tous deux s'étant trouvés différents pour la cure,               5
Leur malade paya le tribut à Nature,
Après qu'en ses conseils Tant-pis eut été cru.
Ils triomphaient encor sur cette maladie.
L'un disait : il est mort, je l'avais bien prévu.
— S'il m'eût cru, disait l'autre, il serait plein de vie.        10


## FABLE XIII

### LA POULE AUX ŒUFS D'OR

L'avarice perd tout en voulant tout gagner.
Je ne veux, pour le témoigner,
Que celui dont la Poule, à ce que dit la Fable,
Pondait tous les jours un œuf d'or.
Il crut que dans son corps elle avait un trésor.                 5

Il la tua, l'ouvrit, et la trouva semblable
A celles dont les œufs ne lui rapportaient rien,
S'étant lui-même ôté le plus beau de son bien.
    Belle leçon pour les gens chiches :
Pendant ces derniers temps, combien en a-t-on vus    10
Qui du soir au matin sont pauvres devenus
    Pour vouloir trop tôt être riches ?


## FABLE XIV

### L'ANE PORTANT DES RELIQUES

    Un Baudet, chargé de Reliques,
    S'imagina qu'on l'adorait.
    Dans ce penser il se carrait,
Recevant comme siens l'Encens et les Cantiques.
    Quelqu'un vit l'erreur, et lui dit :    5
    Maître Baudet, ôtez-vous de l'esprit
      Une vanité si folle.
      Ce n'est pas vous, c'est l'Idole
    A qui cet honneur se rend,
    Et que la gloire en est due.    10
      D'un Magistrat ignorant
      C'est la Robe qu'on salue.


## FABLE XV

### LE CERF ET LA VIGNE

Un Cerf, à la faveur d'une Vigne fort haute
Et telle qu'on en voit en de certains climats,
S'étant mis à couvert et sauvé du trépas,
Les Veneurs pour ce coup croyaient leurs chiens en faute.
Ils les rappellent donc. Le Cerf hors de danger    5
Broute sa bienfaitrice, ingratitude extrême !

On l'entend, on retourne, on le fait déloger,
    Il vient mourir en ce lieu même.
J'ai mérité, dit-il, ce juste châtiment :
Profitez-en, ingrats. Il tombe en ce moment.          10
La Meute en fait curée. Il lui fut inutile
De pleurer aux Veneurs à sa mort arrivés.
Vraie image de ceux qui profanent l'asile
    Qui les a conservés.


## FABLE XVI

## LE SERPENT ET LA LIME

On conte qu'un serpent voisin d'un Horloger
(C'était pour l'Horloger un mauvais voisinage),
Entra dans sa boutique, et cherchant à manger
    N'y rencontra pour tout potage
Qu'une Lime d'acier qu'il se mit à ronger.          5
Cette Lime lui dit, sans se mettre en colère :
    Pauvre ignorant! et que prétends-tu faire ?
    Tu te prends à plus dur que toi.
    Petit Serpent à tête folle,
    Plutôt que d'emporter de moi          10
    Seulement le quart d'une obole,
    Tu te romprais toutes les dents.
    Je ne crains que celles du temps.

Ceci s'adresse à vous, esprits du dernier ordre,
Qui n'étant bons à rien cherchez sur tout à mordre.          15
    Vous vous tourmentez vainement.
Croyez-vous que vos dents impriment leurs outrages
    Sur tant de beaux ouvrages ?
Ils sont pour vous d'airain, d'acier, de diamant.

## FABLE XVII

## LE LIÈVRE ET LA PERDRIX

Il ne se faut jamais moquer des misérables :
Car qui peut s'assurer d'être toujours heureux ?
    Le sage Ésope dans ses Fables
    Nous en donne un exemple ou deux.
    Celui qu'en ces Vers je propose,                          5
    Et les siens, ce sont même chose.
Le Lièvre et la Perdrix, concitoyens d'un champ,
Vivaient dans un état, ce semble, assez tranquille,
    Quand une Meute s'approchant
Oblige le premier à chercher un asile.                        10
Il s'enfuit dans son fort, met les chiens en défaut,
    Sans même en excepter Briffaut.
    Enfin il se trahit lui-même
Par les esprits sortants de son corps échauffé.
Miraut sur leur odeur ayant philosophé                       15
Conclut que c'est son Lièvre, et d'une ardeur extrême
Il le pousse, et Rustaut, qui n'a jamais menti,
    Dit que le Lièvre est reparti.
Le pauvre malheureux vient mourir à son gîte.
    La Perdrix le raille, et lui dit :                        20
    Tu te vantais d'être si vite :
Qu'as-tu fait de tes pieds ? Au moment qu'elle rit,
Son tour vient ; on la trouve. Elle croit que ses ailes
La sauront garantir à toute extrémité ;
    Mais la pauvrette avait compté                            25
    Sans l'Autour aux serres cruelles.

## FABLE XVIII

## L'AIGLE ET LE HIBOU

L'Aigle et le Chat-huant leurs querelles cessèrent,
    Et firent tant qu'ils s'embrassèrent.
L'un jura foi de Roi, l'autre foi de Hibou,
Qu'ils ne se goberaient leurs petits peu ni prou.
Connaissez-vous les miens ? dit l'Oiseau de Minerve.      5
— Non, dit l'Aigle. — Tant pis, reprit le triste Oiseau.
    Je crains en ce cas pour leur peau :
    C'est hasard si je les conserve.
Comme vous êtes Roi, vous ne considérez
Qui ni quoi : Rois et Dieux mettent, quoi qu'on leur die,  10
    Tout en même catégorie.
Adieu mes nourrissons si vous les rencontrez.
— Peignez-les-moi, dit l'Aigle, ou bien me les montrez.
    Je n'y toucherai de ma vie.
Le Hibou repartit : Mes petits sont mignons,              15
Beaux, bien faits, et jolis sur tous leurs compagnons.
Vous les reconnaîtrez sans peine à cette marque.
N'allez pas l'oublier ; retenez-la si bien
    Que chez moi la maudite Parque
    N'entre point par votre moyen.                        20
Il avint qu'au Hibou Dieu donna géniture,
De façon qu'un beau soir qu'il était en pâture,
    Notre Aigle aperçut d'aventure,
    Dans les coins d'une roche dure,
    Ou dans les trous d'une masure                       25
    (Je ne sais pas lequel des deux),
    De petits monstres fort hideux,
Rechignés, un air triste, une voix de Mégère.
Ces enfants ne sont pas, dit l'Aigle, à notre ami.
Croquons-les. Le galand n'en fit pas à demi.             30
Ses repas ne sont point repas à la légère.
Le Hibou, de retour, ne trouve que les pieds
De ses chers nourrissons, hélas ! pour toute chose.
Il se plaint, et les Dieux sont par lui suppliés
De punir le brigand qui de son deuil est cause.          35
Quelqu'un lui dit alors : N'en accuse que toi

Ou plutôt la commune loi
Qui veut qu'on trouve son semblable
Beau, bien fait, et sur tous aimable.
Tu fis de tes enfants à l'Aigle ce portrait;                    40
En avaient-ils le moindre trait ?

## FABLE XIX

## LE LION S'EN ALLANT EN GUERRE

Le Lion dans sa tête avait une entreprise.
Il tint conseil de guerre, envoya ses Prévots,
    Fit avertir les animaux :
Tous furent du dessein, chacun selon sa guise.
      L'Éléphant devait sur son dos                     5
    Porter l'attirail nécessaire
    Et combattre à son ordinaire,
    L'Ours s'apprêter pour les assauts;
Le Renard ménager de secrètes pratiques,
Et le Singe amuser l'ennemi par ses tours.                     10
Renvoyez, dit quelqu'un, les Anes qui sont lourds,
Et les Lièvres sujets à des terreurs paniques.
— Point du tout, dit le Roi, je les veux employer.
Notre troupe sans eux ne serait pas complète.
L'Ane effraiera les gens, nous servant de trompette,           15
Et le Lièvre pourra nous servir de courrier.
    Le monarque prudent et sage
De ses moindres sujets sait tirer quelque usage,
    Et connaît les divers talents :
Il n'est rien d'inutile aux personnes de sens.                 20

## FABLE XX

## L'OURS ET LES DEUX COMPAGNONS

Deux compagnons pressés d'argent
A leur voisin Fourreur vendirent
La peau d'un Ours encor vivant,
Mais qu'ils tueraient bientôt, du moins à ce qu'ils dirent.
C'était le Roi des Ours au compte de ces gens.                5
Le Marchand à sa peau devait faire fortune.
Elle garantirait des froids les plus cuisants,
On en pourrait fourrer plutôt deux robes qu'une.
Dindenaut prisait moins ses Moutons qu'eux leur Ours :
Leur, à leur compte, et non à celui de la Bête.            10
S'offrant de la livrer au plus tard dans deux jours,
Ils conviennent de prix, et se mettent en quête,
Trouvent l'Ours qui s'avance, et vient vers eux au trot.
Voilà mes gens frappés comme d'un coup de foudre.
Le marché ne tint pas; il fallut le résoudre :            15
D'intérêts contre l'Ours, on n'en dit pas un mot.
L'un des deux Compagnons grimpe au faîte d'un arbre ;
    L'autre, plus froid que n'est un marbre,
Se couche sur le nez, fait le mort, tient son vent,
    Ayant quelque part ouï dire                          20
    Que l'Ours s'acharne peu souvent
Sur un corps qui ne vit, ne meut, ni ne respire.
Seigneur Ours, comme un sot, donna dans ce panneau.
Il voit ce corps gisant, le croit privé de vie,
    Et de peur de supercherie                            25
Le tourne, le retourne, approche son museau,
    Flaire aux passages de l'haleine.
C'est, dit-il, un cadavre; Otons-nous, car il sent.
A ces mots, l'Ours s'en va dans la forêt prochaine.
L'un de nos deux Marchands de son arbre descend,         30
Court à son compagnon, lui dit que c'est merveille
Qu'il n'ait eu seulement que la peur pour tout mal.
Eh bien, ajouta-t-il, la peau de l'animal ?
    Mais que t'a-t-il dit à l'oreille ?
    Car il s'approchait de bien près,                    35
    Te retournant avec sa serre.

— Il m'a dit qu'il ne faut jamais
Vendre la peau de l'Ours qu'on ne l'ait mis par terre.


## FABLE XXI


## L'ANE VÊTU DE LA PEAU DU LION


De la peau du Lion l'Ane s'étant vêtu
    Était craint partout à la ronde,
    Et bien qu'animal sans vertu,
    Il faisait trembler tout le monde.
Un petit bout d'oreille échappé par malheur      5
    Découvrit la fourbe et l'erreur.
    Martin fit alors son office.
Ceux qui ne savaient pas la ruse et la malice
    S'étonnaient de voir que Martin
    Chassât les Lions au moulin.      10


    Force gens font du bruit en France,
Par qui cet Apologue est rendu familier.
    Un équipage cavalier
    Fait les trois quarts de leur vaillance.

# LIVRE SIXIÈME

## FABLE I

### LE PATRE ET LE LION

## II

### LE LION ET LE CHASSEUR

Les Fables ne sont pas ce qu'elles semblent être.
Le plus simple animal nous y tient lieu de Maître.
Une Morale nue apporte de l'ennui ;
Le conte fait passer le précepte avec lui.
En ces sortes de feinte il faut instruire et plaire,     5
Et conter pour conter me semble peu d'affaire.
C'est par cette raison qu'égayant leur esprit,
Nombre de gens fameux en ce genre ont écrit.
Tous ont fui l'ornement et le trop d'étendue.
On ne voit point chez eux de parole perdue.     10
Phèdre était si succinct qu'aucuns l'en ont blâmé.
Ésope en moins de mots s'est encore exprimé.
Mais sur tous certain Grec * renchérit et se pique
        D'une élégance Laconique.
Il renferme toujours son conte en quatre Vers ;     15
Bien ou mal, je le laisse à juger aux Experts.
Voyons-le avec Ésope en un sujet semblable.

* « Gabrias ». *(Note de La Fontaine.)*

L'un amène un Chasseur, l'autre un Pâtre, en sa Fable.
J'ai suivi leur projet quant à l'événement,
Y cousant en chemin quelque trait seulement.                    20
Voici comme à peu près Ésope le raconte.

Un Pâtre à ses brebis trouvant quelque méconte,
Voulut à toute force attraper le Larron.
Il s'en va près d'un antre, et tend à l'environ
Des lacs à prendre Loups, soupçonnant cette engeance.   25
    Avant que partir de ces lieux,
Si tu fais, disait-il, ô Monarque des Dieux,
Que le drôle à ces lacs se prenne en ma présence
    Et que je goûte ce plaisir,
    Parmi vingt Veaux je veux choisir                    30
    Le plus gras, et t'en faire offrande.
A ces mots sort de l'antre un Lion grand et fort.
Le Pâtre se tapit, et dit à demi mort :
Que l'homme ne sait guère, hélas ! ce qu'il demande !
Pour trouver le Larron qui détruit mon troupeau,      35
Et le voir en ces lacs pris avant que je parte,
O monarque des Dieux, je t'ai promis un veau :
Je te promets un bœuf si tu fais qu'il s'écarte.
C'est ainsi que l'a dit le principal Auteur :
    Passons à son imitateur.                              40


    Un Fanfaron amateur de la chasse,
Venant de perdre un Chien de bonne race,
Qu'il soupçonnait dans le corps d'un Lion,
Vit un berger. Enseigne-moi, de grâce,
De mon voleur, lui dit-il, la maison,                           45
Que de ce pas je me fasse raison.
Le Berger dit : C'est vers cette montagne.
En lui payant de tribut un Mouton
Par chaque mois, j'erre dans la campagne
Comme il me plaît, et je suis en repos.                        50
Dans le moment qu'ils tenaient ces propos,
Le Lion sort, et vient d'un pas agile.
Le Fanfaron aussitôt d'esquiver.
O Jupiter, montre-moi quelque asile,
S'écria-t-il, qui me puisse sauver.                             55

    La vraie épreuve de courage
N'est que dans le danger que l'on touche du doigt.
Tel le cherchait, dit-il, qui changeant de langage
    S'enfuit aussitôt qu'il le voit.

## FABLE III

### PHÉBUS ET BORÉE

Borée et le Soleil virent un Voyageur
    Qui s'était muni par bonheur
Contre le mauvais temps. (On entrait dans l'Automne,
Quand la précaution aux voyageurs est bonne)
Il pleut; le Soleil luit; et l'écharpe d'Iris         5
    Rend ceux qui sortent avertis
Qu'en ces mois le manteau leur est fort nécessaire;
Les Latins les nommaient douteux pour cette affaire.
Notre homme s'était donc à la pluie attendu :
Bon manteau bien doublé; bonne étoffe bien forte.    10
Celui-ci, dit le Vent, prétend avoir pourvu
A tous les accidents; mais il n'a pas prévu
    Que je saurai souffler de sorte
Qu'il n'est bouton qui tienne : il faudra, si je veux,
    Que le manteau s'en aille au Diable.    15
L'ébattement pourrait nous en être agréable :
Vous plaît-il de l'avoir ? — Eh bien, gageons nous deux,
    (Dit Phébus) sans tant de paroles,
A qui plus tôt aura dégarni les épaules
    Du Cavalier que nous voyons.    20
Commencez. Je vous laisse obscurcir mes rayons.
Il n'en fallut pas plus. Notre souffleur à gage
Se gorge de vapeurs, s'enfle comme un ballon,
    Fait un vacarme de démon,
Siffle, souffle, tempête, et brise en son passage    25
Maint toit qui n'en peut mais, fait périr maint bateau :
    Le tout au sujet d'un manteau.
Le Cavalier eut soin d'empêcher que l'orage
    Ne se pût engouffrer dedans.
Cela le préserva; le Vent perdit son temps :    30
Plus il se tourmentait, plus l'autre tenait ferme;
Il eut beau faire agir le collet et les plis.
    Sitôt qu'il fut au bout du terme
    Qu'à la gageure on avait mis,
    Le Soleil dissipe la nue,    35
Recrée, et puis pénètre enfin le Cavalier,

Sous son balandras fait qu'il sue,
Le contraint de s'en dépouiller.
Encore n'usa-t-il pas de toute sa puissance.
Plus fait douceur que violence.                              40


## FABLE IV

## JUPITER ET LE MÉTAYER

Jupiter eut jadis une ferme à donner,
Mercure en fit l'annonce ; et gens se présentèrent,
        Firent des offres, écoutèrent :
        Ce ne fut pas sans bien tourner.
        L'un alléguait que l'héritage                        5
Était frayant et rude, et l'autre un autre si.
        Pendant qu'ils marchandaient ainsi,
Un d'eux, le plus hardi, mais non pas le plus sage,
Promit d'en rendre tant, pourvu que Jupiter
        Le laissât disposer de l'air,                        10
        Lui donnât saison à sa guise,
Qu'il eût du chaud, du froid, du beau temps, de la bise,
        Enfin du sec et du mouillé,
        Aussitôt qu'il aurait bâillé.
Jupiter y consent. Contrat passé ; notre homme               15
Tranche du Roi des airs, pleut, vente et fait en somme
Un climat pour lui seul : ses plus proches voisins
Ne s'en sentaient non plus que les Américains.
Ce fut leur avantage ; ils eurent bonne année,
        Pleine moisson, pleine vinée.                        20
Monsieur le Receveur fut très mal partagé.
        L'an suivant voilà tout changé.
        Il ajuste d'une autre sorte
        La température des Cieux.
        Son champ ne s'en trouve pas mieux,                  25
Celui de ses voisins fructifie et rapporte.
Que fait-il ? Il recourt au Monarque des Dieux :
        Il confesse son imprudence.
Jupiter en usa comme un Maître fort doux.
        Concluons que la Providence                          30
        Sait ce qu'il nous faut, mieux que nous.

### FABLE V

## LE COCHET, LE CHAT, ET LE SOURICEAU

Un Souriceau tout jeune, et qui n'avait rien vu,
    Fut presque pris au dépourvu.
Voici comme il conta l'aventure à sa mère :
J'avais franchi les Monts qui bornent cet État,
    Et trottais comme un jeune Rat         5
    Qui cherche à se donner carrière,
Lorsque deux animaux m'ont arrêté les yeux :
    L'un doux, bénin et gracieux,
Et l'autre turbulent, et plein d'inquiétude.
    Il a la voix perçante et rude,         10
    Sur la tête un morceau de chair,
Une sorte de bras dont il s'élève en l'air
    Comme pour prendre sa volée,
    La queue en panache étalée.
Or c'était un Cochet dont notre Souriceau        15
Fit à sa mère le tableau,
Comme d'un animal venu de l'Amérique.
Il se battait, dit-il, les flancs avec ses bras,
    Faisant tel bruit et tel fracas,
Que moi, qui grâce aux Dieux, de courage me pique,        20
    En ai pris la fuite de peur,
    Le maudissant de très bon cœur.
    Sans lui j'aurais fait connaissance
Avec cet animal qui m'a semblé si doux.
    Il est velouté comme nous,        25
Marqueté, longue queue, une humble contenance;
Un modeste regard, et pourtant l'œil luisant :
    Je le crois fort sympathisant
Avec Messieurs les Rats; car il a des oreilles
    En figure aux nôtres pareilles.        30
Je l'allais aborder, quand d'un son plein d'éclat
    L'autre m'a fait prendre la fuite.
— Mon fils, dit la Souris, ce doucet est un Chat,
    Qui sous son minois hypocrite
    Contre toute ta parenté        35
    D'un malin vouloir est porté.

L'autre animal tout au contraire
Bien éloigné de nous mal faire,
Servira quelque jour peut-être à nos repas.
Quant au Chat, c'est sur nous qu'il fonde sa cuisine.          40
Garde-toi, tant que tu vivras,
De juger des gens sur la mine.


## FABLE VI


## LE RENARD, LE SINGE, ET LES ANIMAUX


Les Animaux, au décès d'un Lion,
En son vivant Prince de la contrée,
Pour faire un Roi s'assemblèrent, dit-on.
De son étui la couronne est tirée.
Dans une chartre un Dragon la gardait.                          5
Il se trouva que sur tous essayée
A pas un d'eux elle ne convenait.
Plusieurs avaient la tête trop menue,
Aucuns trop grosse, aucuns même cornue.
Le Singe aussi fit l'épreuve en riant,                         10
Et par plaisir la Tiare essayant,
Il fit autour force grimaceries,
Tours de souplesse, et mille singeries,
Passa dedans ainsi qu'en un cerceau.
Aux Animaux cela sembla si beau                                15
Qu'il fut élu : chacun lui fit hommage.
Le Renard seul regretta son suffrage,
Sans toutefois montrer son sentiment.
Quand il eut fait son petit compliment,
Il dit au Roi : Je sais, Sire, une cache,                      20
Et ne crois pas qu'autre que moi la sache.
Or tout trésor, par droit de Royauté,
Appartient, Sire, à votre Majesté.
Le nouveau Roi bâille après la finance,
Lui-même y court pour n'être pas trompé.                       25
C'était un piège : il y fut attrapé.
Le Renard dit, au nom de l'assistance :
Prétendrais-tu nous gouverner encor,
Ne sachant pas te conduire toi-même ?

Il fut démis ; et l'on tomba d'accord          30
    Qu'à peu de gens convient le Diadème.


## FABLE VII

### LE MULET
### SE VANTANT DE SA GÉNÉALOGIE


Le Mulet d'un prélat se piquait de noblesse,
    Et ne parlait incessamment
    Que de sa mère la Jument,
    Dont il contait mainte prouesse :
Elle avait fait ceci, puis avait été là.          5
    Son fils prétendait pour cela
    Qu'on le dût mettre dans l'Histoire.
Il eût cru s'abaisser servant un Médecin.
Étant devenu vieux, on le mit au moulin.
Son père l'Ane alors lui revint en mémoire.          10

    Quand le malheur ne serait bon
    Qu'à mettre un sot à la raison,
    Toujours serait-ce à juste cause
    Qu'on le dit bon à quelque chose.


## FABLE VIII

### LE VIEILLARD ET L'ANE


Un Vieillard sur son Ane aperçut en passant
    Un Pré plein d'herbe et fleurissant.
Il y lâche sa bête, et le Grison se rue
    Au travers de l'herbe menue,
    Se vautrant, grattant, et frottant,          5
    Gambadant, chantant et broutant,
    Et faisant mainte place nette.

L'ennemi vient sur l'entrefaite :
Fuyons, dit alors le Vieillard.
— Pourquoi ? répondit le paillard.                                    10
Me fera-t-on porter double bât, double charge ?
— Non pas, dit le Vieillard, qui prit d'abord le large.
— Et que m'importe donc, dit l'Ane, à qui je sois ?
Sauvez-vous, et me laissez paître :
Notre ennemi, c'est notre Maître :                                    15
Je vous le dis en bon François.


## FABLE IX

## LE CERF SE VOYANT DANS L'EAU


Dans le cristal d'une fontaine
Un Cerf se mirant autrefois
Louait la beauté de son bois,
Et ne pouvait qu'avecque peine
Souffrir ses jambes de fuseaux,                                        5
Dont il voyait l'objet se perdre dans les eaux.
Quelle proportion de mes pieds à ma tête!
Disait-il en voyant leur ombre avec douleur :
Des taillis les plus hauts mon front atteint le faîte ;
Mes pieds ne me font point d'honneur.                                 10
Tout en parlant de la sorte,
Un Limier le fait partir ;
Il tâche à se garantir ;
Dans les forêts il s'emporte.
Son bois, dommageable ornement,                                        15
L'arrêtant à chaque moment,
Nuit à l'office que lui rendent
Ses pieds, de qui ses jours dépendent.
Il se dédit alors, et maudit les présents
Que le Ciel lui fait tous les ans.                                    20


Nous faisons cas du beau, nous méprisons l'utile ;
Et le beau souvent nous détruit.
Ce Cerf blâme ses pieds qui le rendent agile ;
Il estime un bois qui lui nuit.

*FABLE X*

## LE LIÈVRE ET LA TORTUE

Rien ne sert de courir; il faut partir à point.
Le Lièvre et la Tortue en sont un témoignage.
Gageons, dit celle-ci, que vous n'atteindrez point
Sitôt que moi ce but. — Sitôt ? Êtes-vous sage ?
    Repartit l'animal léger.                                    5
Ma commère, il vous faut purger
Avec quatre grains d'ellébore.
— Sage ou non, je parie encore.
Ainsi fut fait : et de tous deux
On mit près du but les enjeux :                                   10
Savoir quoi, ce n'est pas l'affaire,
Ni de quel juge l'on convint.
Notre Lièvre n'avait que quatre pas à faire;
J'entends de ceux qu'il fait lorsque prêt d'être atteint
Il s'éloigne des chiens, les renvoie aux Calendes,              15
    Et leur fait arpenter les landes.
Ayant, dis-je, du temps de reste pour brouter,
    Pour dormir, et pour écouter
D'où vient le vent, il laisse la Tortue
    Aller son train de Sénateur.                               20
    Elle part, elle s'évertue;
    Elle se hâte avec lenteur.
Lui cependant méprise une telle victoire,
    Tient la gageure à peu de gloire,
    Croit qu'il y va de son honneur                            25
De partir tard. Il broute, il se repose,
Il s'amuse à toute autre chose
Qu'à la gageure. A la fin quand il vit
Que l'autre touchait presque au bout de la carrière,
Il partit comme un trait; mais les élans qu'il fit               30
Furent vains : la Tortue arriva la première.
Eh bien! lui cria-t-elle, avais-je pas raison ?
    De quoi vous sert votre vitesse ?
    Moi, l'emporter! et que serait-ce
    Si vous portiez une maison ?                               35

## FABLE XI

## L'ANE ET SES MAITRES

L'Ane d'un Jardinier se plaignait au destin
De ce qu'on le faisait lever devant l'Aurore.
Les Coqs, lui disait-il, ont beau chanter matin;
    Je suis plus matineux encore.
Et pourquoi ? pour porter des herbes au marché.    5
Belle nécessité d'interrompre mon somme!
    Le sort de sa plainte touché
Lui donne un autre Maître; et l'Animal de somme
Passe du Jardinier aux mains d'un Corroyeur.
La pesanteur des peaux, et leur mauvaise odeur    10
Eurent bientôt choqué l'impertinente Bête.
J'ai regret, disait-il, à mon premier Seigneur.
    Encor quand il tournait la tête,
    J'attrapais, s'il m'en souvient bien,
Quelque morceau de chou qui ne me coûtait rien.    15
Mais ici point d'aubaine; ou, si j'en ai quelqu'une,
C'est de coups. Il obtint changement de fortune,
    Et sur l'état d'un Charbonnier
    Il fut couché tout le dernier.
Autre plainte. Quoi donc! dit le Sort en colère,    20
    Ce Baudet-ci m'occupe autant
    Que cent Monarques pourraient faire.
Croit-il être le seul qui ne soit pas content ?
    N'ai-je en l'esprit que son affaire ?

Le Sort avait raison; tous gens sont ainsi faits :    25
Notre condition jamais ne nous contente :
    La pire est toujours la présente.
Nous fatiguons le Ciel à force de placets.
Qu'à chacun Jupiter accorde sa requête,
    Nous lui romprons encor la tête.    30

## FABLE XII

## LE SOLEIL ET LES GRENOUILLES

Aux noces d'un Tyran tout le Peuple en liesse
    Noyait son souci dans les pots.
Ésope seul trouvait que les gens étaient sots
    De témoigner tant d'allégresse.
Le Soleil, disait-il, eut dessein autrefois      5
    De songer à l'Hyménée.
Aussitôt on ouït d'une commune voix
    Se plaindre de leur destinée
    Les Citoyennes des Étangs.
    Que ferons-nous, s'il lui vient des enfants ?    10
Dirent-elles au Sort, un seul Soleil à peine
    Se peut souffrir. Une demi-douzaine
Mettra la Mer à sec et tous ses habitants.
Adieu joncs et marais : notre race est détruite.
    Bientôt on la verra réduite    15
A l'eau du Styx. Pour un pauvre Animal,
Grenouilles, à mon sens, ne raisonnaient pas mal.

## FABLE XIII

## LE VILLAGEOIS ET LE SERPENT

Ésope conte qu'un Manant,
Charitable autant que peu sage,
Un jour d'Hiver se promenant
A l'entour de son héritage,
Aperçut un Serpent sur la neige étendu,    5
Transi, gelé, perclus, immobile rendu,
    N'ayant pas à vivre un quart d'heure.
Le Villageois le prend, l'emporte en sa demeure,
Et sans considérer quel sera le loyer

D'une action de ce mérite,                                    10
  Il l'étend le long du foyer,
  Le réchauffe, le ressuscite.
L'Animal engourdi sent à peine le chaud,
Que l'âme lui revient avecque la colère.
Il lève un peu la tête, et puis siffle aussitôt,              15
Puis fait un long repli, puis tâche à faire un saut
Contre son bienfaiteur, son sauveur et son père.
Ingrat, dit le Manant, voilà donc mon salaire ?
Tu mourras. A' ces mots, plein d'un juste courroux,
Il vous prend sa cognée, il vous tranche la Bête,            20
  Il fait trois Serpents de deux coups,
  Un tronçon, la queue, et la tête.
L'insecte sautillant cherche à se réunir,
  Mais il ne put y parvenir.

  Il est bon d'être charitable ;                             25
  Mais envers qui ? c'est là le point.
  Quant aux ingrats, il n'en est point
  Qui ne meure enfin misérable.


## FABLE XIV

### LE LION MALADE ET LE RENARD


De par le Roi des Animaux,
Qui dans son antre était malade,
Fut fait savoir à ses vassaux
Que chaque espèce en ambassade
Envoyât gens le visiter,                                      5
Sous promesse de bien traiter
Les Députés, eux et leur suite,
Foi de Lion très bien écrite.
Bon passe-port contre la dent ;
Contre la griffe tout autant.                                10
L'Édit du Prince s'exécute.
De chaque espèce on lui député.
Les Renards gardant la maison,
Un d'eux en dit cette raison :
Les pas empreints sur la poussière                          15

Par ceux qui s'en vont faire au malade leur cour,
Tous, sans exception, regardent sa tanière;
    Pas un ne marque de retour.
Cela nous met en méfiance.
Que Sa Majesté nous dispense.                                    20
Grand merci de son passe-port.
Je le crois bon; mais dans cet antre
Je vois fort bien comme l'on entre,
Et ne vois pas comme on en sort.


## FABLE XV


## L'OISELEUR,
## L'AUTOUR, ET L'ALOUETTE


    Les injustices des pervers
    Servent souvent d'excuse aux nôtres.
    Telle est la loi de l'Univers :
*Si tu veux qu'on t'épargne, épargne aussi les autres.*

Un Manant au miroir prenait des Oisillons.                        5
Le fantôme brillant attire une Alouette.
Aussitôt un Autour planant sur les sillons
    Descend des airs, fond, et se jette
Sur celle qui chantait, quoique près du tombeau.
Elle avait évité la perfide machine,                             10
Lorsque, se rencontrant sous la main de l'oiseau,
    Elle sent son ongle maline.
Pendant qu'à la plumer l'Autour est occupé,
Lui-même sous les rets demeure enveloppé.
Oiseleur, laisse-moi, dit-il en son langage;                     15
    Je ne t'ai jamais fait de mal.
L'oiseleur repartit : Ce petit animal
    T'en avait-il fait davantage ?

## FABLE XVI

### LE CHEVAL ET L'ANE

En ce monde il se faut l'un l'autre secourir.
        Si ton voisin vient à mourir,
        C'est sur toi que le fardeau tombe.

Un Ane accompagnait un Cheval peu courtois,
Celui-ci ne portant que son simple harnois,                              5
Et le pauvre Baudet si chargé qu'il succombe.
Il pria le Cheval de l'aider quelque peu :
Autrement il mourrait devant qu'être à la ville.
La prière, dit-il, n'en est pas incivile :
Moitié de ce fardeau ne vous sera que jeu.                              10
Le Cheval refusa, fit une pétarade :
Tant qu'il vit sous le faix mourir son camarade,
        Et reconnut qu'il avait tort.
        Du Baudet, en cette aventure,
        On lui fit porter la voiture,                                   15
        Et la peau par-dessus encor.

## FABLE XVII

### LE CHIEN QUI LACHE SA PROIE
### POUR L'OMBRE

        Chacun se trompe ici-bas.
        On voit courir après l'ombre
        Tant de fous, qu'on n'en sait pas
        La plupart du temps le nombre.
Au Chien dont parle Ésope il faut les renvoyer.                         5
Ce Chien, voyant sa proie en l'eau représentée,
La quitta pour l'image, et pensa se noyer;
La rivière devint tout d'un coup agitée.
        A toute peine il regagna les bords,
        Et n'eut ni l'ombre ni le corps.                               10

## FABLE XVIII

## LE CHARTIER EMBOURBÉ

Le Phaéton d'une voiture à foin
Vit son char embourbé. Le pauvre homme était loin
De tout humain secours. C'était à la campagne
Près d'un certain canton de la basse Bretagne
    Appelé Quimpercorentin.                                        5
    On sait assez que le destin
Adresse là les gens quand il veut qu'on enrage.
    Dieu nous préserve du voyage !
Pour venir au Chartier embourbé dans ces lieux,
Le voilà qui déteste et jure de son mieux,                             10
    Pestant en sa fureur extrême
Tantôt contre les trous, puis contre ses chevaux,
    Contre son char, contre lui-même.
Il invoque à la fin le Dieu dont les travaux
    Sont si célèbres dans le monde :                                 15
    Hercule, lui dit-il, aide-moi ; si ton dos
      A porté la machine ronde,
      Ton bras peut me tirer d'ici.
Sa prière étant faite, il entend dans la nue
    Une voix qui lui parle ainsi :                                  20
    Hercule veut qu'on se remue,
Puis il aide les gens. Regarde d'où provient
    L'achoppement qui te retient.
    Ote d'autour de chaque roue
Ce malheureux mortier, cette maudite boue                             25
    Qui jusqu'à l'essieu les enduit.
Prends ton pic et me romps ce caillou qui te nuit.
Comble-moi cette ornière. As-tu fait ? — Oui, dit l'homme.
— Or bien je vas t'aider, dit la voix : prends ton fouet.
— Je l'ai pris. Qu'est ceci ? mon char marche à souhait.[30]
Hercule en soit loué. Lors la voix : Tu vois comme
Tes chevaux aisément se sont tirés de là.
    Aide-toi, le Ciel t'aidera.

## FABLE XIX

## LE CHARLATAN

Le monde n'a jamais manqué de Charlatans.
  Cette science de tout temps
  Fut en Professeurs très fertile.
Tantôt l'un en Théâtre affronte l'Achéron,
  Et l'autre affiche par la Ville     5
  Qu'il est un Passe-Cicéron.
  Un des derniers se vantait d'être
  En Éloquence si grand Maître,
  Qu'il rendrait disert un badaud,
  Un manant, un rustre, un lourdaud;  10
Oui, Messieurs, un lourdaud; un Animal, un Ane :
Que l'on amène un Ane, un Ane renforcé,
  Je le rendrai Maître passé;
  Et veux qu'il porte la soutane.
Le Prince sut la chose; il manda le Rhéteur.  15
  J'ai, dit-il, dans mon écurie
  Un fort beau Roussin d'Arcadie;
  J'en voudrais faire un Orateur.
— Sire, vous pouvez tout, reprit d'abord notre homme.
  On lui donna certaine somme.  20
  Il devait au bout de dix ans
  Mettre son Ane sur les bancs;
Sinon, il consentait d'être en place publique
Guindé la hart au col, étranglé court et net,
  Ayant au dos sa Rhétorique,  25
  Et les oreilles d'un Baudet.
Quelqu'un des Courtisans lui dit qu'à la potence
Il voulait l'aller voir, et que, pour un pendu,
Il aurait bonne grâce et beaucoup de prestance;
Surtout qu'il se souvînt de faire à l'assistance  30
Un discours où son art fût au long étendu,
Un discours pathétique, et dont le formulaire
  Servît à certains Cicérons
  Vulgairement nommés larrons.

L'autre reprit : Avant l'affaire,                    35
Le Roi, l'Ane, ou moi, nous mourrons.

Il avait raison. C'est folie
De compter sur dix ans de vie.
Soyons bien buvants, bien mangeants,
Nous devons à la mort de trois l'un en dix ans.        40


## FABLE XX

## LA DISCORDE

La Déesse Discorde ayant brouillé les Dieux,
Et fait un grand procès là-haut pour une pomme,
   On la fit déloger des Cieux.
Chez l'Animal qu'on appelle Homme
   On la reçut à bras ouverts,                    5
   Elle et Que-si-que-non, son frère,
   Avecque Tien-et-mien son père.
Elle nous fit l'honneur en ce bas Univers
   De préférer notre Hémisphère
A celui des mortels qui nous sont opposés;             10
   Gens grossiers, peu civilisés,
Et qui, se mariant sans Prêtre et sans Notaire,
   De la Discorde n'ont que faire.
Pour la faire trouver aux lieux où le besoin
   Demandait qu'elle fût présente,                 15
   La Renommée avait le soin
  De l'avertir; et l'autre diligente
Courait vite aux débats et prévenait la Paix,
Faisait d'une étincelle un feu long à s'éteindre.
La Renommée enfin commença de se plaindre              20
   Que l'on ne lui trouvait jamais
   De demeure fixe et certaine.
Bien souvent l'on perdait à la chercher sa peine.
Il fallait donc qu'elle eût un séjour affecté,
Un séjour d'où l'on pût en toutes les familles         25
   L'envoyer à jour arrêté.
Comme il n'était alors aucun Convent de Filles,
   On y trouva difficulté.
   L'Auberge enfin de l'Hyménée
   Lui fut pour maison assignée.                    30

## FABLE XXI

## LA JEUNE VEUVE

La perte d'un époux ne va point sans soupirs.
On fait beaucoup de bruit, et puis on se console.
Sur les ailes du Temps la tristesse s'envole ;
  Le Temps ramène les plaisirs.
  Entre la Veuve d'une année      5
  Et la Veuve d'une journée
La différence est grande : on ne croirait jamais
  Que ce fût la même personne.
L'une fait fuir les gens, et l'autre a mille attraits.
Aux soupirs vrais ou faux celle-là s'abandonne ;   10
C'est toujours même note et pareil entretien :
  On dit qu'on est inconsolable ;
  On le dit, mais il n'en est rien,
  Comme on verra par cette Fable,
  Ou plutôt par la vérité.        15
  L'Époux d'une jeune beauté
Partait pour l'autre monde. A ses côtés sa femme
Lui criait : Attends-moi, je te suis ; et mon âme,
Aussi bien que la tienne, est prête à s'envoler.
  Le Mari fait seul le voyage.     20
La Belle avait un père, homme prudent et sage :
  Il laissa le torrent couler.
  A la fin, pour la consoler,
Ma fille, lui dit-il, c'est trop verser de larmes :
Qu'a besoin le défunt que vous noyiez vos charmes ?  25
Puisqu'il est des vivants, ne songez plus aux morts.
  Je ne dis pas que tout à l'heure
  Une condition meilleure
  Change en des noces ces transports ;
Mais, après certain temps, souffrez qu'on vous propose  30
Un époux beau, bien fait, jeune, et tout autre chose
  Que le défunt. — Ah ! dit-elle aussitôt,
  Un Cloître est l'époux qu'il me faut.
Le père lui laissa digérer sa disgrâce.
  Un mois de la sorte se passe.     35
L'autre mois on l'emploie à changer tous les jours
Quelque chose à l'habit, au linge, à la coiffure.

Le deuil enfin sert de parure,
En attendant d'autres atours.
Toute la bande des Amours                                    40
Revient au colombier : les jeux, les ris, la danse,
Ont aussi leur tour à la fin.
On se plonge soir et matin
Dans la fontaine de Jouvence.
Le Père ne craint plus ce défunt tant chéri;                45
Mais comme il ne parlait de rien à notre Belle :
Où donc est le jeune mari
Que vous m'avez promis ? dit-elle.


## ÉPILOGUE


Bornons ici cette carrière.
Les longs Ouvrages me font peur.
Loin d'épuiser une matière,
On n'en doit prendre que la fleur.
Il s'en va temps que je reprenne                             5
Un peu de forces et d'haleine
Pour fournir à d'autres projets.
Amour, ce tyran de ma vie,
Veut que je change de sujets :
Il faut contenter son envie.                                 10
Retournons à Psyché : Damon, vous m'exhortez
A peindre ses malheurs et ses félicités :
J'y consens : peut-être ma veine
En sa faveur s'échauffera.
Heureux si ce travail est la dernière peine                 15
Que son époux me causera!

# LIVRE SEPTIÈME

## AVERTISSEMENT

Voici un second recueil de Fables que je présente au public; j'ai jugé à propos de donner à la plupart de celles-ci un air et un tour un peu différent de celui que j'ai donné aux premières, tant à cause de la différence des sujets, que pour remplir de plus de variété mon Ouvrage. Les traits familiers que j'ai semés avec assez d'abondance dans les deux autres Parties convenaient bien mieux aux inventions d'Ésope qu'à ces dernières, où j'en use plus sobrement pour ne pas tomber en des répétitions : car le nombre de ces traits n'est pas infini. Il a donc fallu que j'aie cherché d'autres enrichissements, et étendu davantage les circonstances de ces récits, qui d'ailleurs me semblaient le demander de la sorte. Pour peu que le lecteur y prenne garde, il le reconnaîtra lui-même; ainsi je ne tiens pas qu'il soit nécessaire d'en étaler ici les raisons : non plus que de dire où j'ai puisé ces derniers sujets. Seulement je dirai par reconnaissance que j'en dois la plus grande partie à Pilpay sage Indien. Son livre a été traduit en toutes les Langues. Les gens du pays le croient fort ancien, et original à l'égard d'Ésope, si ce n'est Ésope lui-même sous le nom du sage Locman. Quelques autres m'ont fourni des sujets assez heureux. Enfin j'ai tâché de mettre en ces deux dernières Parties toute la diversité dont j'étais capable. Il s'est glissé quelques fautes dans l'impression; j'en ai fait faire un *Errata*; mais ce sont de légers remèdes pour un défaut considérable. Si on veut avoir quelque plaisir de la lecture de cet Ouvrage, il faut que chacun fasse corriger ces fautes à la main dans son Exemplaire, ainsi qu'elles sont marquées par chaque *Errata*, aussi bien pour les deux premières Parties, que pour les dernières.

## A MADAME DE MONTESPAN

L'apologue est un don qui vient des immortels ;
    Ou si c'est un présent des hommes,
Quiconque nous l'a fait mérite des Autels.
    Nous devons, tous tant que nous sommes,
    Ériger en divinité                                         5
Le Sage par qui fut ce bel art inventé.
C'est proprement un charme : il rend l'âme attentive,
    Ou plutôt il la tient captive,
    Nous attachant à des récits
Qui mènent à son gré les cœurs et les esprits.         10
O vous qui l'imitez, Olympe, si ma Muse
A quelquefois pris place à la table des Dieux,
Sur ses dons aujourd'hui daignez porter les yeux,
Favorisez les jeux où mon esprit s'amuse.
Le temps qui détruit tout, respectant votre appui      15
Me laissera franchir les ans dans cet ouvrage :
Tout Auteur qui voudra vivre encore après lui
    Doit s'acquérir votre suffrage.
C'est de vous que mes vers attendent tout leur prix :
    Il n'est beauté dans nos écrits                    20
Dont vous ne connaissiez jusques aux moindres traces ;
Eh qui connaît que vous les beautés et les grâces ?
Paroles et regards, tout est charme dans vous.
    Ma Muse en un sujet si doux
    Voudrait s'étendre davantage ;                     25
Mais il faut réserver à d'autres cet emploi,
    Et d'un plus grand maître que moi
    Votre louange est le partage.
Olympe, c'est assez qu'à mon dernier ouvrage
Votre nom serve un jour de rempart et d'abri :         30
Protégez désormais le livre favori
Par qui j'ose espérer une seconde vie.

Sous vos seuls auspices ces vers
Seront jugés malgré l'envie,
Dignes des yeux de l'Univers.                                35
Je ne mérite pas une faveur si grande ;
La Fable en son nom la demande :
Vous savez quel crédit ce mensonge a sur nous ;
S'il procure à mes vers le bonheur de vous plaire,
Je croirai lui devoir un temple pour salaire ;            40
Mais je ne veux bâtir des temples que pour vous.

## FABLE I

## LES ANIMAUX MALADES DE LA PESTE

Un mal qui répand la terreur,
    Mal que le Ciel en sa fureur
Inventa pour punir les crimes de la terre,
La Peste (puisqu'il faut l'appeler par son nom)
Capable d'enrichir en un jour l'Achéron,          5
    Faisait aux animaux la guerre.
Ils ne mouraient pas tous, mais tous étaient frappés :
    On n'en voyait point d'occupés
A chercher le soutien d'une mourante vie;
    Nul mets n'excitait leur envie;        10
    Ni Loups ni Renards n'épiaient
    La douce et l'innocente proie.
    Les Tourterelles se fuyaient :
    Plus d'amour, partant plus de joie.
Le Lion tint conseil, et dit : Mes chers amis,    15
    Je crois que le Ciel a permis
    Pour nos péchés cette infortune;
    Que le plus coupable de nous
    Se sacrifie aux traits du céleste courroux,
Peut-être il obtiendra la guérison commune.    20
L'histoire nous apprend qu'en de tels accidents
    On fait de pareils dévouements :
Ne nous flattons donc point; voyons sans indulgence
    L'état de notre conscience.
Pour moi, satisfaisant mes appétits gloutons    25
    J'ai dévoré force moutons.
    Que m'avaient-ils fait ? Nulle offense :
Même il m'est arrivé quelquefois de manger
    Le Berger.
Je me dévouerai donc, s'il le faut; mais je pense    30
Qu'il est bon que chacun s'accuse ainsi que moi :
Car on doit souhaiter selon toute justice
    Que le plus coupable périsse.
— Sire, dit le Renard, vous êtes trop bon Roi;
Vos scrupules font voir trop de délicatesse;    35
Et bien, manger moutons, canaille, sotte espèce,

Est-ce un péché ? Non, non. Vous leur fîtes Seigneur
    En les croquant beaucoup d'honneur.
    Et quant au Berger l'on peut dire
    Qu'il était digne de tous maux,                    40
Étant de ces gens-là qui sur les animaux
    Se font un chimérique empire.
Ainsi dit le Renard, et flatteurs d'applaudir.
    On n'osa trop approfondir
Du Tigre, ni de l'Ours, ni des autres puissances,          45
    Les moins pardonnables offenses.
Tous les gens querelleurs, jusqu'aux simples mâtins,
Au dire de chacun, étaient de petits saints.
L'Ane vint à son tour et dit : J'ai souvenance
    Qu'en un pré de Moines passant,                    50
La faim, l'occasion, l'herbe tendre, et je pense
    Quelque diable aussi me poussant,
Je tondis de ce pré la largeur de ma langue.
Je n'en avais nul droit, puisqu'il faut parler net.
A ces mots on cria haro sur le baudet.                     55
Un Loup quelque peu clerc prouva par sa harangue
Qu'il fallait dévouer ce maudit animal,
Ce pelé, ce galeux, d'où venait tout leur mal.
Sa peccadille fut jugée un cas pendable.
Manger l'herbe d'autrui ! quel crime abominable !          60
    Rien que la mort n'était capable
D'expier son forfait : on le lui fit bien voir.
Selon que vous serez puissant ou misérable,
Les jugements de cour vous rendront blanc ou noir.


## FABLE II

## LE MAL MARIÉ

Que le bon soit toujours camarade du beau,
    Dès demain je chercherai femme;
Mais comme le divorce entre eux n'est pas nouveau,
Et que peu de beaux corps, hôtes d'une belle âme,
    Assemblent l'un et l'autre point,                  5
Ne trouvez pas mauvais que je ne cherche point.
J'ai vu beaucoup d'Hymens, aucuns d'eux ne me tentent :

Cependant des humains presque les quatre parts
S'exposent hardiment au plus grand des hasards;
Les quatre parts aussi des humains se repentent.                    10
J'en vais alléguer un qui, s'étant repenti,
    Ne put trouver d'autre parti,
    Que de renvoyer son épouse,
    Querelleuse, avare, et jalouse.
Rien ne la contentait, rien n'était comme il faut,             15
On se levait trop tard, on se couchait trop tôt,
Puis du blanc, puis du noir, puis encore autre chose;
Les valets enrageaient, l'époux était à bout :
Monsieur ne songe à rien, Monsieur dépense tout,
    Monsieur court, Monsieur se repose.                20
    Elle en dit tant, que Monsieur à la fin
      Lassé d'entendre un tel lutin,
      Vous la renvoie à la campagne
    Chez ses parents. La voilà donc compagne
De certaines Philis qui gardent les dindons               25
      Avec les gardeurs de cochons.
Au bout de quelque temps, qu'on la crut adoucie,
Le mari la reprend. Eh bien! qu'avez-vous fait ?
      Comment passiez-vous votre vie ?
L'innocence des champs est-elle votre fait ?               30
    — Assez, dit-elle; mais ma peine
Était de voir chez vous les gens plus paresseux qu'ici;
      Ils n'ont des troupeaux nul souci.
Je leur savais bien dire, et m'attirais la haine
      De tous ces gens si peu soigneux.                35
— Eh, Madame, reprit son époux tout à l'heure,
      Si votre esprit est si hargneux
      Que le monde qui ne demeure
Qu'un moment avec vous, et ne revient qu'au soir,
      Est déjà lassé de vous voir,                 40
Que feront des valets qui toute la journée
      Vous verront contre eux déchaînée ?
      Et que pourra faire un époux
Que vous voulez qui soit jour et nuit avec vous ?
Retournez au village : adieu. Si de ma vie                  45
  Je vous rappelle et qu'il m'en prenne envie,
Puissé-je chez les morts avoir pour mes péchés
Deux femmes comme vous sans cesse à mes côtés.

## FABLE III

## LE RAT QUI S'EST RETIRÉ DU MONDE

Les Levantins en leur légende
Disent qu'un certain Rat las des soins d'ici-bas,
Dans un fromage de Hollande
Se retira loin du tracas.
La solitude était profonde,                               5
S'étendant partout à la ronde.
Notre ermite nouveau subsistait là-dedans.
Il fit tant de pieds et de dents
Qu'en peu de jours il eut au fond de l'ermitage
Le vivre et le couvert : que faut-il davantage ?          10
Il devint gros et gras; Dieu prodigue ses biens
A ceux qui font vœu d'être siens.
Un jour, au dévot personnage
Des députés du peuple Rat
S'en vinrent demander quelque aumône légère :             15
Ils allaient en terre étrangère
Chercher quelque secours contre le peuple chat;
Ratopolis était bloquée :
On les avait contraints de partir sans argent,
Attendu l'état indigent                                   20
De la République attaquée.
Ils demandaient fort peu, certains que le secours
Serait prêt dans quatre ou cinq jours.
Mes amis, dit le Solitaire,
Les choses d'ici-bas ne me regardent plus :              25
En quoi peut un pauvre Reclus
Vous assister ? que peut-il faire,
Que de prier le Ciel qu'il vous aide en ceci ?
J'espère qu'il aura de vous quelque souci.
Ayant parlé de cette sorte,                               30
Le nouveau Saint ferma sa porte.
Qui désignai-je, à votre avis,
Par ce Rat si peu secourable ?
Un Moine ? Non, mais un Dervis :
Je suppose qu'un Moine est toujours charitable.          35

## FABLE IV

## LE HÉRON
## LA FILLE

Un jour, sur ses longs pieds, allait je ne sais où,
Le Héron au long bec emmanché d'un long cou.
  Il côtoyait une rivière.
L'onde était transparente ainsi qu'aux plus beaux jours;
Ma commère la carpe y faisait mille tours     5
  Avec le brochet son compère.
Le Héron en eût fait aisément son profit :
Tous approchaient du bord, l'oiseau n'avait qu'à prendre;
  Mais il crut mieux faire d'attendre
  Qu'il eût un peu plus d'appétit.     10
Il vivait de régime, et mangeait à ses heures.
Après quelques moments l'appétit vint : l'oiseau
  S'approchant du bord vit sur l'eau
Des Tanches qui sortaient du fond de ces demeures.
Le mets ne lui plut pas; il s'attendait à mieux   15
  Et montrait un goût dédaigneux
  Comme le rat du bon Horace.
Moi des Tanches ? dit-il, moi Héron que je fasse
Une si pauvre chère ? Et pour qui me prend-on ?
La Tanche rebutée il trouva du goujon.    20
Du goujon! c'est bien là le dîner d'un Héron!
J'ouvrirais pour si peu le bec! aux Dieux ne plaise!
Il l'ouvrit pour bien moins : tout alla de façon
  Qu'il ne vit plus aucun poisson.
La faim le prit, il fut tout heureux et tout aise   25
  De rencontrer un limaçon.
  Ne soyons pas si difficiles :
Les plus  accommodants ce sont les plus habiles :
On hasarde de perdre en voulant trop gagner.
  Gardez-vous de rien dédaigner;    30
Surtout quand vous avez à peu près votre compte.
Bien des gens y sont pris; ce n'est pas aux Hérons
Que je parle; écoutez, humains, un autre conte;
Vous verrez que chez vous j'ai puisé ces leçons.
  Certaine fille un peu trop fière    35

      Prétendait trouver un mari
Jeune, bien fait et beau, d'agréable manière,
Point froid et point jaloux; notez ces deux points-ci.
      Cette fille voulait aussi
      Qu'il eût du bien, de la naissance,      40
De l'esprit, enfin tout. Mais qui peut tout avoir ?
Le destin se montra soigneux de la pourvoir :
      Il vint des partis d'importance.
La belle les trouva trop chétifs de moitié.
Quoi moi ? quoi ces gens-là ? l'on radote, je pense.      45
A moi les proposer! hélas ils font pitié.
      Voyez un peu la belle espèce!
L'un n'avait en l'esprit nulle délicatesse;
L'autre avait le nez fait de cette façon-là;
      C'était ceci, c'était cela,      50
      C'était tout; car les précieuses
      Font dessus tous les dédaigneuses.
Après les bons partis, les médiocres gens
      Vinrent se mettre sur les rangs.
Elle de se moquer. Ah vraiment je suis bonne      55
De leur ouvrir la porte : Ils pensent que je suis
      Fort en peine de ma personne.
      Grâce à Dieu, je passe les nuits
      Sans chagrin, quoique en solitude.
La belle se sut gré de tous ces sentiments.      60
L'âge la fit déchoir : adieu tous les amants.
Un an se passe et deux avec inquiétude.
Le chagrin vient ensuite : elle sent chaque jour
Déloger quelques Ris, quelques jeux, puis l'amour;
      Puis ses traits choquer et déplaire;      65
Puis cent sortes de fards. Ses soins ne purent faire
Qu'elle échappât au temps cet insigne larron :
      Les ruines d'une maison
Se peuvent réparer; que n'est cet avantage
      Pour les ruines du visage!      70
Sa préciosité changea lors de langage.
Son miroir lui disait : Prenez vite un mari.
Je ne sais quel désir le lui disait aussi;
Le désir peut loger chez une précieuse.
Celle-ci fit un choix qu'on n'aurait jamais cru,      75
Se trouvant à la fin tout aise et tout heureuse
      De rencontrer un malotru.

## FABLE V

## LES SOUHAITS

Il est au Mogol des follets
Qui font office de valets,
Tiennent la maison propre, ont soin de l'équipage,
    Et quelquefois du jardinage.
    Si vous touchez à leur ouvrage,                           5
Vous gâtez tout. Un d'eux près du Gange autrefois
Cultivait le jardin d'un assez bon Bourgeois.
Il travaillait sans bruit, avait beaucoup d'adresse,
    Aimait le maître et la maîtresse,
Et le jardin surtout. Dieu sait si les zéphirs         10
Peuple ami du Démon l'assistaient dans sa tâche!
Le follet de sa part travaillant sans relâche
    Comblait ses hôtes de plaisirs.
    Pour plus de marques de son zèle,
Chez ces gens pour toujours il se fût arrêté,          15
    Nonobstant la légèreté
    A ses pareils si naturelle;
    Mais ses confrères les esprits
Firent tant que le chef de cette république,
    Par caprice ou par politique,                        20
    Le changea bientôt de logis.
Ordre lui vient d'aller au fond de la Norvège
    Prendre le soin d'une maison
    En tout temps couverte de neige;
Et d'Indou qu'il était on vous le fait lapon.          25
Avant que de partir l'esprit dit à ses hôtes :
    On m'oblige de vous quitter :
    Je ne sais pas pour quelles fautes;
Mais enfin il le faut, je ne puis arrêter
Qu'un temps fort court, un mois, peut-être une semaine, 30
Employez-la; formez trois souhaits, car je puis
    Rendre trois souhaits accomplis,
Trois sans plus. Souhaiter, ce n'est pas une peine
    Étrange et nouvelle aux humains.
Ceux-ci pour premier vœu demandent l'abondance;       35
    Et l'abondance, à pleines mains,

Verse en leurs coffres la finance,
En leurs greniers le blé, dans leurs caves les vins;
Tout en crève. Comment ranger cette chevance ?
Quels registres, quels soins, quel temps il leur fallut!          40
Tous deux sont empêchés si jamais on le fut.
          Les voleurs contre eux complotèrent;
          Les grands Seigneurs leur empruntèrent;
Le Prince les taxa! Voilà les pauvres gens
          Malheureux par trop de fortune.                         45
Otez-nous de ces biens l'affluence importune,
Dirent-ils l'un et l'autre; heureux les indigents!
La pauvreté vaut mieux qu'une telle richesse.
Retirez-vous, trésors, fuyez; et toi Déesse,
Mère du bon esprit, compagne du repos,                            50
O médiocrité, reviens vite. A ces mots
La médiocrité revient; on lui fait place,
          Avec elle ils rentrent en grâce,
Au bout de deux souhaits étant aussi chanceux
          Qu'ils étaient, et que sont tous ceux                   55
Qui souhaitent toujours et perdent en chimères
Le temps qu'ils feraient mieux de mettre à leurs affaires.
          Le follet en rit avec eux.
          Pour profiter de sa largesse,
Quand il voulut partir et qu'il fut sur le point,                 60
          Ils demandèrent la sagesse :
          C'est un trésor qui n'embarrasse point.


## FABLE VI

## LA COUR DU LION

Sa Majesté Lionne un jour voulut connaître
De quelles nations le Ciel l'avait fait maître.
          Il manda donc par députés
          Ses vassaux de toute nature,
          Envoyant de tous les côtés                              5
          Une circulaire écriture,
          Avec son sceau. L'écrit portait
          Qu'un mois durant le Roi tiendrait
          Cour plénière, dont l'ouverture

Devait être un fort grand festin,                               10
Suivi des tours de Fagotin.
    Par ce trait de magnificence
Le Prince à ses sujets étalait sa puissance.
    En son Louvre il les invita.
Quel Louvre! un vrai charnier, dont l'odeur se porta        15
D'abord au nez des gens. L'Ours boucha sa narine :
Il se fût bien passé de faire cette mine,
Sa grimace déplut. Le Monarque irrité
L'envoya chez Pluton faire le dégoûté.
Le Singe approuva fort cette sévérité,                         20
Et flatteur excessif il loua la colère
Et la griffe du Prince, et l'antre, et cette odeur :
    Il n'était ambre, il n'était fleur,
Qui ne fût ail au prix. Sa sotte flatterie
Eut un mauvais succès, et fut encor punie.                    25
    Ce Monseigneur du Lion-là
    Fut parent de Caligula.
Le Renard étant proche : Or çà, lui dit le Sire,
Que sens-tu ? dis-le-moi : parle sans déguiser.
    L'autre aussitôt de s'excuser,                            30
Alléguant un grand rhume : il ne pouvait que dire
    Sans odorat; bref, il s'en tire.
    Ceci vous sert d'enseignement :
Ne soyez à la cour, si vous voulez y plaire,
Ni fade adulateur, ni parleur trop sincère;                  35
Et tâchez quelquefois de répondre en Normand.


## FABLE VII

### LES VAUTOURS ET LES PIGEONS


Mars autrefois mit tout l'air en émute.
Certain sujet fit naître la dispute
Chez les oiseaux; non ceux que le Printemps
Mène à sa Cour, et qui, sous la feuillée,
Par leur exemple et leurs sons éclatants                       5
Font que Vénus est en nous réveillée;
Ni ceux encor que la Mère d'Amour
Met à son char : mais le peuple Vautour,

Au bec retors, à la tranchante serre,
Pour un chien mort se fit, dit-on, la guerre.                10
Il plut du sang; je n'exagère point.
Si je voulais conter de point en point
Tout le détail, je manquerais d'haleine.
Maint chef périt, maint héros expira;
Et sur son roc Prométhée espéra                             15
De voir bientôt une fin à sa peine.
C'était plaisir d'observer leurs efforts;
C'était pitié de voir tomber les morts.
Valeur, adresse, et ruses, et surprises,
Tout s'employa. Les deux troupes éprises                    20
D'ardent courroux n'épargnaient nuls moyens
De peupler l'air que respirent les ombres :
Tout élément remplit de citoyens
Le vaste enclos qu'ont les royaumes sombres.
Cette fureur mit la compassion                              25
Dans les esprits d'une autre nation
Au col changeant, au cœur tendre et fidèle.
Elle employa sa médiation
Pour accorder une telle querelle;
Ambassadeurs par le peuple pigeon                           30
Furent choisis, et si bien travaillèrent,
Que les Vautours plus ne se chamaillèrent.
Ils firent trêve, et la paix s'ensuivit :
Hélas! ce fut aux dépens de la race
A qui la leur aurait dû rendre grâce.                       35
La gent maudite aussitôt poursuivit
Tous les pigeons, en fit ample carnage,
En dépeupla les bourgades, les champs.
Peu de prudence eurent les pauvres gens,
D'accommoder un peuple si sauvage.                          40
Tenez toujours divisés les méchants;
La sûreté du reste de la terre
Dépend de là : Semez entre eux la guerre,
Ou vous n'aurez avec eux nulle paix.
Ceci soit dit en passant; je me tais.                       45

## FABLE VIII

### LE COCHE ET LA MOUCHE

Dans un chemin montant, sablonneux, malaisé,
Et de tous les côtés au Soleil exposé,
     Six forts chevaux tiraient un Coche.
Femmes, Moine, vieillards, tout était descendu.
L'attelage suait, soufflait, était rendu.                          5
Une Mouche survient, et des chevaux s'approche;
Prétend les animer par son bourdonnement;
Pique l'un, pique l'autre, et pense à tout moment
     Qu'elle fait aller la machine,
S'assied sur le timon, sur le nez du Cocher;               10
     Aussitôt que le char chemine,
     Et qu'elle voit les gens marcher,
Elle s'en attribue uniquement la gloire;
Va, vient, fait l'empressée; il semble que ce soit
Un Sergent de bataille allant en chaque endroit          15
Faire avancer ses gens, et hâter la victoire.
     La Mouche en ce commun besoin
Se plaint qu'elle agit seule, et qu'elle a tout le soin;
Qu'aucun n'aide aux chevaux à se tirer d'affaire.
     Le Moine disait son Bréviaire;                           20
Il prenait bien son temps! une femme chantait;
C'était bien de chansons qu'alors il s'agissait!
Dame Mouche s'en va chanter à leurs oreilles,
     Et fait cent sottises pareilles.
Après bien du travail le Coche arrive au haut.           25
Respirons maintenant, dit la Mouche aussitôt :
J'ai tant fait que nos gens sont enfin dans la plaine.
Ça, Messieurs les Chevaux, payez-moi de ma peine.

Ainsi certaines gens, faisant les empressés,
     S'introduisent dans les affaires :                           30
     Ils font partout les nécessaires,
Et, partout importuns, devraient être chassés.

### FABLE IX

## LA LAITIÈRE ET LE POT AU LAIT

Perrette sur sa tête ayant un Pot au lait
　　Bien posé sur un coussinet,
Prétendait arriver sans encombre à la ville.
Légère et court vêtue elle allait à grands pas;
Ayant mis ce jour-là, pour être plus agile,                    5
　　Cotillon simple, et souliers plats.
　　Notre laitière ainsi troussée
　　Comptait déjà dans sa pensée
Tout le prix de son lait, en employait l'argent,
Achetait un cent d'œufs, faisait triple couvée;                10
La chose allait à bien par son soin diligent.
　　Il m'est, disait-elle, facile,
D'élever des poulets autour de ma maison :
　　Le Renard sera bien habile,
S'il ne m'en laisse assez pour avoir un cochon.               15
Le porc à s'engraisser coûtera peu de son;
Il était quand je l'eus de grosseur raisonnable :
J'aurai le revendant de l'argent bel et bon.
Et qui m'empêchera de mettre en notre étable,
Vu le prix dont il est, une vache et son veau,                20
Que je verrai sauter au milieu du troupeau ?
Perrette là-dessus saute aussi, transportée.
Le lait tombe; adieu veau, vache, cochon, couvée;
La dame de ces biens, quittant d'un œil marri
　　Sa fortune ainsi répandue,                                25
　　Va s'excuser à son mari
　　En grand danger d'être battue.
　　Le récit en farce en fut fait;
　　On l'appela le Pot au lait.

　　Quel esprit ne bat la campagne ?                          30
　　Qui ne fait châteaux en Espagne ?
Picrochole, Pyrrhus, la Laitière, enfin tous,
　　Autant les sages que les fous ?
Chacun songe en veillant, il n'est rien de plus doux :
Une flatteuse erreur emporte alors nos âmes :                 35

Tout le bien du monde est à nous,
Tous les honneurs, toutes les femmes.
Quand je suis seul, je fais au plus brave un défi;
Je m'écarte, je vais détrôner le Sophi;
    On m'élit roi, mon peuple m'aime;                    40
Les diadèmes vont sur ma tête pleuvant :
Quelque accident fait-il que je rentre en moi-même;
    Je suis gros Jean comme devant.


## FABLE X

## LE CURÉ ET LE MORT

    Un mort s'en allait tristement
    S'emparer de son dernier gîte;
    Un Curé s'en allait gaiement
    Enterrer ce mort au plus vite.
Notre défunt était en carrosse porté,                          5
    Bien et dûment empaqueté,
Et vêtu d'une robe, hélas! qu'on nomme bière,
    Robe d'hiver, robe d'été,
    Que les morts ne dépouillent guère.
    Le Pasteur était à côté,                                10
    Et récitait à l'ordinaire
    Maintes dévotes oraisons,
    Et des psaumes et des leçons,
    Et des versets et des répons :
    Monsieur le Mort, laissez-nous faire,                   15
On vous en donnera de toutes les façons;
    Il ne s'agit que du salaire.
Messire Jean Chouart couvait des yeux son mort,
Comme si l'on eût dû lui ravir ce trésor,
    Et des regards semblait lui dire :                      20
    Monsieur le Mort, j'aurai de vous
    Tant en argent, et tant en cire,
    Et tant en autres menus coûts.
Il fondait là-dessus l'achat d'une feuillette
    Du meilleur vin des environs;                           25
    Certaine nièce assez propette
    Et sa chambrière Pâquette

Devaient avoir des cotillons.
Sur cette agréable pensée
Un heurt survient, adieu le char.                    30
Voilà Messire Jean Chouart
Qui du choc de son mort a la tête cassée :
Le Paroissien en plomb entraîne son Pasteur;
Notre Curé suit son Seigneur;
Tous deux s'en vont de compagnie.                    35
Proprement toute notre vie;
Est le curé Chouart, qui sur son mort comptait,
Et la fable du *Pot au lait*.


## FABLE XI

## L'HOMME
### QUI COURT APRÈS LA FORTUNE,
### ET L'HOMME
### QUI L'ATTEND DANS SON LIT

Qui ne court après la Fortune ?
Je voudrais être en lieu d'où je pusse aisément
Contempler la foule importune
De ceux qui cherchent vainement
Cette fille du sort de Royaume en Royaume,              5
Fidèles courtisans d'un volage fantôme.
Quand ils sont près du bon moment,
L'inconstante aussitôt à leurs désirs échappe :
Pauvres gens, je les plains, car on a pour les fous
Plus de pitié que de courroux.                         10
Cet homme, disent-ils, était planteur de choux,
Et le voilà devenu pape :
Ne le valons-nous pas ? — Vous valez cent fois mieux;
Mais que vous sert votre mérite ?
La Fortune a-t-elle des yeux ?                          15
Et puis la papauté vaut-elle ce qu'on quitte,
Le repos, le repos, trésor si précieux
Qu'on en faisait jadis le partage des Dieux ?
Rarement la Fortune à ses hôtes le laisse.
Ne cherchez point cette Déesse,                        20
Elle vous cherchera; son sexe en use ainsi.

Certain couple d'amis en un bourg établi,
Possédait quelque bien : l'un soupirait sans cesse
   Pour la Fortune; il dit à l'autre un jour :
      Si nous quittions notre séjour ?                    25
      Vous savez que nul n'est prophète
En son pays : cherchons notre aventure ailleurs.
— Cherchez, dit l'autre ami, pour moi je ne souhaite
      Ni climats ni destins meilleurs.
Contentez-vous; suivez votre humeur inquiète;               30
Vous reviendrez bientôt. Je fais vœu cependant
      De dormir en vous attendant.
   L'ambitieux, ou, si l'on veut, l'avare,
      S'en va par voie et par chemin.
      Il arriva le lendemain                          35
En un lieu que devait la Déesse bizarre
Fréquenter sur tout autre; et ce lieu c'est la cour.
Là donc pour quelque temps il fixe son séjour,
Se trouvant au coucher, au lever, à ces heures
      Que l'on sait être les meilleures;               40
Bref, se trouvant à tout, et n'arrivant à rien.
Qu'est ceci ? ce dit-il, cherchons ailleurs du bien.
La Fortune pourtant habite ces demeures.
Je la vois tous les jours entrer chez celui-ci,
      Chez celui-là; d'où vient qu'aussi               45
Je ne puis héberger cette capricieuse ?
On me l'avait bien dit, que des gens de ce lieu
L'on n'aime pas toujours l'humeur ambitieuse.
Adieu Messieurs de cour; Messieurs de cour adieu :
Suivez jusques au bout une ombre qui vous flatte.           50
La Fortune a, dit-on, des temples à Surate;
Allons là. Ce fut un de dire et s'embarquer.
Ames de bronze, humains, celui-là fut sans doute
Armé de diamant, qui tenta cette route,
Et le premier osa l'abîme défier.                          55
     Celui-ci pendant son voyage
     Tourna les yeux vers son village
   Plus d'une fois, essuyant les dangers
Des pirates, des vents, du calme et des rochers,
Ministres de la mort. Avec beaucoup de peines             60
On s'en va la chercher en des rives lointaines,
La trouvant assez tôt sans quitter la maison.
L'homme arrive au Mogol; on lui dit qu'au Japon
La Fortune pour lors distribuait ses grâces.
      Il y court; les mers étaient lasses             65
      De le porter; et tout le fruit

Qu'il tira de ses longs voyages,
Ce fut cette leçon que donnent les sauvages :
Demeure en ton pays, par la nature instruit.
Le Japon ne fut pas plus heureux à cet homme            70
    Que le Mogol l'avait été;
    Ce qui lui fit conclure en somme,
Qu'il avait à grand tort son village quitté.
    Il renonce aux courses ingrates,
Revient en son pays, voit de loin ses pénates,          75
Pleure de joie, et dit : Heureux, qui vit chez soi;
De régler ses désirs faisant tout son emploi.
    Il ne sait que par ouïr dire
Ce que c'est que la cour, la mer, et ton empire,
Fortune, qui nous fais passer devant les yeux           80
Des dignités, des biens, que jusqu'au bout du monde
On suit, sans que l'effet aux promesses réponde.
Désormais je ne bouge, et ferai cent fois mieux.
    En raisonnant de cette sorte,
Et contre la Fortune ayant pris ce conseil,             85
    Il la trouve assise à la porte
De son ami plongé dans un profond sommeil.


## FABLE XII

### LES DEUX COQS

Deux Coqs vivaient en paix : une Poule survint,
    Et voilà la guerre allumée.
Amour, tu perdis Troie; et c'est de toi que vint
    Cette querelle envenimée,
Où du sang des Dieux même on vit le Xanthe teint.        5
Longtemps entre nos Coqs le combat se maintint :
Le bruit s'en répandit par tout le voisinage.
La gent qui porte crête au spectacle accourut.
    Plus d'une Hélène au beau plumage
Fut le prix du vainqueur; le vaincu disparut.           10
Il alla se cacher au fond de sa retraite,
    Pleura sa gloire et ses amours,
Ses amours qu'un rival tout fier de sa défaite
Possédait à ses yeux. Il voyait tous les jours

Cet objet rallumer sa haine et son courage.                        15
Il aiguisait son bec, battait l'air et ses flancs,
    Et s'exerçant contre les vents
    S'armait d'une jalouse rage.
Il n'en eut pas besoin. Son vainqueur sur les toits
    S'alla percher, et chanter sa victoire.                        20
        Un Vautour entendit sa voix :
        Adieu les amours et la gloire.
Tout cet orgueil périt sous l'ongle du Vautour.
        Enfin par un fatal retour
        Son rival autour de la Poule                               25
        S'en revint faire le coquet :
        Je laisse à penser quel caquet,
        Car il eut des femmes en foule.
La Fortune se plaît à faire de ces coups;
Tout vainqueur insolent à sa perte travaille.                      30
Défions-nous du sort, et prenons garde à nous
        Après le gain d'une bataille.


### FABLE XIII


## L'INGRATITUDE
### ET L'INJUSTICE DES HOMMES
### ENVERS LA FORTUNE


Un trafiquant sur mer par bonheur s'enrichit.
Il triompha des vents pendant plus d'un voyage,
Gouffre, banc, ni rocher, n'exigea de péage
D'aucun de ses ballots; le sort l'en affranchit.
Sur tous ses compagnons Atropos et Neptune                          5
Recueillirent leur droit tandis que la Fortune
Prenait soin d'amener son marchand à bon port.
Facteurs, associés, chacun lui fit fidèle.
Il vendit son tabac, son sucre, sa canèle
    Ce qu'il voulut, sa porcelaine encor :                          10
Le luxe et la folie enflèrent son trésor;
        Bref il plut dans son escarcelle.
On ne parlait chez lui que par doubles ducats.
Et mon homme d'avoir chiens, chevaux et carrosses.
        Ses jours de jeûne étaient des noces.                       15

Un sien ami, voyant ces somptueux repas,
Lui dit : Et d'où vient donc un si bon ordinaire ?
— Et d'où me viendrait-il que de mon savoir-faire ?
Je n'en dois rien qu'à moi, qu'à mes soins, qu'au talent
De risquer à propos, et bien placer l'argent.            20
Le profit lui semblant une fort douce chose,
Il risqua de nouveau le gain qu'il avait fait :
Mais rien, pour cette fois, ne lui vint à souhait.
      Son imprudence en fut la cause.
Un vaisseau mal frété périt au premier vent.             25
Un autre mal pourvu des armes nécessaires
      Fut enlevé par les Corsaires.
      Un troisième au port arrivant,
Rien n'eut cours ni débit. Le luxe et la folie
      N'étaient plus tels qu'auparavant.                 30
      Enfin ses facteurs le trompant,
Et lui-même ayant fait grand fracas, chère lie,
Mis beaucoup en plaisirs, en bâtiments beaucoup,
      Il devint pauvre tout d'un coup.
Son ami le voyant en mauvais équipage,                   35
Lui dit : D'où vient cela ? — De la fortune, hélas !
— Consolez-vous, dit l'autre ; et s'il ne lui plaît pas
Que vous soyez heureux ; tout au moins soyez sage.
      Je ne sais s'il crut ce conseil ;
Mais je sais que chacun impute, en cas pareil,          40
      Son bonheur à son industrie,
Et si de quelque échec notre faute est suivie,
      Nous disons injures au sort.
      Chose n'est ici plus commune :
Le bien nous le faisons, le mal c'est la fortune,       45
On a toujours raison, le destin toujours tort.

## FABLE XIV

## LES DEVINERESSES

C'est souvent du hasard que naît l'opinion ;
Et c'est l'opinion qui fait toujours la vogue.
      Je pourrais fonder ce prologue
Sur gens de tous états ; tout est prévention,
Cabale, entêtement, point ou peu de justice :            5

C'est un torrent; qu'y faire ? Il faut qu'il ait son cours.
    Cela fut et sera toujours.
Une femme à Paris faisait la Pythonisse.
On l'allait consulter sur chaque événement :
Perdait-on un chiffon, avait-on un amant,                    10
Un mari vivant trop, au gré de son épouse,
Une mère fâcheuse, une femme jalouse;
    Chez la Devineuse on courait,
Pour se faire annoncer ce que l'on désirait.
    Son fait consistait en adresse.                       15
Quelques termes de l'art, beaucoup de hardiesse,
Du hasard quelquefois, tout cela concourait :
Tout cela bien souvent faisait crier miracle.
Enfin, quoique ignorante à vingt et trois carats,
    Elle passait pour un oracle.                          20
L'oracle était logé dedans un galetas.
    Là cette femme emplit sa bourse,
    Et sans avoir d'autre ressource,
Gagne de quoi donner un rang à son mari :
Elle achète un office, une maison aussi.                     25
    Voilà le galetas rempli
D'une nouvelle hôtesse, à qui toute la ville,
Femmes, filles, valets, gros Messieurs, tout enfin,
Allait comme autrefois demander son destin :
Le galetas devint l'antre de la Sibylle.                     30
L'autre femelle avait achalandé ce lieu.
Cette dernière femme eut beau faire, eut beau dire,
Moi devine! on se moque; Eh Messieurs, sais-je lire ?
Je n'ai jamais appris que ma croix de par-dieu.
Point de raison; fallut deviner et prédire,                  35
    Mettre à part force bons ducats,
Et gagner malgré soi plus que deux Avocats.
Le meuble et l'équipage aidaient fort à la chose :
Quatre sièges boiteux, un manche de balai,
Tout sentait son sabbat et sa métamorphose :                 40
    Quand cette femme aurait dit vrai
    Dans une chambre tapissée,
On s'en serait moqué; la vogue était passée
    Au galetas; il avait le crédit :
    L'autre femme se morfondit.                          45
    L'enseigne fait la chalandise.
J'ai vu dans le Palais une robe mal mise
    Gagner gros : les gens l'avaient prise
Pour maître tel, qui traînait après soi
Force écoutants; demandez-moi pourquoi.                      50

## FABLE XV

## LE CHAT,
## LA BELETTE, ET LE PETIT LAPIN

  Du palais d'un jeune Lapin
  Dame Belette un beau matin
  S'empara; c'est une rusée.
Le Maître étant absent, ce lui fut chose aisée.
Elle porta chez lui ses pénates un jour      5
Qu'il était allé faire à l'Aurore sa cour,
  Parmi le thym et la rosée.
Après qu'il eut brouté, trotté, fait tous ses tours,
Janot Lapin retourne aux souterrains séjours.
La Belette avait mis le nez à la fenêtre.    10
O Dieux hospitaliers, que vois-je ici paraître ?
Dit l'animal chassé du paternel logis :
  O là, Madame la Belette,
  Que l'on déloge sans trompette,
Ou je vais avertir tous les rats du pays.    15
La Dame au nez pointu répondit que la terre
  Était au premier occupant.
  C'était un beau sujet de guerre
Qu'un logis où lui-même il n'entrait qu'en rampant.
  Et quand ce serait un Royaume    20
Je voudrais bien savoir, dit-elle, quelle loi
  En a pour toujours fait l'octroi
A Jean fils ou neveu de Pierre ou de Guillaume,
  Plutôt qu'à Paul, plutôt qu'à moi.
Jean Lapin allégua la coutume et l'usage.   25
Ce sont, dit-il, leurs lois qui m'ont de ce logis
Rendu maître et seigneur, et qui de père en fils,
L'ont de Pierre à Simon, puis à moi Jean, transmis.
Le premier occupant est-ce une loi plus sage ?
  — Or bien sans crier davantage,   30
Rapportons-nous, dit-elle, à Raminagrobis.
C'était un chat vivant comme un dévot ermite,
  Un chat faisant la chattemite,
Un saint homme de chat, bien fourré, gros et gras,
  Arbitre expert sur tous les cas.    35

Jean Lapin pour juge l'agrée.
Les voilà tous deux arrivés
Devant sa majesté fourrée.
Grippeminaud leur dit : Mes enfants, approchez,
Approchez, je suis sourd, les ans en sont la cause.          40
L'un et l'autre approcha ne craignant nulle chose.
Aussitôt qu'à portée il vit les contestants,
      Grippeminaud le bon apôtre
Jetant des deux côtés la griffe en même temps,
Mit les plaideurs d'accord en croquant l'un et l'autre.      45
Ceci ressemble fort aux débats qu'ont parfois
Les petits souverains se rapportants aux Rois.


## FABLE XVI

## LA TÊTE ET LA QUEUE DU SERPENT

            Le serpent a deux parties
            Du genre humain ennemies,
            Tête et queue; et toutes deux
            Ont acquis un nom fameux
            Auprès des Parques cruelles :                       5
            Si bien qu'autrefois entre elles
            Il survint de grands débats
                  Pour le pas.
La tête avait toujours marché devant la queue.
            La queue au Ciel se plaignit,                       10
                  Et lui dit :
            Je fais mainte et mainte lieue,
            Comme il plaît à celle-ci.
Croit-elle que toujours j'en veuille user ainsi ?
            Je suis son humble servante.                        15
            On m'a faite Dieu merci
            Sa sœur et non sa suivante.
            Toutes deux de même sang
            Traitez-nous de même sorte :
            Aussi bien qu'elle je porte                         20
            Un poison prompt et puissant.
            Enfin voilà ma requête :
            C'est à vous de commander,

Qu'on me laisse précéder
A mon tour ma sœur la tête,                              25
    Je la conduirai si bien,
    Qu'on ne se plaindra de rien.
Le Ciel eut pour ses vœux une bonté cruelle.
Souvent sa complaisance a de méchants effets.
Il devrait être sourd aux aveugles souhaits.            30
Il ne le fut pas lors : et la guide nouvelle,
    Qui ne voyait au grand jour
    Pas plus clair que dans un four,
    Donnait tantôt contre un marbre,
    Contre un passant, contre un arbre.                 35
Droit aux ondes du Styx elle mena sa sœur.
Malheureux les États tombés dans son erreur.


## FABLE XVII

## UN ANIMAL DANS LA LUNE

    Pendant qu'un Philosophe assure,
Que toujours par leurs sens les hommes sont dupés,
    Un autre Philosophe jure,
    Qu'ils ne nous ont jamais trompés.
Tous les deux ont raison, et la Philosophie              5
Dit vrai, quand elle dit que les sens tromperont
Tant que sur leur rapport les hommes jugeront;
    Mais aussi si l'on rectifie
L'image de l'objet sur son éloignement,
    Sur le milieu qui l'environne,                       10
    Sur l'organe et sur l'instrument,
    Les sens ne tromperont personne.
La nature ordonna ces choses sagement :
J'en dirai quelque jour les raisons amplement.
J'aperçois le Soleil; quelle en est la figure ?         15
Ici-bas ce grand corps n'a que trois pieds de tour :
Mais si je le voyais là-haut dans son séjour,
Que serait-ce à mes yeux que l'œil de la nature ?
Sa distance me fait juger de sa grandeur;
Sur l'angle et les côtés ma main la détermine;          20
L'ignorant le croit plat, j'épaissis sa rondeur;

Je le rends immobile, et la terre chemine.
Bref je démens mes yeux en toute sa machine.
Ce sens ne me nuit point par son illusion.
    Mon âme en toute occasion                                25
Développe le vrai caché sous l'apparence.
    Je ne suis point d'intelligence
Avecque mes regards peut-être un peu trop prompts,
Ni mon oreille lente à m'apporter les sons.
Quand l'eau courbe un bâton ma raison le redresse,        30
    La raison décide en maîtresse.
    Mes yeux, moyennant ce secours,
Ne me trompent jamais, en me mentant toujours.
Si je crois leur rapport, erreur assez commune,
Une tête de femme est au corps de la Lune.                35
Y peut-elle être ? Non. D'où vient donc cet objet ?
Quelques lieux inégaux font de loin cet effet.
La Lune nulle part n'a sa surface unie :
Montueuse en des lieux, en d'autres aplanie,
L'ombre avec la lumière y peut tracer souvent            40
    Un Homme, un Bœuf, un Éléphant.
Naguère l'Angleterre y vit chose pareille,
La lunette placée, un animal nouveau
    Parut dans cet astre si beau;
    Et chacun de crier merveille :                       45
Il était arrivé là-haut un changement
Qui présageait sans doute un grand événement.
Savait-on si la guerre entre tant de puissances
N'en était point l'effet ? Le Monarque accourut :
Il favorise en Roi ces hautes connaissances.            50
Le Monstre dans la Lune à son tour lui parut.
C'était une Souris cachée entre les verres :
Dans la lunette était la source de ces guerres.
On en rit. Peuple heureux, quand pourront les François
Se donner, comme vous, entiers à ces emplois?           55
Mars nous fait recueillir d'amples moissons de gloire :
C'est à nos ennemis de craindre les combats,
A nous de les chercher, certains que la victoire,
Amante de Louis, suivra partout ses pas.
Ses lauriers nous rendront célèbres dans l'histoire.     60
    Même les filles de Mémoire
Ne nous ont point quittés : nous goûtons des plaisirs :
La paix fait nos souhaits et non point nos soupirs.
Charles en sait jouir : Il saurait dans la guerre
Signaler sa valeur, et mener l'Angleterre               65
A ces jeux qu'en repos elle voit aujourd'hui.

Cependant s'il pouvait apaiser la querelle,
Que d'encens! Est-il rien de plus digne de lui ?
La carrière d'Auguste a-t-elle été moins belle
Que les fameux exploits du premier des Césars ?          70
O peuple trop heureux, quand la paix viendra-t-elle
Nous rendre comme vous tout entiers aux beaux-arts ?

# LIVRE HUITIÈME

## *FABLE I*

## LA MORT ET LE MOURANT

La Mort ne surprend point le sage;
   Il est toujours prêt à partir,
   S'étant su lui-même avertir
Du temps où l'on se doit résoudre à ce passage.
  Ce temps, hélas! embrasse tous les temps :     5
Qu'on le partage en jours, en heures, en moments,
   Il n'en est point qu'il ne comprenne
Dans le fatal tribut; tous sont de son domaine;
Et le premier instant où les enfants des rois
     Ouvrent les yeux à la lumière,     10
     Est celui qui vient quelquefois
     Fermer pour toujours leur paupière.
     Défendez-vous par la grandeur,
Alléguez la beauté, la vertu, la jeunesse,
     La mort ravit tout sans pudeur     15
Un jour le monde entier accroîtra sa richesse.
     Il n'est rien de moins ignoré,
     Et puisqu'il faut que je le die,
     Rien où l'on soit moins préparé.
Un mourant qui comptait plus de cent ans de vie,     20
Se plaignait à la Mort que précipitamment
Elle le contraignait de partir tout à l'heure,
     Sans qu'il eût fait son testament,
Sans l'avertir au moins. Est-il juste qu'on meure
Au pied levé ? dit-il : attendez quelque peu.     25
Ma femme ne veut pas que je parte sans elle;

Il me reste à pourvoir un arrière-neveu;
Souffrez qu'à mon logis j'ajoute encore une aile.
Que vous êtes pressante, ô Déesse cruelle!
— Vieillard, lui dit la mort, je ne t'ai point surpris;     30
Tu te plains sans raison de mon impatience.
Eh n'as-tu pas cent ans ? trouve-moi dans Paris
Deux mortels aussi vieux, trouve-m'en dix en France.
Je devais, ce dis-tu, te donner quelque avis
     Qui te disposât à la chose :                          35
  J'aurais trouvé ton testament tout fait,
Ton petit-fils pourvu, ton bâtiment parfait;
Ne te donna-t-on pas des avis quand la cause
     Du marcher et du mouvement,
     Quand les esprits, le sentiment,                    40
Quand tout faillit en toi ? Plus de goût, plus d'ouïe :
Toute chose pour toi semble être évanouie :
Pour toi l'astre du jour prend des soins superflus :
Tu regrettes des biens qui ne te touchent plus.
     Je t'ai fait voir tes camarades,                     45
     Ou morts, ou mourants, ou malades.
Qu'est-ce que tout cela, qu'un avertissement ?
     Allons, vieillard, et sans réplique.
     Il n'importe à la république
     Que tu fasses ton testament.                        50
La mort avait raison. Je voudrais qu'à cet âge
On sortît de la vie ainsi que d'un banquet,
Remerciant son hôte, et qu'on fît son paquet;
Car de combien peut-on retarder le voyage ?
Tu murmures, vieillard; vois ces jeunes mourir,           55
     Vois-les marcher, vois-les courir
A des morts, il est vrai, glorieuses et belles,
Mais sûres cependant, et quelquefois cruelles.
J'ai beau te le crier; mon zèle est indiscret :
Le plus semblable aux morts meurt le plus à regret.       60

## FABLE II

## LE SAVETIER ET LE FINANCIER

Un Savetier chantait du matin jusqu'au soir :
    C'était merveilles de le voir,
Merveilles de l'ouïr ; il faisait des passages,
    Plus content qu'aucun des sept sages.
Son voisin au contraire, étant tout cousu d'or,      5
    Chantait peu, dormait moins encor.
    C'était un homme de finance.
Si sur le point du jour parfois il sommeillait,
Le Savetier alors en chantant l'éveillait,
    Et le Financier se plaignait,      10
    Que les soins de la Providence
N'eussent pas au marché fait vendre le dormir,
    Comme le manger et le boire.
    En son hôtel il fait venir
Le chanteur, et lui dit : Or çà, sire Grégoire,      15
Que gagnez-vous par an ? — Par an ? Ma foi, Monsieur,
    Dit avec un ton de rieur,
Le gaillard Savetier, ce n'est point ma manière
De compter de la sorte ; et je n'entasse guère
    Un jour sur l'autre : il suffit qu'à la fin      20
    J'attrape le bout de l'année :
    Chaque jour amène son pain.
— Eh bien que gagnez-vous, dites-moi, par journée ?
— Tantôt plus, tantôt moins : le mal est que toujours ;
(Et sans cela nos gains seraient assez honnêtes,)      25
Le mal est que dans l'an s'entremêlent des jours
    Qu'il faut chommer ; on nous ruine en Fêtes.
L'une fait tort à l'autre ; et Monsieur le Curé
De quelque nouveau Saint charge toujours son prône.
Le Financier riant de sa naïveté      30
Lui dit : Je vous veux mettre aujourd'hui sur le trône.
Prenez ces cent écus : gardez-les avec soin,
    Pour vous en servir au besoin.
Le Savetier crut voir tout l'argent que la terre
    Avait depuis plus de cent ans      35
    Produit pour l'usage des gens.

Il retourne chez lui : dans sa cave il enserre
    L'argent et sa joie à la fois.
    Plus de chant; il perdit la voix
Du moment qu'il gagna ce qui cause nos peines.        40
    Le sommeil quitta son logis,
    Il eut pour hôtes les soucis,
    Les soupçons, les alarmes vaines.
Tout le jour il avait l'œil au guet; Et la nuit,
    Si quelque chat faisait du bruit,        45
Le chat prenait l'argent : A la fin le pauvre homme
S'en courut chez celui qu'il ne réveillait plus!
Rendez-moi, lui dit-il, mes chansons et mon somme,
    Et reprenez vos cent écus.


## FABLE III

## LE LION, LE LOUP, ET LE RENARD


Un Lion décrépit, goutteux, n'en pouvant plus,
Voulait que l'on trouvât remède à la vieillesse :
Alléguer l'impossible aux Rois, c'est un abus.
    Celui-ci parmi chaque espèce
Manda des Médecins; il en est de tous arts :        5
Médecins au Lion viennent de toutes parts;
De tous côtés lui vient des donneurs de recettes.
    Dans les visites qui sont faites,
Le Renard se dispense, et se tient clos et coi.
Le Loup en fait sa cour, daube au coucher du Roi    10
Son camarade absent; le Prince tout à l'heure
Veut qu'on aille enfumer Renard dans sa demeure,
Qu'on le fasse venir. Il vient, est présenté;
Et, sachant que le Loup lui faisait cette affaire :
Je crains, Sire, dit-il, qu'un rapport peu sincère,    15
    Ne m'ait à mépris imputé
    D'avoir différé cet hommage;
    Mais j'étais en pèlerinage;
Et m'acquittais d'un vœu fait pour votre santé.
    Même j'ai vu dans mon voyage        20
Gens experts et savants; leur ai dit la langueur
Dont votre Majesté craint à bon droit la suite.

Vous ne manquez que de chaleur :
Le long âge en vous l'a détruite :
D'un Loup écorché vif appliquez-vous la peau          25
Toute chaude et toute fumante ;
Le secret sans doute en est beau
Pour la nature défaillante.
Messire Loup vous servira,
S'il vous plaît, de robe de chambre.                        30
Le Roi goûte cet avis-là :
On écorche, on taille, on démembre
Messire Loup. Le Monarque en soupa,
Et de sa peau s'enveloppa ;
Messieurs les courtisans, cessez de vous détruire :      35
Faites si vous pouvez votre cour sans vous nuire.
Le mal se rend chez vous au quadruple du bien.
Les daubeurs ont leur tour d'une ou d'autre manière :
Vous êtes dans une carrière
Où l'on ne se pardonne rien.                                    40

## FABLE IV

## LE POUVOIR DES FABLES

### A M. DE BARILLON

La qualité d'Ambassadeur
Peut-elle s'abaisser à des contes vulgaires ?
Vous puis-je offrir mes vers et leurs grâces légères ?
S'ils osent quelquefois prendre un air de grandeur,
Seront-ils point traités par vous de téméraires ?        5
Vous avez bien d'autres affaires
A démêler que les débats
Du Lapin et de la Belette.
Lisez-les, ne les lisez pas ;
Mais empêchez qu'on ne nous mette                         10
Toute l'Europe sur les bras.
Que de mille endroits de la terre
Il nous vienne des ennemis,
J'y consens ; mais que l'Angleterre
Veuille que nos deux Rois se lassent d'être amis,        15
J'ai peine à digérer la chose.

N'est-il point encor temps que Louis se repose ?
Quel autre Hercule enfin ne se trouverait las
De combattre cette Hydre ? et faut-il qu'elle oppose
Une nouvelle tête aux efforts de son bras ?                        20
     Si votre esprit plein de souplesse,
     Par éloquence, et par adresse,
Peut adoucir les cœurs, et détourner ce coup,
Je vous sacrifierai cent moutons ; c'est beaucoup
     Pour un habitant du Parnasse.                      25
     Cependant faites-moi la grâce
     De prendre en don ce peu d'encens.
     Prenez en gré mes vœux ardents,
Et le récit en vers qu'ici je vous dédie.
Son sujet vous convient ; je n'en dirai pas plus :                 30
     Sur les Éloges que l'Envie
     Doit avouer qui vous sont dus,
     Vous ne voulez pas qu'on appuie.


Dans Athène autrefois peuple vain et léger,
Un Orateur voyant sa patrie en danger,                             35
Courut à la Tribune ; et d'un art tyrannique,
Voulant forcer les cœurs dans une république,
Il parla fortement sur le commun salut.
On ne l'écoutait pas : l'Orateur recourut
     A ces figures violentes                            40
Qui savent exciter les âmes les plus lentes.
Il fit parler les morts, tonna, dit ce qu'il put.
Le vent emporta tout ; personne ne s'émut.
     L'animal aux têtes frivoles
Étant fait à ces traits, ne daignait l'écouter.                    45
Tous regardaient ailleurs : il en vit s'arrêter
A des combats d'enfants, et point à ses paroles.
Que fit le harangueur ? Il prit un autre tour.
Cérès, commença-t-il, faisait voyage un jour
     Avec l'Anguille et l'Hirondelle :                  50
Un fleuve les arrête ; et l'Anguille en nageant,
     Comme l'Hirondelle en volant,
Le traversa bientôt. L'assemblée à l'instant
Cria tout d'une voix : Et Cérès, que fit-elle ?
     — Ce qu'elle fit ? un prompt courroux               55
     L'anima d'abord contre vous.
Quoi, de contes d'enfants son peuple s'embarrasse !
     Et du péril qui le menace
Lui seul entre les Grecs il néglige l'effet !
Que ne demandez-vous ce que Philippe fait ?                        60

A ce reproche l'assemblée,
Par l'Apologue réveillée,
Se donne entière à l'Orateur :
Un trait de Fable en eut l'honneur.
Nous sommes tous d'Athène en ce point ; et moi-même,      65
Au moment que je fais cette moralité,
    Si *Peau d'âne* m'était conté,
    J'y prendrais un plaisir extrême,
Le monde est vieux, dit-on : je le crois, cependant
Il le faut amuser encor comme un enfant.                  70

## FABLE V

### L'HOMME ET LA PUCE

Par des vœux importuns nous fatiguons les Dieux :
Souvent pour des sujets même indignes des hommes.
Il semble que le Ciel sur tous tant que nous sommes
Soit obligé d'avoir incessamment les yeux,
Et que le plus petit de la race mortelle,                  5
A chaque pas qu'il fait, à chaque bagatelle,
Doive intriguer l'Olympe et tous ses citoyens,
Comme s'il s'agissait des Grecs et des Troyens.
Un Sot par une puce eut l'épaule mordue.
Dans les plis de ses draps elle alla se loger,            10
Hercule, se dit-il, tu devais bien purger
La terre de cette Hydre au printemps revenue.
Que fais-tu, Jupiter, que du haut de la nue
Tu n'en perdes la race afin de me venger ?
Pour tuer une puce il voulait obliger                     15
Ces Dieux à lui prêter leur foudre et leur massue.

## FABLE VI

### LES FEMMES ET LE SECRET

    Rien ne pèse tant qu'un secret :
  Le porter loin est difficile aux Dames :
    Et je sais même sur ce fait
    Bon nombre d'hommes qui sont femmes.
Pour éprouver la sienne un mari s'écria     5
La nuit étant près d'elle : O dieux ! qu'est-ce cela ?
    Je n'en puis plus ; on me déchire ;
Quoi j'accouche d'un œuf ! — D'un œuf ? — Oui, le voilà
Frais et nouveau pondu. Gardez bien de le dire :
On m'appellerait poule. Enfin n'en parlez pas.    10
    La femme neuve sur ce cas,
    Ainsi que sur mainte autre affaire,
Crut la chose, et promit ses grands dieux de se taire.
    Mais ce serment s'évanouit
    Avec les ombres de la nuit.    15
    L'épouse indiscrète et peu fine,
Sort du lit quand le jour fut à peine levé :
    Et de courir chez sa voisine.
Ma commère, dit-elle, un cas est arrivé :
N'en dites rien surtout, car vous me feriez battre.    20
Mon mari vient de pondre un œuf gros comme quatre.
    Au nom de Dieu gardez-vous bien
    D'aller publier ce mystère.
— Vous moquez-vous ? dit l'autre : Ah ! vous ne savez guère
  Quelle je suis. Allez, ne craignez rien.    25
La femme du pondeur s'en retourne chez elle.
L'autre grille déjà de conter la nouvelle :
Elle va la répandre en plus de dix endroits.
    Au lieu d'un œuf elle en dit trois.
Ce n'est pas encor tout, car une autre commère    30
En dit quatre, et raconte à l'oreille le fait,
    Précaution peu nécessaire,
    Car ce n'était plus un secret.
Comme le nombre d'œufs, grâce à la renommée,
    De bouche en bouche allait croissant,    35
    Avant la fin de la journée
    Ils se montaient à plus d'un cent.

## FABLE VII

### LE CHIEN QUI PORTE A SON COU
### LE DINÉ DE SON MAITRE


Nous n'avons pas les yeux à l'épreuve des belles,
  Ni les mains à celle de l'or :
  Peu de gens gardent un trésor
  Avec des soins assez fidèles.
Certain Chien, qui portait la pitance au logis,   5
S'était fait un collier du dîné de son maître.
Il était tempérant plus qu'il n'eût voulu l'être
  Quand il voyait un mets exquis :
Mais enfin il l'était et tous tant que nous sommes
Nous nous laissons tenter à l'approche des biens.  10
Chose étrange! on apprend la tempérance aux chiens,
  Et l'on ne peut l'apprendre aux hommes.
Ce Chien-ci donc étant de la sorte atourné,
Un mâtin passe, et veut lui prendre le dîné.
  Il n'en eut pas toute la joie   15
Qu'il espérait d'abord : le Chien mit bas la proie,
Pour la défendre mieux n'en étant plus chargé.
  Grand combat : D'autres chiens arrivent;
  Ils étaient de ceux-là qui vivent
  Sur le public, et craignent peu les coups.  20
Notre Chien se voyant trop faible contre eux tous,
Et que la chair courait un danger manifeste,
Voulut avoir sa part; Et lui sage : il leur dit :
Point de courroux, Messieurs, mon lopin me suffit :
  Faites votre profit du reste.  25
A ces mots le premier il vous happe un morceau.
Et chacun de tirer, le mâtin, la canaille;
  A qui mieux mieux; ils firent tous ripaille;
  Chacun d'eux eut part au gâteau.


Je crois voir en ceci l'image d'une Ville,  30
Où l'on met les deniers à la merci des gens.
  Échevins, Prévôt des Marchands,
  Tout fait sa main : le plus habile
Donne aux autres l'exemple; Et c'est un passe-temps
De leur voir nettoyer un monceau de pistoles.  35

Si quelque scrupuleux par des raisons frivoles
Veut défendre l'argent, et dit le moindre mot,
    On lui fait voir qu'il est un sot.
    Il n'a pas de peine à se rendre :
    C'est bientôt le premier à prendre.          40


## FABLE VIII

## LE RIEUR ET LES POISSONS

On cherche les Rieurs; et moi je les évite.
Cet art veut sur tout autre un suprême mérite.
    Dieu ne créa que pour les sots
    Les méchants diseurs de bons mots.
    J'en vais peut-être en une Fable       5
    Introduire un; peut-être aussi
Que quelqu'un trouvera que j'aurai réussi.
    Un Rieur était à la table
  D'un Financier; et n'avait en son coin
Que de petits poissons : tous les gros étaient loin.   10
Il prend donc les menus, puis leur parle à l'oreille,
    Et puis il feint à la pareille,
D'écouter leur réponse. On demeura surpris :
    Cela suspendit les esprits.
    Le Rieur alors d'un ton sage     15
    Dit qu'il craignait qu'un sien ami
    Pour les grandes Indes parti,
    N'eût depuis un an fait naufrage.
Il s'en informait donc à ce menu fretin :
Mais tous lui répondaient qu'ils n'étaient pas d'un âge  20
    A savoir au vrai son destin;
    Les gros en sauraient davantage.
N'en puis-je donc, Messieurs, un gros interroger ?
    De dire si la compagnie
    Prit goût à la plaisanterie,     25
J'en doute; mais enfin, il les sut engager
A lui servir d'un monstre assez vieux pour lui dire
Tous les noms des chercheurs de mondes inconnus
    Qui n'en étaient pas revenus,
Et que depuis cent ans sous l'abîme avaient vus   30
    Les anciens du vaste empire.

## FABLE IX

## LE RAT ET L'HUITRE

Un Rat hôte d'un champ, Rat de peu de cervelle,
Des Lares paternels un jour se trouva soû.
Il laisse là le champ, le grain, et la javelle,
Va courir le pays, abandonne son trou.
    Sitôt qu'il fut hors de la case,                         5
Que le monde, dit-il, est grand et spacieux!
Voilà les Apennins, et voici le Caucase :
La moindre taupinée était mont à ses yeux.
Au bout de quelques jours le voyageur arrive
En un certain canton où Thétys sur la rive                       10
Avait laissé mainte Huître; et notre Rat d'abord
Crut voir en les voyant des vaisseaux de haut bord.
Certes, dit-il, mon père était un pauvre sire :
Il n'osait voyager, craintif au dernier point :
Pour moi, j'ai déjà vu le maritime empire :                      15
J'ai passé les déserts, mais nous n'y bûmes point.
D'un certain magister le Rat tenait ces choses,
    Et les disait à travers champs;
N'étant pas de ces Rats qui les livres rongeants
    Se font savants jusques aux dents.                      20
    Parmi tant d'Huîtres toutes closes,
Une s'était ouverte, et bâillant au Soleil,
    Par un doux Zéphir réjouie,
Humait l'air, respirait, était épanouie,
Blanche, grasse, et d'un goût, à la voir, nonpareil.             25
D'aussi loin que le Rat voit cette Huître qui bâille :
Qu'aperçois-je ? dit-il, c'est quelque victuaille;
Et, si je ne me trompe à la couleur du mets,
Je dois faire aujourd'hui bonne chère, ou jamais.
Là-dessus maître Rat plein de belle espérance,                  30
Approche de l'écaille, allonge un peu le cou,
Se sent pris comme aux lacs; car l'Huître tout d'un coup
Se referme, et voilà ce que fait l'ignorance.

Cette Fable contient plus d'un enseignement.
    Nous y voyons premièrement :                            35

Que ceux qui n'ont du monde aucune expérience
Sont aux moindres objets frappés d'étonnement :
    Et puis nous y pouvons apprendre,
    Que tel est pris qui croyait prendre.


## FABLE X

## L'OURS ET L'AMATEUR DES JARDINS

Certain Ours montagnard, Ours à demi léché,
Confiné par le sort dans un bois solitaire,
Nouveau Bellérophon vivait seul et caché :
Il fût devenu fou ; la raison d'ordinaire
N'habite pas longtemps chez les gens séquestrés :          5
Il est bon de parler, et meilleur de se taire,
Mais tous deux sont mauvais alors qu'ils sont outrés.
    Nul animal n'avait affaire
    Dans les lieux que l'Ours habitait ;
    Si bien que tout Ours qu'il était          10
Il vint à s'ennuyer de cette triste vie.
Pendant qu'il se livrait à la mélancolie,
    Non loin de là certain vieillard
    S'ennuyait aussi de sa part.
Il aimait les jardins, était Prêtre de Flore,          15
    Il l'était de Pomone encore :
Ces deux emplois sont beaux : Mais je voudrais parmi
    Quelque doux et discret ami.
Les jardins parlent peu ; si ce n'est dans mon livre ;
    De façon que, lassé de vivre          20
Avec des gens muets notre homme un beau matin
Va chercher compagnie, et se met en campagne.
    L'Ours porté d'un même dessein
    Venait de quitter sa montagne :
    Tous deux, par un cas surprenant          25
    Se rencontrent en un tournant.
L'homme eut peur : mais comment esquiver ; et que faire ?
Se tirer en Gascon d'une semblable affaire
Est le mieux : il sut donc dissimuler sa peur.
    L'Ours très mauvais complimenteur,          30
Lui dit : Viens-t'en me voir. L'autre reprit : Seigneur,

Vous voyez mon logis ; si vous me vouliez faire
Tant d'honneur que d'y prendre un champêtre repas,
J'ai des fruits, j'ai du lait : Ce n'est peut-être pas
De Nosseigneurs les Ours le manger ordinaire ;          35
Mais j'offre ce que j'ai. L'Ours l'accepte ; et d'aller.
Les voilà bons amis avant que d'arriver.
Arrivés, les voilà se trouvant bien ensemble ;
    Et bien qu'on soit à ce qu'il semble
    Beaucoup mieux seul qu'avec des sots,           40
Comme l'Ours en un jour ne disait pas deux mots
L'Homme pouvait sans bruit vaquer à son ouvrage.
L'Ours allait à la chasse, apportait du gibier,
    Faisait son principal métier
D'être bon émoucheur, écartait du visage               45
De son ami dormant, ce parasite ailé,
    Que nous avons mouche appelé.
Un jour que le vieillard dormait d'un profond somme,
Sur le bout de son nez une allant se placer
Mit l'Ours au désespoir, il eut beau la chasser.        50
Je t'attraperai bien, dit-il. Et voici comme.
Aussitôt fait que dit ; le fidèle émoucheur
Vous empoigne un pavé, le lance avec roideur,
Casse la tête à l'homme en écrasant la mouche,
Et non moins bon archer que mauvais raisonneur :       55
Roide mort étendu sur la place il le couche.
Rien n'est si dangereux qu'un ignorant ami ;
    Mieux vaudrait un sage ennemi.


## FABLE XI

### LES DEUX AMIS

Deux vrais amis vivaient au Monomotapa :
L'un ne possédait rien qui n'appartînt à l'autre :
    Les amis de ce pays-là
    Valent bien dit-on ceux du nôtre.
Une nuit que chacun s'occupait au sommeil,             5
Et mettait à profit l'absence du Soleil,
Un de nos deux Amis sort du lit en alarme :
Il court chez son intime, éveille les valets :

Morphée avait touché le seuil de ce palais.
L'Ami couché s'étonne, il prend sa bourse, il s'arme;     10
Vient trouver l'autre, et dit : Il vous arrive peu
De courir quand on dort; vous me paraissiez homme
A mieux user du temps destiné pour le somme :
N'auriez-vous point perdu tout votre argent au jeu ?
En voici. S'il vous est venu quelque querelle,           15
J'ai mon épée, allons. Vous ennuyez-vous point
De coucher toujours seul ? Une esclave assez belle
Était à mes côtés : voulez-vous qu'on l'appelle ?
— Non, dit l'ami, ce n'est ni l'un ni l'autre point :
     Je vous rends grâce de ce zèle.                      20
Vous m'êtes en dormant un peu triste apparu;
J'ai craint qu'il ne fût vrai, je suis vite accouru.
     Ce maudit songe en est la cause.
Qui d'eux aimait le mieux, que t'en semble, Lecteur ?
Cette difficulté vaut bien qu'on la propose.             25
Qu'un ami véritable est une douce chose.
Il cherche vos besoins au fond de votre cœur;
     Il vous épargne la pudeur
     De les lui découvrir vous-même.
     Un songe, un rien, tout lui fait peur            30
     Quand il s'agit de ce qu'il aime.


### FABLE XII

## LE COCHON, LA CHÈVRE ET LE MOUTON


Une Chèvre, un Mouton, avec un Cochon gras,
Montés sur même char s'en allaient à la foire :
Leur divertissement ne les y portait pas;
On s'en allait les vendre, à ce que dit l'histoire :
     Le Charton n'avait pas dessein                    5
     De les mener voir Tabarin,
     Dom pourceau criait en chemin
Comme s'il avait eu cent Bouchers à ses trousses.
C'était une clameur à rendre les gens sourds :
Les autres animaux, créatures plus douces,             10
Bonnes gens, s'étonnaient qu'il criât au secours;
     Ils ne voyaient nul mal à craindre.

Le Charton dit au Porc : Qu'as-tu tant à te plaindre ?
Tu nous étourdis tous, que ne te tiens-tu coi ?
Ces deux personnes-ci plus honnêtes que toi,                    15
Devraient t'apprendre à vivre, ou du moins à te taire.
Regarde ce Mouton; a-t-il dit un seul mot ?
    Il est sage. — Il est un sot,
Repartit le Cochon : s'il savait son affaire,
Il crierait comme moi, du haut de son gosier,                   20
    Et cette autre personne honnête
    Crierait tout du haut de sa tête.
Ils pensent qu'on les veut seulement décharger,
La Chèvre de son lait, le Mouton de sa laine.
    Je ne sais pas s'ils ont raison;                          25
    Mais quant à moi, qui ne suis bon
    Qu'à manger, ma mort est certaine.
    Adieu mon toit et ma maison.
Dom Pourceau raisonnait en subtil personnage :
Mais que lui servait-il ? Quand le mal est certain,             30
La plainte ni la peur ne changent le destin;
Et le moins prévoyant est toujours le plus sage.


### FABLE XIII

#### TIRCIS ET AMARANTE

*POUR MADEMOISELLE DE SILLERY*


    J'avais Ésope quitté
    Pour être tout à Boccace :
    Mais une divinité
    Veut revoir sur le Parnasse
    Des Fables de ma façon;                                   5
    Or d'aller lui dire, Non,
    Sans quelque valable excuse,
    Ce n'est pas comme on en use
    Avec des Divinités,
    Surtout quand ce sont de celles                           10
    Que la qualité de belles
    Fait Reines des volontés.
    Car afin que l'on le sache,
    C'est Sillery qui s'attache

A vouloir que, de nouveau,                          15
Sire Loup, Sire Corbeau
Chez moi se parlent en rime.
Qui dit Sillery, dit tout;
Peu de gens en leur estime
Lui refusent le haut bout;                           20
Comment le pourrait-on faire ?
Pour venir à notre affaire,
Mes contes à son avis
Sont obscurs; les beaux esprits
N'entendent pas toute chose :                         25
Faisons donc quelques récits
        Qu'elle déchiffre sans glose.
Amenons des Bergers et puis nous rimerons
Ce que disent entre eux les Loups et les Moutons.
Tircis disait un jour à la jeune Amarante :          30
Ah! si vous connaissiez comme moi certain mal
        Qui nous plaît et qui nous enchante !
Il n'est bien sous le ciel qui vous parût égal :
        Souffrez qu'on vous le communique;
        Croyez-moi; n'ayez point de peur :            35
Voudrais-je vous tromper, vous pour qui je me pique
Des plus doux sentiments que puisse avoir un cœur ?
        Amarante aussitôt réplique :
Comment l'appelez-vous, ce mal ? quel est son nom ?
— L'amour. — Ce mot est beau : dites-moi quelque
A quoi je le pourrai connaître : que sent-on ?  [marque  40
— Des peines près de qui le plaisir des Monarques
Est ennuyeux et fade : on s'oublie, on se plaît
        Toute seule en une forêt.
        Se mire-t-on près un rivage ?               45
Ce n'est pas soi qu'on voit, on ne voit qu'une image
Qui sans cesse revient et qui suit en tous lieux :
        Pour tout le reste on est sans yeux.
        Il est un Berger du village
Dont l'abord, dont la voix, dont le nom fait rougir :  50
        On soupire à son souvenir :
On ne sait pas pourquoi; cependant on soupire;
On a peur de le voir encor qu'on le désire.
        Amarante dit à l'instant :
Oh! oh! c'est là ce mal que vous me prêchez tant ?    55
Il ne m'est pas nouveau : je pense le connaître.
        Tircis à son but croyait être,
Quand la belle ajouta : Voilà tout justement
        Ce que je sens pour Clidamant.

L'autre pensa mourir de dépit et de honte.                    60
    Il est force gens comme lui
Qui prétendent n'agir que pour leur propre compte,
    Et qui font le marché d'autrui.


## FABLE XIV

## LES OBSÈQUES DE LA LIONNE

    La femme du Lion mourut :
    Aussitôt chacun accourut
    Pour s'acquitter envers le Prince
De certains compliments de consolation,
    Qui sont surcroît d'affliction.                    5
    Il fit avertir sa Province
    Que les obsèques se feraient
Un tel jour, en tel lieu; ses Prévôts y seraient
    Pour régler la cérémonie,
    Et pour placer la compagnie.                       10
    Jugez si chacun s'y trouva.
    Le Prince aux cris s'abandonna,
    Et tout son antre en résonna.
    Les Lions n'ont point d'autre temple.
    On entendit à son exemple                          15
Rugir en leurs patois Messieurs les Courtisans.
Je définis la cour un pays où les gens
Tristes, gais, prêts à tout, à tout indifférents,
Sont ce qu'il plaît au Prince, ou s'ils ne peuvent l'être,
    Tâchent au moins de le paraître,                   20
Peuple caméléon, peuple singe du maître,
On dirait qu'un esprit anime mille corps;
C'est bien là que les gens sont de simples ressorts.
    Pour revenir à notre affaire
Le Cerf ne pleura point, comment eût-il pu faire ?             25
Cette mort le vengeait; la Reine avait jadis
    Étranglé sa femme et son fils.
Bref il ne pleura point. Un flatteur l'alla dire,
    Et soutint qu'il l'avait vu rire.
La colère du Roi, comme dit Salomon,                          30
Est terrible, et surtout celle du roi Lion :

Mais ce Cerf n'avait pas accoutumé de lire.
Le Monarque lui dit : Chétif hôte des bois
Tu ris, tu ne suis pas ces gémissantes voix.
Nous n'appliquerons point sur tes membres profanes     35
  Nos sacrés ongles ; venez Loups,
  Vengez la Reine, immolez tous
  Ce traître à ses augustes mânes.
Le Cerf reprit alors : Sire, le temps de pleurs
Est passé ; la douleur est ici superflue.               40
Votre digne moitié couchée entre des fleurs,
  Tout près d'ici m'est apparue ;
  Et je l'ai d'abord reconnue.
Ami, m'a-t-elle dit, garde que ce convoi,
Quand je vais chez les Dieux, ne t'oblige à des larmes.   45
Aux Champs Élysiens j'ai goûté mille charmes,
Conversant avec ceux qui sont saints comme moi.
Laisse agir quelque temps le désespoir du Roi.
J'y prends plaisir. A peine on eut ouï la chose,
Qu'on se mit à crier : Miracle, apothéose !             50
Le Cerf eut un présent, bien loin d'être puni.
  Amusez les Rois par des songes,
Flattez-les, payez-les d'agréables mensonges,
Quelque indignation dont leur cœur soit rempli,
Ils goberont l'appât, vous serez leur ami.              55


## FABLE XV

### LE RAT ET L'ÉLÉPHANT


Se croire un personnage est fort commun en France.
  On y fait l'homme d'importance,
  Et l'on n'est souvent qu'un bourgeois :
  C'est proprement le mal François.
La sotte vanité nous est particulière.                   5
Les Espagnols sont vains, mais d'une autre manière.
  Leur orgueil me semble en un mot
  Beaucoup plus fou, mais pas si sot.
  Donnons quelque image du nôtre
  Qui sans doute en vaut bien un autre.            10
Un Rat des plus petits voyait un Éléphant

Des plus gros, et raillait le marcher un peu lent
    De la bête de haut parage,
    Qui marchait à gros équipage.
    Sur l'animal à triple étage                              15
    Une Sultane de renom,
    Son Chien, son Chat et sa Guenon,
Son Perroquet, sa vieille, et toute sa maison,
    S'en allait en pèlerinage.
    Le Rat s'étonnait que les gens                           20
Fussent touchés de voir cette pesante masse :
Comme si d'occuper ou plus ou moins de place
Nous rendait, disait-il, plus ou moins importants.
Mais qu'admirez-vous tant en lui vous autres hommes ?
Serait-ce ce grand corps qui fait peur aux enfants ?       25
Nous ne nous prisons pas, tout petits que nous sommes,
    D'un grain moins que les Éléphants.
    Il en aurait dit davantage;
    Mais le Chat sortant de sa cage,
    Lui fit voir en moins d'un instant                       30
    Qu'un Rat n'est pas un Éléphant.

### FABLE XVI

### L'HOROSCOPE

    On rencontre sa destinée
Souvent par des chemins qu'on prend pour l'éviter.
    Un père eut pour toute lignée
Un fils qu'il aima trop, jusques à consulter
    Sur le sort de sa géniture                               5
    Les diseurs de bonne aventure.
Un de ces gens lui dit, que des Lions sur tout
Il éloignât l'enfant jusques à certain âge;
    Jusqu'à vingt ans, point davantage.
    Le père pour venir à bout                                10
D'une précaution sur qui roulait la vie
De celui qu'il aimait, défendit que jamais
On lui laissât passer le seuil de son Palais.
Il pouvait sans sortir contenter son envie,
Avec ses compagnons tout le jour badiner,                  15

Sauter, courir, se promener.
Quand il fut en l'âge où la chasse
Plaît le plus aux jeunes esprits,
Cet exercice avec mépris
Lui fut dépeint : mais, quoi qu'on fasse,                    20
Propos, conseil, enseignement,
Rien ne change un tempérament.
Le jeune homme, inquiet, ardent, plein de courage,
A peine se sentit des bouillons d'un tel âge,
Qu'il soupira pour ce plaisir.                    25
Plus l'obstacle était grand, plus fort fut le désir.
Il savait le sujet des fatales défenses ;
Et comme ce logis, plein de magnificences,
Abondait partout en tableaux,
Et que la laine et les pinceaux                    30
Traçaient de tous côtés chasses et paysages,
En cet endroit des animaux,
En cet autre des personnages,
Le jeune homme s'émut, voyant peint un Lion.
Ah ! monstre, cria-t-il, c'est toi qui me fais vivre                    35
Dans l'ombre et dans les fers. A ces mots, il se livre
Aux transports violents de l'indignation,
Porte le poing sur l'innocente bête.
Sous la tapisserie un clou se rencontra.
Ce clou le blesse ; il pénétra                    40
Jusqu'aux ressorts de l'âme ; et cette chère tête
Pour qui l'art d'Esculape en vain fit ce qu'il put,
Dut sa perte à ces soins qu'on prit pour son salut.
Même précaution nuisit au poète Eschyle.
Quelque Devin le menaça, dit-on,                    45
De la chute d'une maison.
Aussitôt il quitta la ville,
Mit son lit en plein champ, loin des toits, sous les Cieux.
Un Aigle, qui portait en l'air une Tortue,
Passa par là, vit l'homme, et sur sa tête nue,                    50
Qui parut un morceau de rocher à ses yeux,
Étant de cheveux dépourvue,
Laissa tomber sa proie, afin de la casser :
Le pauvre Eschyle ainsi sut ses jours avancer.
De ces exemples il résulte                    55
Que cet art, s'il est vrai, fait tomber dans les maux
Que craint celui qui le consulte ;
Mais je l'en justifie, et maintiens qu'il est faux.
Je ne crois point que la nature
Se soit lié les mains, et nous les lie encor,                    60

Jusqu'au point de marquer dans les cieux notre sort.
    Il dépend d'une conjoncture
    De lieux, de personnes, de temps ;
Non des conjonctions de tous ces charlatans.
Ce Berger et ce Roi sont sous même planète ;                65
L'un d'eux porte le sceptre et l'autre la houlette :
    Jupiter le voulait ainsi.
Qu'est-ce que Jupiter ? un corps sans connaissance.
    D'où vient donc que son influence
Agit différemment sur ces deux hommes-ci ?                   70
Puis comment pénétrer jusques à notre monde ?
Comment percer des airs la campagne profonde ?
Percer Mars, le Soleil, et des vides sans fin ?
Un atome la peut détourner en chemin :
Où l'iront retrouver les faiseurs d'horoscope ?             75
    L'état où nous voyons l'Europe
Mérite que du moins quelqu'un d'eux l'ait prévu ;
Que ne l'a-t-il donc dit ? Mais nul d'eux ne l'a su.
L'immense éloignement, le point, et sa vitesse,
    Celle aussi de nos passions,                             80
    Permettent-ils à leur faiblesse
De suivre pas à pas toutes nos actions ?
Notre sort en dépend : sa course entre-suivie,
Ne va, non plus que nous, jamais d'un même pas ;
    Et ces gens veulent au compas,                           85
    Tracer le cours de notre vie !
    Il ne se faut point arrêter
Aux deux faits ambigus que je viens de conter.
Ce Fils par trop chéri, ni le bonhomme Eschyle,
N'y font rien. Tout aveugle et menteur qu'est cet art,      90
Il peut frapper au but une fois entre mille ;
    Ce sont des effets du hasard.


## FABLE XVII

### L'ANE ET LE CHIEN


Il se faut entr'aider, c'est la loi de nature :
    L'Ane un jour pourtant s'en moqua :
    Et ne sais comme il y manqua ;
    Car il est bonne créature.

Il allait par pays accompagné du Chien,                          5
    Gravement, sans songer à rien,
    Tous deux suivis d'un commun maître.
Ce maître s'endormit : l'Ane se mit à paître :
    Il était alors dans un pré,
    Dont l'herbe était fort à son gré.               10
Point de chardons pourtant; il s'en passa pour l'heure :
Il ne faut pas toujours être si délicat;
    Et faute de servir ce plat
    Rarement un festin demeure.
    Notre Baudet s'en sut enfin                      15
Passer pour cette fois. Le Chien mourant de faim
Lui dit : Cher compagnon, baisse-toi, je te prie;
Je prendrai mon dîné dans le panier au pain.
Point de réponse, mot; le Roussin d'Arcadie
    Craignit qu'en perdant un moment,              20
    Il ne perdît un coup de dent.
    Il fit longtemps la sourde oreille :
Enfin il répondit : Ami, je te conseille
D'attendre que ton maître ait fini son sommeil;
Car il te donnera sans faute à son réveil,                       25
    Ta portion accoutumée.
    Il ne saurait tarder beaucoup.
    Sur ces entrefaites un Loup
Sort du bois, et s'en vient; autre bête affamée.
L'Ane appelle aussitôt le Chien à son secours.                   30
Le Chien ne bouge, et dit : Ami, je te conseille
De fuir, en attendant que ton maître s'éveille;
Il ne saurait tarder; détale vite, et cours.
Que si ce Loup t'atteint, casse-lui la mâchoire.
On t'a ferré de neuf; et si tu me veux croire,                   35
Tu l'étendras tout plat. Pendant ce beau discours
Seigneur Loup étrangla le Baudet sans remède.
    Je conclus qu'il faut qu'on s'entr'aide.

### FABLE XVIII

### LE BASSA ET LE MARCHAND

Un Marchand Grec en certaine contrée
Faisait trafic. Un Bassa l'appuyait ;
De quoi le Grec en Bassa le payait,
Non en Marchand : tant c'est chère denrée
Qu'un protecteur. Celui-ci coûtait tant,                              5
Que notre Grec s'allait partout plaignant.
Trois autres Turcs d'un rang moindre en puissance
Lui vont offrir leur support en commun.
Eux trois voulaient moins de reconnaissance
Qu'à ce Marchand il n'en coûtait pour un.                             10
Le Grec écoute : avec eux il s'engage ;
Et le Bassa du tout est averti :
Même on lui dit qu'il jouera s'il est sage,
A ces gens-là quelque méchant parti,
Les prévenant, les chargeant d'un message                             15
Pour Mahomet, droit en son paradis,
Et sans tarder : Sinon ces gens unis
Le préviendront, bien certain qu'à la ronde
Il a des gens tout prêts pour le venger.
Quelque poison l'envoira protéger                                     20
Les trafiquants qui sont en l'autre monde.
Sur cet avis le Turc se comporta
Comme Alexandre ; et plein de confiance
Chez le Marchand tout droit il s'en alla ;
Se mit à table : on vit tant d'assurance                              25
En ces discours et dans tout son maintien,
Qu'on ne crut point qu'il se doutât de rien.
Ami, dit-il, je sais que tu me quittes ;
Même l'on veut que j'en craigne les suites ;
Mais je te crois un trop homme de bien :                              30
Tu n'as point l'air d'un donneur de breuvage.
Je n'en dis pas là-dessus davantage.
Quant à ces gens qui pensent t'appuyer,
Écoute-moi. Sans tant de Dialogue,
Et de raisons qui pourraient t'ennuyer,                               35
Je ne te veux conter qu'un apologue.

Il était un Berger, son Chien, et son troupeau.
Quelqu'un lui demanda ce qu'il prétendait faire
    D'un Dogue de qui l'ordinaire
Était un pain entier. Il fallait bien et beau                    40
Donner cet animal au Seigneur du village.
    Lui Berger pour plus de ménage
    Aurait deux ou trois mâtineaux,
Qui lui dépensant moins veilleraient aux troupeaux
    Bien mieux que cette bête seule.                    45
Il mangeait plus que trois : mais on ne disait pas
    Qu'il avait aussi triple gueule
    Quand les Loups livraient des combats.
Le Berger s'en défait : il prend trois chiens de taille
A lui dépenser moins, mais à fuir la bataille.                   50
Le troupeau s'en sentit, et tu te sentiras
    Du choix de semblable canaille.
   Si tu fais bien, tu reviendras à moi.
   Le Grec le crut. Ceci montre aux Provinces
  Que, tout compté mieux vaut en bonne foi               55
  S'abandonner à quelque puissant Roi,
  Que s'appuyer de plusieurs petits princes.


## FABLE XIX

## L'AVANTAGE DE LA SCIENCE


    Entre deux Bourgeois d'une Ville
    S'émut jadis un différend.
    L'un était pauvre, mais habile,
    L'autre riche, mais ignorant.
    Celui-ci sur son concurrent                           5
    Voulait emporter l'avantage :
    Prétendait que tout homme sage
    Était tenu de l'honorer.
C'était tout homme sot; car pourquoi révérer
    Des biens dépourvus de mérite ?                       10
    La raison m'en semble petite.
    Mon ami, disait-il souvent
      Au savant,
    Vous vous croyez considérable;

Mais, dites-moi, tenez-vous table ?                          15
Que sert à vos pareils de lire incessamment ?
Ils sont toujours logés à la troisième chambre,
Vêtus au mois de Juin comme au mois de Décembre,
Ayant pour tout Laquais leur ombre seulement.
  La République a bien affaire                      20
  De gens qui ne dépensent rien :
  Je ne sais d'homme nécessaire
Que celui dont le luxe épand beaucoup de bien.
Nous en usons, Dieu sait : notre plaisir occupe
L'Artisan, le vendeur, celui qui fait la jupe,                25
Et celle qui la porte, et vous, qui dédiez
  A Messieurs les gens de Finance
  De méchants livres bien payés.
  Ces mots remplis d'impertinence
  Eurent le sort qu'ils méritaient.                  30
L'homme lettré se tut, il avait trop à dire.
La guerre le vengea bien mieux qu'une satire.
Mars détruisit le lieu que nos gens habitaient.
  L'un et l'autre quitta sa Ville.
  L'ignorant resta sans asile;                       35
  Il reçut partout des mépris :
L'autre reçut partout quelque faveur nouvelle :
  Cela décida leur querelle.
Laissez dire les sots; le savoir a son prix.


## FABLE XX

### JUPITER ET LES TONNERRES

  Jupiter voyant nos fautes,
  Dit un jour du haut des airs :
  Remplissons de nouveaux hôtes
  Les cantons de l'Univers
  Habités par cette race                              5
  Qui m'importune et me lasse.
  Va-t'en, Mercure, aux Enfers :
  Amène-moi la furie
  La plus cruelle des trois.
  Race que j'ai trop chérie,                          10

Tu périras cette fois.
Jupiter ne tarda guère
A modérer son transport.
O vous Rois qu'il voulut faire
Arbitres de notre sort,                         15
Laissez entre la colère
Et l'orage qui la suit
L'intervalle d'une nuit.
Le Dieu dont l'aile est légère,
Et la langue a des douceurs,                     20
Alla voir les noires Sœurs.
A Tisiphone et Mégère
Il préféra, ce dit-on,
L'impitoyable Alecton.
Ce choix la rendit si fière,                     25
Qu'elle jura par Pluton
Que toute l'engeance humaine
Serait bientôt du domaine
Des déités de là-bas.
Jupiter n'approuva pas                           30
Le serment de l'Euménide.
Il la renvoie, et pourtant
Il lance un foudre à l'instant
Sur certain peuple perfide.
Le tonnerre ayant pour guide                     35
Le père même de ceux
Qu'il menaçait de ses feux,
Se contenta de leur crainte;
Il n'embrasa que l'enceinte
D'un désert inhabité.                            40
Tout père frappe à côté.
Qu'arriva-t-il ? Notre engeance
Prit pied sur cette indulgence.
Tout l'Olympe s'en plaignit :
Et l'assembleur de nuages                        45
Jura le Styx, et promit
De former d'autres orages;
Ils seraient sûrs. On sourit :
On lui dit qu'il était père,
Et qu'il laissât pour le mieux                   50
A quelqu'un des autres Dieux
D'autres tonnerres à faire.
Vulcan entreprit l'affaire.
Ce Dieu remplit ses fourneaux
De deux sortes de carreaux.                       55

L'un jamais ne se fourvoie,
Et c'est celui que toujours
L'Olympe en corps nous envoie.
L'autre s'écarte en son cours;
Ce n'est qu'aux monts qu'il en coûte;        60
Bien souvent même il se perd,
Et ce dernier en sa route
Nous vient du seul Jupiter.


## FABLE XXI


### LE FAUCON ET LE CHAPON


Une traîtresse voix bien souvent vous appelle;
    Ne vous pressez donc nullement :
Ce n'était pas un sot, non, non, et croyez-m'en,
    Que le Chien de Jean de Nivelle.
Un citoyen du Mans, Chapon de son métier        5
    Était sommé de comparaître
    Par-devant les lares du maître,
Au pied d'un tribunal que nous nommons foyer.
Tous les gens lui criaient pour déguiser la chose,
Petit, petit, petit : mais, loin de s'y fier,        10
Le Normand et demi laissait les gens crier :
Serviteur, disait-il, votre appât est grossier;
    On ne m'y tient pas; et pour cause.
Cependant un Faucon sur sa perche voyait
    Notre Manceau qui s'enfuyait.        15
Les Chapons ont en nous fort peu de confiance,
    Soit instinct, soit expérience.
Celui-ci qui ne fut qu'avec peine attrapé,
Devait le lendemain être d'un grand soupé,
Fort à l'aise, en un plat, honneur dont la volaille        20
    Se serait passée aisément.
L'Oiseau chasseur lui dit : Ton peu d'entendement
Me rend tout étonné. Vous n'êtes que racaille,
Gens grossiers, sans esprit, à qui l'on n'apprend rien.
Pour moi, je sais chasser, et revenir au maître.        25
    Le vois-tu pas à la fenêtre ?
Il t'attend : es-tu sourd ? — Je n'entends que trop bien,

Repartit le Chapon; mais que me veut-il dire,
Et ce beau Cuisinier armé d'un grand couteau ?
    Reviendrais-tu pour cet appeau :          30
    Laisse-moi fuir, cesse de rire
De l'indocilité qui me fait envoler,
Lorsque d'un ton si doux on s'en vient m'appeler.
    Si tu voyais mettre à la broche
    Tous les jours autant de Faucons       35
    Que i'y vois mettre de Chapons,
Tu ne me ferais pas un semblable reproche.


## FABLE XXII

## LE CHAT ET LE RAT

Quatre animaux divers, le Chat grippe-fromage,
Triste-oiseau le Hibou, Ronge-maille le Rat,
    Dame Belette au long corsage,
    Toutes gens d'esprit scélérat,
Hantaient le tronc pourri d'un pin vieux et sauvage.   5
Tant y furent, qu'un soir à l'entour de ce pin
L'homme tendit ses rets. Le Chat de grand matin
    Sort pour aller chercher sa proie.
Les derniers traits de l'ombre empêchent qu'il ne voie
Le filet; il y tombe, en danger de mourir;   10
Et mon Chat de crier, et le Rat d'accourir,
L'un plein de désespoir, et l'autre plein de joie.
Il voyait dans les lacs son mortel ennemi.
    Le pauvre Chat dit : Cher ami,
    Les marques de ta bienveillance   15
    Sont communes en mon endroit :
Viens m'aider à sortir du piège où l'ignorance
    M'a fait tomber. C'est à bon droit
Que, seul entre les tiens par amour singulière
Je t'ai toujours choyé, t'aimant comme mes yeux.   20
Je n'en ai point regret, et j'en rends grâce aux Dieux.
    J'allais leur faire ma prière;
Comme tout dévot Chat en use les matins,
Ce réseau me retient : ma vie est en tes mains;
Viens dissoudre ces nœuds. — Et quelle récompense   25

En aurai-je ? reprit le Rat.
— Je jure éternelle alliance
Avec toi, repartit le Chat.
Dispose de ma griffe, et sois en assurance :
Envers et contre tous je te protégerai,                    30
Et la Belette mangerai
Avec l'époux de la Chouette.
Ils t'en veulent tous deux. Le Rat dit : Idiot!
Moi ton libérateur ? je ne suis pas si sot.
Puis il s'en va vers sa retraite.                          35
La Belette était près du trou.
Le Rat grimpe plus haut; il y voit le Hibou :
Dangers de toutes parts; le plus pressant l'emporte.
Ronge-maille retourne au Chat, et fait en sorte
Qu'il détache un chaînon, puis un autre, et puis tant      40
Qu'il dégage enfin l'hypocrite.
L'homme paraît en cet instant.
Les nouveaux alliés prennent tous deux la fuite.
A quelque temps de là, notre Chat vit de loin
Son Rat qui se tenait à l'erte et sur ses gardes.          45
Ah! mon frère, dit-il, viens m'embrasser; ton soin
Me fait injure; tu regardes
Comme ennemi ton allié.
Penses-tu que j'aie oublié
Qu'après Dieu je te dois la vie ?                          50
— Et moi, reprit le Rat, penses-tu que j'oublie
Ton naturel ? Aucun traité
Peut-il forcer un Chat à la reconnaissance ?
S'assure-t-on sur l'alliance
Qu'a faite la nécessité ?                                  55

## FABLE XXIII

## LE TORRENT ET LA RIVIÈRE

Avec grand bruit et grand fracas
Un Torrent tombait des montagnes :
Tout fuyait devant lui; l'horreur suivait ses pas;
Il faisait trembler les campagnes.
Nul voyageur n'osait passer                                 5

Une barrière si puissante :
Un seul vit des voleurs, et se sentant presser,
Il mit entre eux et lui cette onde menaçante.
Ce n'était que menace, et bruit, sans profondeur ;
    Notre homme enfin n'eut que la peur.                    10
    Ce succès lui donnant courage,
Et les mêmes voleurs le poursuivant toujours,
    Il rencontra sur son passage
    Une Rivière dont le cours
Image d'un sommeil doux, paisible et tranquille            15
Lui fit croire d'abord ce trajet fort facile.
Point de bords escarpés, un sable pur et net.
    Il entre, et son cheval le met
A couvert des voleurs, mais non de l'onde noire :
    Tous deux au Styx allèrent boire ;                      20
    Tous deux, à nager malheureux,
Allèrent traverser au séjour ténébreux,
    Bien d'autres fleuves que les nôtres.
    Les gens sans bruit sont dangereux :
    Il n'en est pas ainsi des autres.                       25


## FABLE XXIV

## L'ÉDUCATION

Laridon et César, frères dont l'origine
Venait de chiens fameux, beaux, bien faits et hardis,
A deux maîtres divers échus au temps jadis,
Hantaient, l'un les forêts, et l'autre la cuisine.
Ils avaient eu d'abord chacun un autre nom ;               5
    Mais la diverse nourriture
Fortifiant en l'un cette heureuse nature,
En l'autre l'altérant, un certain marmiton
    Nomma celui-ci Laridon :
Son frère, ayant couru mainte haute aventure,             10
Mis maint Cerf aux abois, maint Sanglier abattu,
Fut le premier César que la gent chienne ait eu.
On eut soin d'empêcher qu'une indigne maîtresse
Ne fît en ses enfants dégénérer son sang :
Laridon négligé témoignait sa tendresse                    15
    A l'objet le premier passant.

Il peupla tout de son engeance :
Tournebroches par lui rendus communs en France
Y font un corps à part, gens fuyants les hasards,
    Peuple antipode des Césars.    <sup>20</sup>
On ne suit pas toujours ses aïeux ni son père :
Le peu de soin, le temps, tout fait qu'on dégénère :
Faute de cultiver la nature et ses dons,
O combien de Césars deviendront Laridons !


## FABLE XXV

## LES DEUX CHIENS ET L'ANE MORT


    Les vertus devraient être sœurs,
    Ainsi que les vices sont frères :
Dès que l'un de ceux-ci s'empare de nos cœurs,
Tous viennent à la file, il ne s'en manque guères :
    J'entends de ceux qui n'étant pas contraires    <sup>5</sup>
    Peuvent loger sous même toit.
A l'égard des vertus, rarement on les voit
Toutes en un sujet éminemment placées
Se tenir par la main sans être dispersées.
L'un est vaillant, mais prompt ; l'autre est prudent, mais  <sup>10</sup>
Parmi les animaux le Chien se pique d'être    [froid.
    Soigneux et fidèle à son maître ;
    Mais il est sot, il est gourmand :
Témoin ces deux mâtins qui dans l'éloignement
Virent un Ane mort qui flottait sur les ondes.    <sup>15</sup>
Le vent de plus en plus l'éloignait de nos Chiens.
Ami, dit l'un, tes yeux sont meilleurs que les miens.
Porte un peu tes regards sur ces plaines profondes.
J'y crois voir quelque chose. Est-ce un Bœuf, un Cheval ?
    — Hé qu'importe quel animal ?    <sup>20</sup>
Dit l'un de ces mâtins ; voilà toujours curée.
Le point est de l'avoir ; car le trajet est grand ;
Et de plus il nous faut nager contre le vent.
Buvons toute cette eau ; notre gorge altérée
En viendra bien à bout : ce corps demeurera    <sup>25</sup>
    Bientôt à sec, et ce sera
    Provision pour la semaine.
Voilà mes Chiens à boire ; ils perdirent l'haleine,

Et puis la vie; ils firent tant
Qu'on les vit crever à l'instant.                                    30
L'homme est ainsi bâti : Quand un sujet l'enflamme
L'impossibilité disparaît à son âme.
Combien fait-il de vœux, combien perd-il de pas ?
S'outrant pour acquérir des biens ou de la gloire ?
Si j'arrondissais mes états!                                         35
Si je pouvais remplir mes coffres de ducats!
Si j'apprenais l'hébreu, les sciences, l'histoire!
Tout cela, c'est la mer à boire;
Mais rien à l'homme ne suffit :
Pour fournir aux projets que forme un seul esprit          40
Il faudrait quatre corps; encor loin d'y suffire
A mi-chemin je crois que tous demeureraient :
Quatre Mathusalems bout à bout ne pourraient
Mettre à fin ce qu'un seul désire.


## FABLE XXVI

### DÉMOCRITE ET LES ABDÉRITAINS

Que j'ai toujours haï les pensers du vulgaire!
Qu'il me semble profane, injuste, et téméraire;
Mettant de faux milieux entre la chose et lui,
Et mesurant par soi ce qu'il voit en autrui!
Le maître d'Épicure en fit l'apprentissage.                        5
Son pays le crut fou : Petits esprits! mais quoi ?
Aucun n'est prophète chez soi.
Ces gens étaient les fous, Démocrite le sage.
L'erreur alla si loin qu'Abdère députa
Vers Hippocrate, et l'invita,                                      10
Par lettres et par ambassade,
A venir rétablir la raison du malade.
Notre concitoyen, disaient-ils en pleurant,
Perd l'esprit : la lecture a gâté Démocrite.
Nous l'estimerions plus s'il était ignorant.                      15
Aucun nombre, dit-il, les mondes ne limite :
Peut-être même ils sont remplis
De Démocrites infinis.
Non content de ce songe il y joint les atomes,
Enfants d'un cerveau creux, invisibles fantômes;                  20

Et, mesurant les cieux sans bouger d'ici-bas,
Il connaît l'univers et ne se connaît pas.
Un temps fut qu'il savait accorder les débats;
    Maintenant il parle à lui-même.
Venez, divin mortel; sa folie est extrême.        25
Hippocrate n'eut pas trop de foi pour ces gens :
Cependant il partit : Et voyez, je vous prie,
    Quelles rencontres dans la vie
Le sort cause; Hippocrate arriva dans le temps
Que celui qu'on disait n'avoir raison ni sens      30
    Cherchait dans l'homme et dans la bête
Quel siège a la raison, soit le cœur, soit la tête.
Sous un ombrage épais, assis près d'un ruisseau,
    Les labyrinthes d'un cerveau
L'occupaient. Il avait à ses pieds maint volume,    35
Et ne vit presque pas son ami s'avancer,
    Attaché selon sa coutume.
Leur compliment fut court, ainsi qu'on peut penser.
Le sage est ménager du temps et des paroles.
Ayant donc mis à part les entretiens frivoles,    40
Et beaucoup raisonné sur l'homme et sur l'esprit,
    Ils tombèrent sur la morale.
    Il n'est pas besoin que j'étale
    Tout ce que l'un et l'autre dit.
    Le récit précédent suffit    45
Pour montrer que le peuple est juge récusable.
    En quel sens est donc véritable
    Ce que j'ai lu dans certain lieu,
    Que sa voix est la voix de Dieu ?

## FABLE XXVII

### LE LOUP ET LE CHASSEUR

Fureur d'accumuler, monstre de qui les yeux
Regardent comme un point tous les bienfaits des Dieux,
Te combattrai-je en vain sans cesse en cet ouvrage ?
Quel temps demandes-tu pour suivre mes leçons ?
L'homme, sourd à ma voix comme à celle du sage,    5
Ne dira-t-il jamais : C'est assez, jouissons ?
— Hâte-toi, mon ami, tu n'as pas tant à vivre.

Je te rebats ce mot, car il vaut tout un livre :
Jouis. — Je le ferai. — Mais quand donc ? — Dès demain.
— Eh! mon ami, la mort te peut prendre en chemin.      10
Jouis dès aujourd'hui : redoute un sort semblable
A celui du Chasseur et du Loup de ma fable.
Le premier de son arc avait mis bas un daim.
Un Faon de Biche passe, et le voilà soudain
Compagnon du défunt; tous deux gisent sur l'herbe.      15
La proie était honnête; un Daim avec un Faon,
Tout modeste Chasseur en eût été content :
Cependant un Sanglier, monstre énorme et superbe,
Tente encor notre archer, friand de tels morceaux.
Autre habitant du Styx : la Parque et ses ciseaux      20
Avec peine y mordaient; la Déesse infernale
Reprit à plusieurs fois l'heure au monstre fatale.
De la force du coup pourtant il s'abattit.
C'était assez de biens; mais quoi ? rien ne remplit
Les vastes appétits d'un faiseur de conquêtes.      25
Dans le temps que le Porc revient à soi, l'archer
Voit le long d'un sillon une perdrix marcher,
         Surcroît chétif aux autres têtes.
De son arc toutefois il bande les ressorts.
Le sanglier, rappelant les restes de sa vie,      30
Vient à lui, le décout, meurt vengé sur son corps;
         Et la perdrix le remercie.
Cette part du récit s'adresse au convoiteux :
L'avare aura pour lui le reste de l'exemple.
Un Loup vit, en passant, ce spectacle piteux :      35
O fortune, dit-il, je te promets un temple.
Quatre corps étendus! que de biens! mais pourtant
Il faut les ménager, ces rencontres sont rares.
         (Ainsi s'excusent les avares.)
J'en aurai, dit le Loup, pour un mois, pour autant.      40
Un, deux, trois, quatre corps, ce sont quatre semaines,
         Si je sais compter, toutes pleines.
Commençons dans deux jours; et mangeons cependant
La corde de cet arc; il faut que l'on l'ait faite
De vrai boyau; l'odeur me le témoigne assez.      45
         En disant ces mots, il se jette
Sur l'arc qui se détend, et fait de la sagette
Un nouveau mort, mon Loup a les boyaux percés.
Je reviens à mon texte. Il faut que l'on jouisse;
Témoin ces deux gloutons punis d'un sort commun;      50
         La convoitise perdit l'un;
         L'autre périt par l'avarice.

# LIVRE NEUVIÈME

## *FABLE I*

### LE DÉPOSITAIRE INFIDÈLE

Grâce aux Filles de Mémoire,
J'ai chanté des animaux;
Peut-être d'autres Héros
M'auraient acquis moins de gloire.
Le Loup en langue des Dieux          5
Parle au Chien dans mes ouvrages;
Les Bêtes à qui mieux mieux
Y font divers personnages,
Les uns fous, les autres sages,
De telle sorte pourtant                10
Que les fous vont l'emportant;
La mesure en est plus pleine.
Je mets aussi sur la Scène
Des Trompeurs, des Scélérats,
Des Tyrans et des Ingrats,            15
Mainte imprudence pécore,
Force Sots, force Flatteurs;
Je pourrais y joindre encore
Des légions de menteurs :
Tout homme ment, dit le Sage.         20
S'il n'y mettait seulement
Que les gens du bas étage,
On pourrait aucunement
Souffrir ce défaut aux hommes;
Mais que tous tant que nous sommes    25
Nous mentions, grand et petit,

Si quelque autre l'avait dit,
Je soutiendrais le contraire;
Et même qui mentirait
Comme Ésope et comme Homère,                    30
Un vrai menteur ne serait.
Le doux charme de maint songe
Par leur bel art inventé,
Sous les habits du mensonge
Nous offre la vérité.                            35
L'un et l'autre a fait un livre
Que je tiens digne de vivre
Sans fin, et plus, s'il se peut :
Comme eux ne ment pas qui veut.
Mais mentir comme sut faire                      40
Un certain Dépositaire,
Payé par son propre mot,
Est d'un méchant et d'un sot.
Voici le fait. Un trafiquant de Perse,
Chez son voisin, s'en allant en commerce,        45
Mit en dépôt un cent de fer un jour.
Mon fer, dit-il, quand il fut de retour.
— Votre fer ? Il n'est plus. J'ai regret de vous dire
    Qu'un Rat l'a mangé tout entier.
J'en ai grondé mes gens : mais qu'y faire ? un Grenier   50
A toujours quelque trou. Le trafiquant admire
Un tel prodige, et feint de le croire pourtant.
Au bout de quelques jours, il détourne l'enfant
Du perfide voisin; puis à souper convie
Le père qui s'excuse, et lui dit en pleurant :   55
    Dispensez-moi, je vous supplie :
    Tous plaisirs pour moi sont perdus.
    J'aimais un fils plus que ma vie;
Je n'ai que lui; que dis-je ? hélas! je ne l'ai plus.
On me l'a dérobé. Plaignez mon infortune.        60
Le Marchand repartit : Hier au soir sur la brune
Un chat-huant s'en vint votre fils enlever.
Vers un vieux bâtiment je le lui vis porter.
Le père dit : Comment voulez-vous que je croie
Qu'un hibou pût jamais emporter cette proie ?    65
Mon fils en un besoin eût pris le Chat-huant.
— Je ne vous dirai point, reprit l'autre, comment;
Mais enfin je l'ai vu, vu de mes yeux, vous dis-je,
    Et ne vois rien qui vous oblige
D'en douter un moment après ce que je dis.       70
    Faut-il que vous trouviez étrange

Que les Chats-huants d'un pays
Où le quintal de fer par un seul Rat se mange,
Enlèvent un garçon pesant un demi-cent ?
L'autre vit où tendait cette feinte aventure :                      75
    Il rendit le fer au Marchand,
    Qui lui rendit sa géniture.
Même dispute avint entre deux voyageurs.
        L'un d'eux était de ces conteurs
Qui n'ont jamais rien vu qu'avec un microscope.                     80
Tout est Géant chez eux. Écoutez-les, l'Europe,
Comme l'Afrique aura des monstres à foison.
Celui-ci se croyait l'hyperbole permise.
J'ai vu, dit-il, un chou plus grand qu'une maison.
— Et moi, dit l'autre, un pot aussi grand qu'une Église.            85
Le premier se moquant, l'autre reprit : Tout doux;
        On le fit pour cuire vos choux.
L'homme au pot fut plaisant; l'homme au fer fut habile.
Quand l'absurde est outré, l'on lui fait trop d'honneur
De vouloir par raison combattre son erreur;                         90
Enchérir est plus court, sans s'échauffer la bile.


## FABLE II

### LES DEUX PIGEONS

Deux Pigeons s'aimaient d'amour tendre.
L'un d'eux s'ennuyant au logis
Fut assez fou pour entreprendre
Un voyage en lointain pays.
L'autre lui dit : Qu'allez-vous faire ?                              5
Voulez-vous quitter votre frère ?
L'absence est le plus grand des maux :
Non pas pour vous, cruel. Au moins, que les travaux,
    Les dangers, les soins du voyage,
    Changent un peu votre courage.                                  10
Encor si la saison s'avançait davantage !
Attendez les zéphyrs. Qui vous presse ? Un corbeau
Tout à l'heure annonçait malheur à quelque oiseau.
Je ne songerai plus que rencontre funeste,
Que Faucons, que réseaux. Hélas, dirai-je, il pleut :              15

Mon frère a-t-il tout ce qu'il veut,
Bon soupé, bon gîte, et le reste ?
Ce discours ébranla le cœur
De notre imprudent voyageur ;
Mais le désir de voir et l'humeur inquiète          20
L'emportèrent enfin. Il dit : Ne pleurez point :
Trois jours au plus rendront mon âme satisfaite ;
Je reviendrai dans peu conter de point en point
    Mes aventures à mon frère.
Je le désennuierai : quiconque ne voit guère       25
N'a guère à dire aussi. Mon voyage dépeint
    Vous sera d'un plaisir extrême.
Je dirai : J'étais là ; telle chose m'avint ;
    Vous y croirez être vous-même.
A ces mots en pleurant ils se dirent adieu.        30
Le voyageur s'éloigne ; et voilà qu'un nuage
L'oblige de chercher retraite en quelque lieu.
Un seul arbre s'offrit, tel encor que l'orage
Maltraita le Pigeon en dépit du feuillage.
L'air devenu serein, il part tout morfondu,        35
Sèche du mieux qu'il peut son corps chargé de pluie,
Dans un champ à l'écart voit du blé répandu,
Voit un pigeon auprès ; cela lui donne envie :
Il y vole, il est pris : ce blé couvrait d'un las,
    Les menteurs et traîtres appas.                 40
Le las était usé ! si bien que de son aile,
De ses pieds, de son bec, l'oiseau le rompt enfin.
Quelque plume y périt ; et le pis du destin
Fut qu'un certain Vautour à la serre cruelle
Vit notre malheureux, qui, traînant la ficelle     45
Et les morceaux du las qui l'avait attrapé,
    Semblait un forçat échappé.
Le vautour s'en allait le lier, quand des nues
Fond à son tour un Aigle aux ailes étendues.
Le Pigeon profita du conflit des voleurs,          50
S'envola, s'abattit auprès d'une masure,
    Crut, pour ce coup, que ses malheurs
    Finiraient par cette aventure ;
Mais un fripon d'enfant, cet âge est sans pitié,
Prit sa fronde et, du coup, tua plus d'à moitié    55
    La volatile malheureuse,
  Qui, maudissant sa curiosité,
    Traînant l'aile et tirant le pié,
    Demi-morte et demi-boiteuse,
    Droit au logis s'en retourna.                   60

Que bien, que mal, elle arriva
　　　Sans autre aventure fâcheuse.
Voilà nos gens rejoints; et je laisse à juger
De combien de plaisirs ils payèrent leurs peines.
Amants, heureux amants, voulez-vous voyager ?　　65
　　　Que ce soit aux rives prochaines;
Soyez-vous l'un à l'autre un monde toujours beau,
　　　Toujours divers, toujours nouveau;
Tenez-vous lieu de tout, comptez pour rien le reste;
J'ai quelquefois aimé! je n'aurais pas alors　　70
　　　Contre le Louvre et ses trésors,
Contre le firmament et sa voûte céleste,
　　　Changé les bois, changé les lieux
Honorés par les pas, éclairés par les yeux
　　　De l'aimable et jeune Bergère　　75
　　　Pour qui, sous le fils de Cythère,
Je servis, engagé par mes premiers serments.
Hélas! quand reviendront de semblables moments ?
Faut-il que tant d'objets si doux et si charmants
Me laissent vivre au gré de mon âme inquiète ?　　80
Ah! si mon cœur osait encor se renflammer!
Ne sentirai-je plus de charme qui m'arrête ?
　　　Ai-je passé le temps d'aimer ?


## FABLE III

## LE SINGE ET LE LÉOPARD

　　　Le Singe avec le Léopard
　　　Gagnaient de l'argent à la foire :
　　　Ils affichaient chacun à part.
L'un d'eux disait : Messieurs, mon mérite et ma gloire
Sont connus en bon lieu; le Roi m'a voulu voir;　　5
　　　Et, si je meurs, il veut avoir
Un manchon de ma peau; tant elle est bigarrée,
　　　Pleine de taches, marquetée,
　　　Et vergetée, et mouchetée.
La bigarrure plaît; partant chacun le vit.　　10
Mais ce fut bientôt fait, bientôt chacun sortit.
Le Singe de sa part disait : Venez de grâce,

Venez, Messieurs. Je fais cent tours de passe-passe.
Cette diversité dont on vous parle tant,
Mon voisin Léopard l'a sur soi seulement;                           15
Moi, je l'ai dans l'esprit : votre serviteur Gille,
    Cousin et gendre de Bertrand,
    Singe du Pape en son vivant,
    Tout fraîchement en cette ville
Arrive en trois bateaux exprès pour vous parler;                     20
Car il parle, on l'entend; il sait danser, baller,
    Faire des tours de toute sorte,
Passer en des cerceaux; et le tout pour six blancs!
Non, Messieurs, pour un sou; si vous n'êtes contents,
Nous rendrons à chacun son argent à la porte.                        25
Le Singe avait raison : ce n'est pas sur l'habit
Que la diversité me plaît, c'est dans l'esprit :
L'une fournit toujours des choses agréables;
L'autre en moins d'un moment lasse les regardants.
Oh! que de grands seigneurs, au Léopard semblables,                  30
    N'ont que l'habit pour tous talents!


## FABLE IV


## LE GLAND ET LA CITROUILLE


Dieu fait bien ce qu'il fait. Sans en chercher la preuve
En tout cet Univers, et l'aller parcourant,
    Dans les Citrouilles je la treuve.
    Un villageois considérant,
Combien ce fruit est gros et sa tige menue :                          5
A quoi songeait-il, dit-il, l'Auteur de tout cela ?
Il a bien mal placé cette Citrouille-là !
    Hé parbleu! Je l'aurais pendue
    A l'un des chênes que voilà.
    C'eût été justement l'affaire;                             10
    Tel fruit, tel arbre, pour bien faire.
C'est dommage, Garo, que tu n'es point entré
Au conseil de celui que prêche ton Curé :
Tout en eût été mieux; car pourquoi, par exemple,
Le Gland, qui n'est pas gros comme mon petit doigt,                   15
    Ne pend-il pas en cet endroit ?

    Dieu s'est mépris : plus je contemple
Ces fruits ainsi placés, plus il semble à Garo
    Que l'on a fait un quiproquo.
Cette réflexion embarrassant notre homme :          20
On ne dort point, dit-il, quand on a tant d'esprit.
Sous un chêne aussitôt il va prendre son somme.
Un gland tombe : le nez du dormeur en pâtit.
Il s'éveille; et portant la main sur son visage,
Il trouve encor le Gland pris au poil du menton.     25
Son nez meurtri le force à changer de langage;
Oh, oh, dit-il, je saigne! et que serait-ce donc
S'il fût tombé de l'arbre une masse plus lourde,
    Et que ce Gland eût été gourde ?
Dieu ne l'a pas voulu : sans doute il eut raison;   30
    J'en vois bien à présent la cause.
    En louant Dieu de toute chose,
    Garo retourne à la maison.

## FABLE V

### L'ÉCOLIER,
### LE PÉDANT, ET LE MAITRE
### D'UN JARDIN

Certain enfant qui sentait son Collège,
Doublement sot et doublement fripon
Par le jeune âge, et par le privilège
Qu'ont les Pédants de gâter la raison,
Chez un voisin dérobait, ce dit-on,          5
Et fleurs et fruits. Ce voisin, en Automne,
Des plus beaux dons que nous offre Pomone
Avait la fleur, les autres le rebut.
Chaque saison apportait son tribut :
Car au Printemps il jouissait encore         10
Des plus beaux dons que nous présente Flore.
Un jour dans son jardin il vit notre Écolier
Qui grimpant sans égard sur un arbre fruitier,
Gâtait jusqu'aux boutons, douce et frêle espérance,
Avant-coureurs des biens que promet l'abondance.   15
Même il ébranchait l'arbre, et fit tant à la fin

Que le possesseur du jardin
Envoya faire plainte au maître de la Classe.
Celui-ci vint suivi d'un cortège d'enfants.
    Voilà le verger plein de gens                          20
Pires que le premier. Le Pédant, de sa grâce,
    Accrut le mal en amenant
    Cette jeunesse mal instruite :
Le tout, à ce qu'il dit, pour faire un châtiment
Qui pût servir d'exemple, et dont toute sa suite          25
Se souvînt à jamais comme d'une leçon.
Là-dessus il cita Virgile et Cicéron,
    Avec force traits de science.
Son discours dura tant que la maudite engeance
Eut le temps de gâter en cent lieux le jardin.            30
    Je hais les pièces d'éloquence
Hors de leur place, et qui n'ont point de fin,
    Et ne sais bête au monde pire
    Que l'Écolier, si ce n'est le Pédant.
Le meilleur de ces deux pour voisin, à vrai dire,         35
    Ne me plairait aucunement.


## FABLE VI

### LE STATUAIRE
### ET LA STATUE DE JUPITER

    Un bloc de marbre était si beau
    Qu'un Statuaire en fit l'emplette.
    Qu'en fera, dit-il, mon ciseau ?
    Sera-t-il Dieu, table ou cuvette ?

    Il sera Dieu : même je veux                          5
    Qu'il ait en sa main un tonnerre.
    Tremblez, humains. Faites des vœux;
    Voilà le maître de la terre.

    L'artisan exprima si bien
    Le caractère de l'Idole,                             10
    Qu'on trouva qu'il ne manquait rien
    A Jupiter que la parole.

Même l'on dit que l'ouvrier
Eut à peine achevé l'image,
Qu'on le vit frémir le premier,          15
Et redouter son propre ouvrage.

A la faiblesse du sculpteur
Le Poète autrefois n'en dut guère,
Des dieux dont il fut l'inventeur
Craignant la haine et la colère.          20

Il était enfant en ceci :
Les enfants n'ont l'âme occupée
Que du continuel souci
Qu'on ne fâche point leur poupée.

Le cœur suit aisément l'esprit :          25
De cette source est descendue
L'erreur païenne, qui se vit
Chez tant de peuples répandue.

Ils embrassaient violemment
Les intérêts de leur chimère.          30
Pygmalion devint amant
De la Vénus dont il fut père.

Chacun tourne en réalités,
Autant qu'il peut, ses propres songes :
L'homme est de glace aux vérités;          35
Il est de feu pour les mensonges.

## FABLE VII

## LA SOURIS MÉTAMORPHOSÉE EN FILLE

Une Souris tomba du bec d'un Chat-Huant :
    Je ne l'eusse pas ramassée;
Mais un Bramin le fit; je le crois aisément :
    Chaque pays a sa pensée.
    La Souris était fort froissée :          5
    De cette sorte de prochain

Nous nous soucions peu : mais le peuple bramin
    Le traite en frère ; ils ont en tête
    Que notre âme au sortir d'un Roi,
Entre dans un ciron, ou dans telle autre bête         10
Qu'il plaît au Sort. C'est là l'un des points de leur loi.
Pythagore chez eux a puisé ce mystère.
Sur un tel fondement le Bramin crut bien faire
De prier un Sorcier qu'il logeât la Souris
Dans un corps qu'elle eût eu pour hôte au temps jadis.     15
    Le sorcier en fit une fille
De l'âge de quinze ans, et telle, et si gentille,
Que le fils de Priam pour elle aurait tenté
Plus encor qu'il ne fit pour la grecque beauté.
Le Bramin fut surpris de chose si nouvelle.       20
    Il dit à cet objet si doux :
Vous n'avez qu'à choisir ; car chacun est jaloux
    De l'honneur d'être votre époux.
    — En ce cas je donne, dit-elle,
    Ma voix au plus puissant de tous.     25
— Soleil, s'écria lors le Bramin à genoux,
    C'est toi qui seras notre gendre.
    — Non, dit-il, ce nuage épais
Est plus puissant que moi, puisqu'il cache mes traits ;
    Je vous conseille de le prendre.     30
— Et bien, dit le Bramin au nuage volant,
Es-tu né pour ma fille ? — Hélas non ; car le vent
Me chasse à son plaisir de contrée en contrée ;
Je n'entreprendrai point sur les droits de Borée.
    Le Bramin fâché s'écria :     35
    O vent donc, puisque vent y a,
    Viens dans les bras de notre belle.
Il accourait : un mont en chemin l'arrêta.
    L'éteuf passant à celui-là,
Il le renvoie, et dit : J'aurais une querelle     40
    Avec le Rat ; et l'offenser
Ce serait être fou, lui qui peut me percer.
    Au mot de Rat, la Damoiselle
    Ouvrit l'oreille ; il fut l'époux.
    Un Rat ! un Rat ; c'est de ces coups     45
    Qu'Amour fait, témoin telle et telle :
    Mais ceci soit dit entre nous.
On tient toujours du lieu dont on vient. Cette Fable
Prouve assez bien ce point : mais à la voir de près,
Quelque peu de sophisme entre parmi ses traits :     50
Car quel époux n'est point au Soleil préférable

En s'y prenant ainsi ? Dirai-je qu'un géant
Est moins fort qu'une puce ? elle le mord pourtant.
Le Rat devait aussi renvoyer, pour bien faire,
  La belle au chat, le chat au chien,    55
  Le chien au loup. Par le moyen
  De cet argument circulaire,
Pilpay jusqu'au Soleil eût enfin remonté;
Le Soleil eût joui de la jeune beauté.
Revenons, s'il se peut, à la métempsycose :   60
Le sorcier du Bramin fit sans doute une chose
Qui, loin de la prouver, fait voir sa fausseté.
Je prends droit là-dessus contre le Bramin même :
  Car il faut, selon son système,
Que l'homme, la souris, le ver, enfin chacun   65
Aille puiser son âme en un trésor commun :
  Toutes sont donc de même trempe;
  Mais agissant diversement
  Selon l'organe seulement
  L'une s'élève, et l'autre rampe.    70
D'où vient donc que ce corps si bien organisé
  Ne put obliger son hôtesse
De s'unir au Soleil, un Rat eut sa tendresse ?
  Tout débattu, tout bien pesé,
Les âmes des souris et les âmes des belles   75
  Sont très différentes entre elles.
Il en faut revenir toujours à son destin,
C'est-à-dire, à la loi par le Ciel établie.
  Parlez au diable, employez la magie,
Vous ne détournerez nul être de sa fin.    80

### FABLE VIII

## LE FOU QUI VEND LA SAGESSE

Jamais auprès des fous ne te mets à portée.
Je ne te puis donner un plus sage conseil.
  Il n'est enseignement pareil
A celui-là de fuir une tête éventée.
  On en voit souvent dans les cours.    5
Le Prince y prend plaisir; car ils donnent toujours

Quelque trait aux fripons, aux sots, aux ridicules.
Un Fol allait criant par tous les carrefours
Qu'il vendait la Sagesse; et les mortels crédules
De courir à l'achat : chacun fut diligent.                        10
     On essuyait force grimaces;
     Puis on avait pour son argent,
Avec un bon soufflet un fil long de deux brasses.
La plupart s'en fâchaient; mais que leur servait-il ?
C'étaient les plus moqués; le mieux était de rire,                15
     Ou de s'en aller, sans rien dire,
     Avec son soufflet et son fil.
     De chercher du sens à la chose,
On se fût fait siffler ainsi qu'un ignorant.
     La raison est-elle garant                                  20
De ce que fait un fou ? Le hasard est la cause
De tout ce qui se passe en un cerveau blessé.
Du fil et du soufflet pourtant embarrassé,
Un des dupes un jour alla trouver un sage,
     Qui, sans hésiter davantage,                              25
Lui dit : Ce sont ici hiéroglyphes tout purs.
Les gens bien conseillés, et qui voudront bien faire,
Entre eux et les gens fous mettront pour l'ordinaire
La longueur de ce fil; sinon je les tiens sûrs
     De quelque semblable caresse.                             30
Vous n'êtes point trompé : ce fou vend la sagesse.


## FABLE IX

## L'HUITRE ET LES PLAIDEURS


Un jour deux Pèlerins sur le sable rencontrent
Une Huître que le flot y venait d'apporter :
Ils l'avalent des yeux, du doigt ils se la montrent;
A l'égard de la dent il fallut contester.
L'un se baissait déjà pour amasser la proie;                       5
L'autre le pousse, et dit : Il est bon de savoir
     Qui de nous en aura la joie.
Celui qui le premier a pu l'apercevoir
En sera le gobeur; l'autre le verra faire.
     — Si par là on juge l'affaire,                            10

Reprit son compagnon, j'ai l'œil bon, Dieu merci.
    — Je ne l'ai pas mauvais aussi,
Dit l'autre, et je l'ai vue avant vous, sur ma vie.
— Eh bien! vous l'avez vue, et moi je l'ai sentie.
    Pendant tout ce bel incident,                        15
Perrin Dandin arrive : ils le prennent pour juge.
Perrin fort gravement ouvre l'Huître, et la gruge,
    Nos deux Messieurs le regardant.
Ce repas fait, il dit d'un ton de Président :
Tenez, la cour vous donne à chacun une écaille           20
Sans dépens, et qu'en paix chacun chez soi s'en aille.
Mettez qu'il en coûte à plaider aujourd'hui;
Comptez ce qu'il en reste à beaucoup de familles;
Vous verrez que Perrin tire l'argent à lui,
Et ne laisse aux plaideurs que le sac et les quilles.    25


## FABLE X

### LE LOUP ET LE CHIEN MAIGRE


    Autrefois Carpillon fretin
    Eut beau prêcher, il eut beau dire;
    On le mit dans la poêle à frire.
Je fis voir que lâcher ce qu'on a dans la main,
    Sous espoir de grosse aventure,                   5
    Est imprudence toute pure.
Le Pêcheur eut raison; Carpillon n'eut pas tort.
Chacun dit ce qu'il peut pour défendre sa vie.
    Maintenant il faut que j'appuie
Ce que j'avançai lors de quelque trait encor.           10
Certain Loup, aussi sot que le pêcheur fut sage,
    Trouvant un Chien hors du village,
S'en allait l'emporter; le Chien représenta
Sa maigreur : Jà ne plaise à votre seigneurie
    De me prendre en cet état-là;                    15
    Attendez, mon maître marie
    Sa fille unique. Et vous jugez
Qu'étant de noce, il faut, malgré moi que j'engraisse.
    Le Loup le croit, le Loup le laisse.
    Le Loup, quelques jours écoulés,                 20

Revient voir si son Chien n'est point meilleur à prendre.
    Mais le drôle était au logis.
    Il dit au Loup par un treillis :
Ami, je vais sortir. Et, si tu veux attendre,
    Le portier du logis et moi                                   25
    Nous serons tout à l'heure à toi.
Ce portier du logis était un Chien énorme,
    Expédiant les Loups en forme.
Celui-ci s'en douta. Serviteur au portier,
Dit-il; et de courir. Il était fort agile;                               30
    Mais il n'était pas fort habile :
Ce Loup ne savait pas encor bien son métier.


## FABLE XI

### RIEN DE TROP


    Je ne vois point de créature
    Se comporter modérément.
    Il est certain tempérament
    Que le maître de la nature
Veut que l'on garde en tout. Le fait-on ? Nullement.          5
Soit en bien, soit en mal, cela n'arrive guère.
Le blé, riche présent de la blonde Cérès
Trop touffu bien souvent épuise les guérets;
En superfluités s'épandant d'ordinaire,
    Et poussant trop abondamment,                            10
    Il ôte à son fruit l'aliment.
L'arbre n'en fait pas moins; tant le luxe sait plaire!
Pour corriger le blé, Dieu permit aux moutons
De retrancher l'excès des prodigues moissons.
    Tout au travers ils se jetèrent,                          15
    Gâtèrent tout, et tout broutèrent,
    Tant que le Ciel permit aux Loups
D'en croquer quelques-uns : ils les croquèrent tous;
S'ils ne le firent pas, du moins ils y tâchèrent.
    Puis le Ciel permit aux humains                           20
De punir ces derniers : les humains abusèrent
    A leur tour des ordres divins.
De tous les animaux l'homme a le plus de pente

        A se porter dedans l'excès.
        Il faudrait faire le procès                          25
Aux petits comme aux grands. Il n'est âme vivante
Qui ne pèche en ceci. Rien de trop est un point
Dont on parle sans cesse, et qu'on n'observe point.


## FABLE XII

## LE CIERGE


C'est du séjour des Dieux que les Abeilles viennent.
Les premières, dit-on, s'en allèrent loger
        Au mont Hymette *, et se gorger
Des trésors qu'en ce lieu les zéphirs entretiennent.
Quand on eut des palais de ces filles du Ciel              5
Enlevé l'ambroisie en leurs chambres enclose,
        Ou, pour dire en Français la chose,
        Après que les ruches sans miel
N'eurent plus que la Cire, on fit mainte bougie;
        Maint Cierge aussi fut façonné.                    10
Un d'eux voyant la terre en brique au feu durcie
Vaincre l'effort des ans, il eut la même envie;
Et, nouvel Empédocle ** aux flammes condamné,
        Par sa propre et pure folie,
Il se lança dedans. Ce fut mal raisonné;                   15
Ce Cierge ne savait grain de Philosophie.
Tout en tout est divers : ôtez-vous de l'esprit
Qu'aucun être ait été composé sur le vôtre.
L'Empédocle de Cire au brasier se fondit :
        Il n'était pas plus fou que l'autre.               20


    * « Hymette étoit une montagne célébrée par les poètes, située
dans l'Attique, et où les Grecs recueilloient d'excellent miel. » *(Note
de La Fontaine.)*
    ** « Empédocle étoit un philosophe ancien, qui ne pouvant com-
prendre les merveilles du mont Etna, se jeta dedans par une vanité
ridicule, et, trouvant l'action belle, de peur d'en perdre le fruit, et que
la postérité ne l'ignorât, laissa ses pantoufles au pied du mont. »
*(Note de La Fontaine.)*

## FABLE XIII

## JUPITER ET LE PASSAGER

O combien le péril enrichirait les Dieux,
Si nous nous souvenions des vœux qu'il nous fait faire!
Mais, le péril passé, l'on ne se souvient guère
    De ce qu'on a promis aux Cieux :
On compte seulement ce qu'on doit à la terre.                          5
Jupiter, dit l'impie, est un bon créancier :
    Il ne se sert jamais d'Huissier.
    — Eh! qu'est-ce donc que le tonnerre ?
Comment appelez-vous ces avertissements ?
    Un Passager, pendant l'orage,                                10
Avait voué cent bœufs au vainqueur des Titans.
Il n'en avait pas un : vouer cent Éléphants
    N'aurait pas coûté davantage.
Il brûla quelques os quand il fut au rivage.
Au nez de Jupiter la fumée en monta.                                    15
Sire Jupin, dit-il, prends mon vœu; le voilà :
C'est un parfum de Bœuf que ta grandeur respire.
La fumée est ta part : je ne te dois plus rien.
    Jupiter fit semblant de rire;
Mais après quelques jours le Dieu l'attrapa bien,                       20
    Envoyant un songe lui dire
Qu'un tel trésor était en tel lieu. L'homme au vœu
    Courut au trésor comme au feu :
Il trouva des voleurs, et n'ayant dans sa bourse
    Qu'un écu pour toute ressource,                              25
    Il leur promit cent talents d'or,
    Bien comptés, et d'un tel trésor :
On l'avait enterré dedans telle Bourgade.
L'endroit parut suspect aux voleurs, de façon
Qu'à notre prometteur l'un dit : Mon camarade,                          30
Tu te moques de nous, meurs, et va chez Pluton
    Porter tes cent talents en don.

## FABLE XIV

## LE CHAT ET LE RENARD

Le Chat et le Renard, comme beaux petits saints,
    S'en allaient en pèlerinage.
C'étaient deux vrais Tartufs, deux archipatelins,
Deux francs Patte-pelus qui, des frais du voyage,
Croquant mainte volaille, escroquant maint fromage,      5
    S'indemnisaient à qui mieux mieux.
Le chemin était long, et partant ennuyeux,
    Pour l'accourcir ils disputèrent.
    La dispute est d'un grand secours;
    Sans elle on dormirait toujours.                     10
    Nos pèlerins s'égosillèrent.
Ayant bien disputé, l'on parla du prochain.
    Le Renard au Chat dit enfin :
    Tu prétends être fort habile :
En sais-tu tant que moi ? J'ai cent ruses au sac.        15
— Non, dit l'autre : je n'ai qu'un tour dans mon bissac,
    Mais je soutiens qu'il en vaut mille.
Eux de recommencer la dispute à l'envi,
Sur le que si, que non, tous deux étant ainsi,
    Une meute apaisa la noise.                           20
Le Chat dit au Renard : Fouille en ton sac, ami :
    Cherche en ta cervelle matoise
Un stratagème sûr. Pour moi, voici le mien.
A ces mots sur un arbre il grimpa bel et bien.
    L'autre fit cent tours inutiles,                     25
Entra dans cent terriers, mit cent fois en défaut
    Tous les confrères de Brifaut.
    Partout il tenta des asiles,
    Et ce fut partout sans succès :
La fumée y pourvut, ainsi que les bassets.               30
Au sortir d'un Terrier, deux chiens aux pieds agiles
    L'étranglèrent du premier bond.
Le trop d'expédients peut gâter une affaire;
On perd du temps au choix, on tente, on veut tout faire.
    N'en ayons qu'un, mais qu'il soit bon.               35

## FABLE XV

## LE MARI, LA FEMME, ET LE VOLEUR

    Un Mari fort amoureux,
    Fort amoureux de sa Femme,
Bien qu'il fût jouissant, se croyait malheureux.
    Jamais œillade de la Dame,
    Propos flatteur et gracieux,                              5
    Mot d'amitié, ni doux sourire,
    Déifiant le pauvre Sire,
N'avaient fait soupçonner qu'il fût vraiment chéri.
    Je le crois, c'était un mari.
    Il ne tint point à l'hyménée                              10
    Que content de sa destinée
    Il n'en remerciât les Dieux;
    Mais quoi ? Si l'amour n'assaisonne
    Les plaisirs que l'hymen nous donne,
    Je ne vois pas qu'on en soit mieux.                       15
Notre épouse étant donc de la sorte bâtie,
Et n'ayant caressé son mari de sa vie,
Il en faisait sa plainte une nuit. Un voleur
    Interrompit la doléance.
    La pauvre femme eut si grand'peur                         20
    Qu'elle chercha quelque assurance
    Entre les bras de son époux.
Ami Voleur, dit-il, sans toi ce bien si doux
Me serait inconnu. Prends donc en récompense
Tout ce qui peut chez nous être à ta bienséance;            25
Prends le logis aussi. Les voleurs ne sont pas
    Gens honteux, ni fort délicats :
Celui-ci fit sa main. J'infère de ce conte
    Que la plus forte passion
C'est la peur : elle fait vaincre l'aversion,               30
Et l'amour quelquefois; quelquefois il la dompte;
    J'en ai pour preuve cet amant
Qui brûla sa maison pour embrasser sa Dame,
    L'emportant à travers la flamme.
    J'aime assez cet emportement;                             35
Le conte m'en a plu toujours infiniment :

Il est bien d'une âme Espagnole,
Et plus grande encore que folle.

## FABLE XVI

## LE TRÉSOR ET LES DEUX HOMMES

Un Homme n'ayant plus ni crédit, ni ressource,
    Et logeant le Diable en sa bourse,
      C'est-à-dire, n'y logeant rien,
      S'imagina qu'il ferait bien
De se pendre, et finir lui-même sa misère,       5
Puisque aussi bien sans lui la faim le viendrait faire,
      Genre de mort qui ne duit pas
A gens peu curieux de goûter le trépas.
Dans cette intention, une vieille masure
Fut la scène où devait se passer l'aventure.     10
Il y porte une corde, et veut avec un clou
Au haut d'un certain mur attacher le licou.
      La muraille, vieille et peu forte,
S'ébranle aux premiers coups, tombe avec un trésor.
Notre désespéré le ramasse, et l'emporte,     15
Laisse là le licou, s'en retourne avec l'or,
Sans compter : ronde ou non, la somme plut au sire.
Tandis que le galant à grands pas se retire,
L'homme au trésor arrive, et trouve son argent
          Absent.     20
Quoi, dit-il, sans mourir je perdrai cette somme ?
Je ne me pendrai pas ? Et vraiment si ferai,
      Ou de corde je manquerai.
Le lacs était tout prêt; il n'y manquait qu'un homme :
Celui-ci se l'attache, et se pend bien et beau.     25
      Ce qui le consola peut-être
Fut qu'un autre eût pour lui fait les frais du cordeau.
Aussi bien que l'argent le licou trouva maître.

L'avare rarement finit ses jours sans pleurs :
Il a le moins de part au trésor qu'il enserre,     30
      Thésaurisant pour les voleurs,
      Pour ses parents, ou pour la terre.

Mais que dire du troc que la fortune fit ?
Ce sont là de ses traits ; elle s'en divertit.
Plus le tour est bizarre, et plus elle est contente.          35
    Cette Déesse inconstante
    Se mit alors en l'esprit
    De voir un homme se pendre ;
    Et celui qui se pendit
    S'y devait le moins attendre.                      40


## FABLE XVII

### LE SINGE ET LE CHAT


Bertrand avec Raton, l'un Singe et l'autre Chat,
Commensaux d'un logis, avaient un commun Maître.
D'animaux malfaisants c'était un très bon plat ;
Ils n'y craignaient tous deux aucun, quel qu'il pût être.
Trouvait-on quelque chose au logis de gâté,                    5
L'on ne s'en prenait point aux gens du voisinage.
Bertrand dérobait tout ; Raton de son côté
Était moins attentif aux souris qu'au fromage.
Un jour au coin du feu nos deux maîtres fripons
    Regardaient rôtir des marrons.                     10
Les escroquer était une très bonne affaire :
Nos galands y voyaient double profit à faire,
Leur bien premièrement, et puis le mal d'autrui.
Bertrand dit à Raton : Frère, il faut aujourd'hui
    Que tu fasses un coup de maître.                   15
Tire-moi ces marrons. Si Dieu m'avait fait naître
    Propre à tirer marrons du feu,
    Certes marrons verraient beau jeu.
Aussitôt fait que dit : Raton avec sa patte,
    D'une manière délicate,                            20
Écarte un peu la cendre, et retire les doigts,
    Puis les reporte à plusieurs fois ;
Tire un marron, puis deux, et puis trois en escroque.
    Et cependant Bertrand les croque.
Une servante vient : adieu mes gens. Raton                     25
    N'était pas content, ce dit-on.
Aussi ne le sont pas la plupart de ces Princes

Qui, flattés d'un pareil emploi,
Vont s'échauder en des Provinces
Pour le profit de quelque Roi.                                    30


## FABLE XVIII

## LE MILAN ET LE ROSSIGNOL

Après que le Milan, manifeste voleur,
Eut répandu l'alarme en tout le voisinage
Et fait crier sur lui les enfants du village,
Un Rossignol tomba dans ses mains, par malheur.
Le héraut du Printemps lui demande la vie :                       5
Aussi bien que manger en qui n'a que le son ?
        Écoutez plutôt ma chanson;
Je vous raconterai Térée et son envie.
— Qui, Térée ? est-ce un mets propre pour les Milans ?
— Non pas; c'était un Roi dont les feux violents              10
Me firent ressentir leur ardeur criminelle :
Je m'en vais vous en dire une chanson si belle
Qu'elle vous ravira : mon chant plaît à chacun.
        Le Milan alors lui réplique :
Vraiment, nous voici bien : lorsque je suis à jeun,            15
        Tu me viens parler de musique.
— J'en parle bien aux rois. — Quand un roi te prendra,
        Tu peux lui conter ces merveilles.
        Pour un milan, il s'en rira :
        Ventre affamé n'a point d'oreilles.                      20

## FABLE XIX

## LE BERGER ET SON TROUPEAU

Quoi ? toujours il me manquera
Quelqu'un de ce peuple imbécile!
Toujours le Loup m'en gobera!
J'aurai beau les compter : ils étaient plus de mille,
Et m'ont laissé ravir notre pauvre Robin;                    5
    Robin mouton qui par la ville
    Me suivait pour un peu de pain,
Et qui m'aurait suivi jusques au bout du monde.
Hélas! de ma musette il entendait le son!
Il me sentait venir de cent pas à la ronde.              10
    Ah le pauvre Robin mouton!
Quand Guillot eut fini cette oraison funèbre
Et rendu de Robin la mémoire célèbre,
    Il harangua tout le troupeau,
Les chefs, la multitude, et jusqu'au moindre agneau,     15
    Les conjurant de tenir ferme :
Cela seul suffirait pour écarter les Loups.
Foi de peuple d'honneur, ils lui promirent tous
    De ne bouger non plus qu'un terme.
Nous voulons, dirent-ils, étouffer le glouton           20
    Qui nous a pris Robin mouton.
    Chacun en répond sur sa tête.
    Guillot les crut, et leur fit fête.
    Cependant, devant qu'il fût nuit,
    Il arriva nouvel encombre.                          25
  Un Loup parut; tout le troupeau s'enfuit :
Ce n'était pas un Loup, ce n'en était que l'ombre.
    Haranguez de méchants soldats,
    Ils promettront de faire rage;
Mais au moindre danger adieu tout leur courage :         30
Votre exemple et vos cris ne les retiendront pas.

# DISCOURS A MADAME DE LA SABLIÈRE

Iris, je vous louerais, il n'est que trop aisé;
Mais vous avez cent fois notre encens refusé,
En cela peu semblable au reste des mortelles,
Qui veulent tous les jours des louanges nouvelles.
Pas une ne s'endort à ce bruit si flatteur,                          5
Je ne les blâme point, je souffre cette humeur;
Elle est commune aux Dieux, aux Monarques, aux belles.
Ce breuvage vanté par le peuple rimeur,
Le Nectar que l'on sert au maître du Tonnerre,
Et dont nous enivrons tous les Dieux de la terre,                    10
C'est la louange, Iris. Vous ne la goûtez point;
D'autres propos chez vous récompensent ce point,
    Propos, agréables commerces,
Où le hasard fournit cent matières diverses,
    Jusque-là qu'en votre entretien                   15
La bagatelle a part : le monde n'en croit rien.
    Laissons le monde et sa croyance :
    La bagatelle, la science,
Les chimères, le rien, tout est bon. Je soutiens
    Qu'il faut de tout aux entretiens :                  20
    C'est un parterre, où Flore épand ses biens;
Sur différentes fleurs l'Abeille s'y repose,
    Et fait du miel de toute chose.
Ce fondement posé, ne trouvez pas mauvais
Qu'en ces Fables aussi j'entremêle des traits                        25
    De certaine Philosophie
    Subtile, engageante, et hardie.
On l'appelle nouvelle. En avez-vous ou non
    Ouï parler ? Ils disent donc
    Que la bête est une machine;                        30
Qu'en elle tout se fait sans choix et par ressorts :
Nul sentiment, point d'âme, en elle tout est corps.
    Telle est la montre qui chemine,
A pas toujours égaux, aveugle et sans dessein.
    Ouvrez-la, lisez dans son sein;                      35
Mainte roue y tient lieu de tout l'esprit du monde.
    La première y meut la seconde,
Une troisième suit, elle sonne à la fin.

Au dire de ces gens, la bête est toute telle :
    L'objet la frappe en un endroit ;                    40
    Ce lieu frappé s'en va tout droit,
Selon nous, au voisin en porter la nouvelle.
Le sens de proche en proche aussitôt la reçoit.
L'impression se fait. Mais comment se fait-elle ?
    — Selon eux, par nécessité,                     45
    Sans passion, sans volonté :
    L'animal se sent agité
  De mouvements que le vulgaire appelle
Tristesse, joie, amour, plaisir, douleur cruelle,
  Ou quelque autre de ces états.                       50
Mais ce n'est point cela ; ne vous y trompez pas.
— Qu'est-ce donc ? — Une montre. — Et nous ? — C'est
Voici de la façon que Descartes l'expose ;     [autre chose.
Descartes, ce mortel dont on eût fait un Dieu
    Chez les Païens, et qui tient le milieu         55
Entre l'homme et l'esprit, comme entre l'huître et l'homme
Le tient tel de nos gens, franche bête de somme.
Voici, dis-je, comment raisonne cet auteur.
Sur tous les animaux, enfants du Créateur,
J'ai le don de penser ; et je sais que je pense.      60
Or vous savez, Iris, de certaine science,
    Que, quand la bête penserait,
    La bête ne réfléchirait
    Sur l'objet ni sur sa pensée.
Descartes va plus loin, et soutient nettement     65
    Qu'elle ne pense nullement.
    Vous n'êtes point embarrassée
De le croire, ni moi. Cependant, quand aux bois
    Le bruit des cors, celui des voix,
N'a donné nul relâche à la fuyante proie,              70
    Qu'en vain elle a mis ses efforts
    A confondre et brouiller la voie,
L'animal chargé d'ans, vieux Cerf, et de dix cors,
En suppose un plus jeune, et l'oblige par force
A présenter aux chiens une nouvelle amorce.          75
Que de raisonnements pour conserver ses jours !
Le retour sur ses pas, les malices, les tours,
    Et le change, et cent stratagèmes
Dignes des plus grands chefs, dignes d'un meilleur sort !
    On le déchire après sa mort :                   80
    Ce sont tous ses honneurs suprêmes.
        Quand la Perdrix
        Voit ses petits

En danger, et n'ayant qu'une plume nouvelle,
Qui ne peut fuir encor par les airs le trépas,                       85
Elle fait la blessée, et va traînant de l'aile,
Attirant le Chasseur, et le Chien sur ses pas,
Détourne le danger, sauve ainsi sa famille;
Et puis, quand le Chasseur croit que son Chien la pille,
Elle lui dit adieu, prend sa volée, et rit                           90
De l'Homme, qui confus des yeux en vain la suit.

    Non loin du Nord il est un monde
    Où l'on sait que les habitants
    Vivent ainsi qu'aux premiers temps
    Dans une ignorance profonde :                         95
Je parle des humains; car quant aux animaux,
    Ils y construisent des travaux
Qui des torrents grossis arrêtent le ravage,
Et font communiquer l'un et l'autre rivage.
L'édifice résiste, et dure en son entier;                            100
Après un lit de bois, est un lit de mortier.
Chaque Castor agit; commune en est la tâche;
Le vieux y fait marcher le jeune sans relâche.
Maint maître d'œuvre y court, et tient haut le bâton.
    La république de Platon                               105
    Ne serait rien que l'apprentie
    De cette famille amphibie.
Ils savent en hiver élever leurs maisons,
    Passent les étangs sur des ponts,
    Fruit de leur art, savant ouvrage;                    110
    Et nos pareils ont beau le voir,
    Jusqu'à présent tout leur savoir
    Est de passer l'onde à la nage.

Que ces Castors ne soient qu'un corps vide d'esprit,
Jamais on ne pourra m'obliger à le croire;                           115
Mais voici beaucoup plus : écoutez ce récit,
    Que je tiens d'un Roi plein de gloire.
Le défenseur du Nord vous sera mon garant;
Je vais citer un prince aimé de la victoire;
Son nom seul est un mur à l'empire Ottoman;                          120
C'est le roi polonais. Jamais un Roi ne ment.
    Il dit donc que, sur sa frontière,
Des animaux entre eux ont guerre de tout temps :
Le sang qui se transmet des pères aux enfants
    En renouvelle la matière.                             125
Ces animaux, dit-il, sont germains du Renard,

Jamais la guerre avec tant d'art
Ne s'est faite parmi les hommes,
Non pas même au siècle où nous sommes.
Corps de garde avancé, vedettes, espions,                    130
Embuscades, partis, et mille inventions
D'une pernicieuse et maudite science,
  Fille du Styx, et mère des héros,
    Exercent de ces animaux
    Le bon sens et l'expérience.                             135
Pour chanter leurs combats, l'Achéron nous devrait
    Rendre Homère. Ah s'il le rendait,
Et qu'il rendît aussi le rival d'Épicure!
Que dirait ce dernier sur ces exemples-ci ?
Ce que j'ai déjà dit, qu'aux bêtes la nature                 140
Peut par les seuls ressorts opérer tout ceci;
    Que la mémoire est corporelle,
Et que, pour en venir aux exemples divers
    Que j'ai mis en jour dans ces vers,
    L'animal n'a besoin que d'elle.                          145
L'objet, lorsqu'il revient, va dans son magasin
    Chercher, par le même chemin,
    L'image auparavant tracée,
Qui sur les mêmes pas revient pareillement,
    Sans le secours de la pensée,                            150
    Causer un même événement.
    Nous agissons tout autrement,
    La volonté nous détermine,
Non l'objet, ni l'instinct. Je parle, je chemine;
    Je sens en moi certain agent;                            155
    Tout obéit dans ma machine
    A ce principe intelligent.
Il est distinct du corps, se conçoit nettement,
    Se conçoit mieux que le corps même :
De tous nos mouvements c'est l'arbitre suprême.              160
    Mais comment le corps l'entend-il ?
    C'est là le point : je vois l'outil
Obéir à la main; mais la main, qui la guide?
Eh! qui guide les Cieux et leur course rapide ?
Quelque Ange est attaché peut-être à ces grands corps.      165
Un esprit vit en nous, et meut tous nos ressorts :
L'impression se fait. Le moyen, je l'ignore :
On ne l'apprend qu'au sein de la Divinité;
Et, s'il faut en parler avec sincérité,
    Descartes l'ignorait encore.                             170
Nous et lui là-dessus nous sommes tous égaux.

Ce que je sais, Iris, c'est qu'en ces animaux
    Dont je viens de citer l'exemple,
Cet esprit n'agit pas, l'homme seul est son temple.
Aussi faut-il donner à l'animal un point     175
    Que la plante, après tout, n'a point.
    Cependant la plante respire :
Mais que répondra-t-on à ce que je vais dire ?

## LES DEUX RATS, LE RENARD, ET L'ŒUF

Deux Rats cherchaient leur vie ; ils trouvèrent un Œuf.
Le dîné suffisait à gens de cette espèce !     180
Il n'était pas besoin qu'ils trouvassent un Bœuf.
    Pleins d'appétit, et d'allégresse,
Ils allaient de leur œuf manger chacun sa part,
Quand un Quidam parut. C'était maître Renard ;
    Rencontre incommode et fâcheuse.     185
Car comment sauver l'œuf ? Le bien empaqueter,
Puis des pieds de devant ensemble le porter,
    Ou le rouler, ou le traîner,
C'était chose impossible autant que hasardeuse.
    Nécessité l'ingénieuse     190
    Leur fournit une invention.
Comme ils pouvaient gagner leur habitation,
L'écornifleur étant à demi-quart de lieue,
L'un se mit sur le dos, prit l'œuf entre ses bras,
Puis, malgré quelques heurts et quelques mauvais pas,     195
    L'autre le traîna par la queue.
Qu'on m'aille soutenir après, un tel récit,
    Que les bêtes n'ont point d'esprit.
    Pour moi, si j'en étais le maître,
Je leur en donnerais aussi bien qu'aux enfants.     200
Ceux-ci pensent-ils pas dès leurs plus jeunes ans ?
Quelqu'un peut donc penser ne se pouvant connaître.
    Par un exemple tout égal,
    J'attribuerais à l'animal
Non point une raison selon notre manière,     205
Mais beaucoup plus aussi qu'un aveugle ressort :
Je subtiliserais un morceau de matière,
Que l'on ne pourrait plus concevoir sans effort,
Quintessence d'atome, extrait de la lumière,

Je ne sais quoi plus vif et plus mobile encor          210
Que le feu : car enfin, si le bois fait la flamme,
La flamme en s'épurant peut-elle pas de l'âme
Nous donner quelque idée, et sort-il pas de l'or
Des entrailles du plomb ? Je rendrais mon ouvrage
Capable de sentir, juger, rien davantage,              215
  Et juger imparfaitement,
Sans qu'un Singe jamais fît le moindre argument.
  A l'égard de nous autres hommes,
Je ferais notre lot infiniment plus fort :
  Nous aurions un double trésor;             220
L'un cette âme pareille en tout-tant que nous sommes,
Sages, fous, enfants, idiots,
Hôtes de l'univers, sous le nom d'animaux;
L'autre encore une autre âme, entre nous et les Anges
  Commune en un certain degré               225
  Et ce trésor à part créé
Suivrait parmi les airs les célestes phalanges,
Entrerait dans un point sans en être pressé,
Ne finirait jamais quoique ayant commencé :
  Choses réelles, quoique étranges.          230
  Tant que l'enfance durerait,
Cette fille du Ciel en nous ne paraîtrait
  Qu'une tendre et faible lumière;
L'organe étant plus fort, la raison percerait
  Les ténèbres de la matière,                235
  Qui toujours envelopperait
  L'autre âme, imparfaite et grossière.

# LIVRE DIXIÈME

## FABLE I

## L'HOMME ET LA COULEUVRE

Un Homme vit une Couleuvre.
Ah! méchante, dit-il, je m'en vais faire une œuvre
    Agréable à tout l'univers.
    A ces mots, l'animal pervers
    (C'est le serpent que je veux dire       5
Et non l'homme : on pourrait aisément s'y tromper),
A ces mots, le serpent, se laissant attraper,
Est pris, mis en un sac; et, ce qui fut le pire,
On résolut sa mort, fût-il coupable ou non.
Afin de le payer toutefois de raison,          10
    L'autre lui fit cette harangue :
Symbole des ingrats, être bon aux méchants,
C'est être sot, meurs donc : ta colère et tes dents
Ne me nuiront jamais. Le Serpent, en sa langue,
Reprit du mieux qu'il put : S'il fallait condamner    15
    Tous les ingrats qui sont au monde,
    A qui pourrait-on pardonner ?
Toi-même tu te fais ton procès. Je me fonde
Sur tes propres leçons; jette les yeux sur toi.
Mes jours sont en tes mains, tranche-les : ta justice,    20
C'est ton utilité, ton plaisir, ton caprice;
    Selon ces lois, condamne-moi;
    Mais trouve bon qu'avec franchise
    En mourant au moins je te dise
    Que le symbole des ingrats        25
Ce n'est point le serpent, c'est l'homme. Ces paroles

Firent arrêter l'autre; il recula d'un pas.
Enfin il repartit : Tes raisons sont frivoles :
Je pourrais décider, car ce droit m'appartient;
Mais rapportons-nous-en. — Soit fait, dit le reptile.        30
Une Vache était là, l'on l'appelle, elle vient;
Le cas est proposé; c'était chose facile :
Fallait-il pour cela, dit-elle, m'appeler ?
La Couleuvre a raison; pourquoi dissimuler ?
Je nourris celui-ci depuis longues années;                   35
Il n'a sans mes bienfaits passé nulles journées;
Tout n'est que pour lui seul; mon lait et mes enfants
Le font à la maison revenir les mains pleines;
Même j'ai rétabli sa santé, que les ans
      Avaient altérée, et mes peines                          40
Ont pour but son plaisir ainsi que son besoin.
Enfin me voilà vieille; il me laisse en un coin
Sans herbe; s'il voulait encor me laisser paître!
Mais je suis attachée; et si j'eusse eu pour maître
Un serpent, eût-il su jamais pousser si loin                 45
L'ingratitude ? Adieu : j'ai dit ce que je pense.
L'homme, tout étonné d'une telle sentence,
Dit au Serpent : Faut-il croire ce qu'elle dit ?
C'est une radoteuse; elle a perdu l'esprit.
Croyons ce Bœuf. — Croyons, dit la rampante bête.            50
Ainsi dit, ainsi fait. Le Bœuf vient à pas lents.
Quand il eut ruminé tout le cas en sa tête,
      Il dit que du labeur des ans
Pour nous seuls il portait les soins les plus pesants,
Parcourant sans cesse ce long cercle de peines               55
Qui, revenant sur soi, ramenait dans nos plaines
Ce que Cérès nous donne, et vend aux animaux;
      Que cette suite de travaux
Pour récompense avait, de tous tant que nous sommes,
Force coups, peu de gré; puis, quand il était vieux,         60
On croyait l'honorer chaque fois que les hommes
Achetaient de son sang l'indulgence des Dieux.
Ainsi parla le Bœuf. L'Homme dit : Faisons taire
      Cet ennuyeux déclamateur;
Il cherche de grands mots, et vient ici se faire,            65
      Au lieu d'arbitre, accusateur.
Je le récuse aussi. L'arbre étant pris pour juge,
Ce fut bien pis encore. Il servait de refuge
Contre le chaud, la pluie, et la fureur des vents;
Pour nous seuls il ornait les jardins et les champs.         70
L'ombrage n'était pas le seul bien qu'il sût faire;

Il courbait sous les fruits; cependant pour salaire
Un rustre l'abattait, c'était là son loyer,
Quoique pendant tout l'an libéral il nous donne
Ou des fleurs au Printemps, ou du fruit en Automne;   75
L'ombre l'Été, l'Hiver les plaisirs du foyer.
Que ne l'émondait-on, sans prendre la cognée ?
De son tempérament il eût encor vécu.
L'Homme trouvant mauvais que l'on l'eût convaincu,
Voulut à toute force avoir cause gagnée.   80
Je suis bien bon, dit-il, d'écouter ces gens-là.
Du sac et du serpent aussitôt il donna
    Contre les murs, tant qu'il tua la bête.
    On en use ainsi chez les grands.
La raison les offense; ils se mettent en tête   85
Que tout est né pour eux, quadrupèdes, et gens,
      Et serpents.
    Si quelqu'un desserre les dents,
C'est un sot. — J'en conviens. Mais que faut-il donc faire ?
    — Parler de loin, ou bien se taire.   90

## FABLE II

## LA TORTUE ET LES DEUX CANARDS

Une Tortue était, à la tête légère,
Qui, lasse de son trou, voulut voir le pays,
Volontiers on fait cas d'une terre étrangère :
Volontiers gens boiteux haïssent le logis.
    Deux Canards à qui la commère   5
    Communiqua ce beau dessein,
Lui dirent qu'ils avaient de quoi la satisfaire :
    Voyez-vous ce large chemin ?
Nous vous voiturerons, par l'air, en Amérique,
    Vous verrez mainte République,   10
Maint Royaume, maint peuple, et vous profiterez
Des différentes mœurs que vous remarquerez.
Ulysse en fit autant. On ne s'attendait guère
    De voir Ulysse en cette affaire.
La Tortue écouta la proposition.   15
Marché fait, les oiseaux forgent une machine

Pour transporter la pèlerine.
Dans la gueule en travers on lui passe un bâton.
Serrez bien, dirent-ils; gardez de lâcher prise.
Puis chaque Canard prend ce bâton par un bout.                    20
La Tortue enlevée on s'étonne partout
    De voir aller en cette guise
    L'animal lent et sa maison,
Justement au milieu de l'un et l'autre Oison.
Miracle, criait-on. Venez voir dans les nues                      25
    Passer la Reine des Tortues.
— La Reine. Vraiment oui. Je la suis en effet;
Ne vous en moquez point. Elle eût beaucoup mieux fait
De passer son chemin sans dire aucune chose;
Car lâchant le bâton en desserrant les dents,                     30
Elle tombe, elle crève aux pieds des regardants.
Son indiscrétion de sa perte fut cause.
Imprudence, babil, et sotte vanité,
    Et vaine curiosité,
    Ont ensemble étroit parentage.                         35
    Ce sont enfants tous d'un lignage.


## FABLE III


## LES POISSONS ET LE CORMORAN


Il n'était point d'étang dans tout le voisinage
Qu'un Cormoran n'eût mis à contribution.
Viviers et réservoirs lui payaient pension.
Sa cuisine allait bien : mais, lorsque le long âge
    Eut glacé le pauvre animal,                              5
    La même cuisine alla mal.
Tout Cormoran se sert de pourvoyeur lui-même.
Le nôtre, un peu trop vieux pour voir au fond des eaux,
    N'ayant ni filets ni réseaux,
    Souffrait une disette extrême.                           10
Que fit-il ? Le besoin, docteur en stratagème,
Lui fournit celui-ci. Sur le bord d'un Étang
    Cormoran vit une Écrevisse.
Ma commère, dit-il, allez tout à l'instant
    Porter un avis important                                 15

A ce peuple. Il faut qu'il périsse :
Le maître de ce lieu dans huit jours pêchera.
    L'Écrevisse en hâte s'en va
    Conter le cas : grande est l'émute.
    On court, on s'assemble, on députe       20
    A l'Oiseau : Seigneur Cormoran,
D'où vous vient cet avis ? Quel est votre garand ?
    Êtes-vous sûr de cette affaire ?
N'y savez-vous remède ? Et qu'est-il bon de faire ?
— Changer de lieu, dit-il. — Comment le ferons-nous ?  25
— N'en soyez point en soin : je vous porterai tous,
    L'un après l'autre, en ma retraite.
Nul que Dieu seul et moi n'en connaît les chemins :
    Il n'est demeure plus secrète.
Un Vivier que nature y creusa de ses mains,      30
    Inconnu des traîtres humains,
    Sauvera votre république.
    On le crut. Le peuple aquatique
    L'un après l'autre fut porté
    Sous ce rocher peu fréquenté.      35
    Là Cormoran le bon apôtre,
    Les ayant mis en un endroit
    Transparent, peu creux, fort étroit,
Vous les prenait sans peine, un jour l'un, un jour l'autre.
    Il leur apprit à leurs dépens      40
Que l'on ne doit jamais avoir de confiance
    En ceux qui sont mangeurs de gens.
Ils y perdirent peu, puisque l'humaine engeance
En aurait aussi bien croqué sa bonne part;
Qu'importe qui vous mange ? homme ou loup; toute panse
    Me paraît une à cet égard;      [45
    Un jour plus tôt, un jour plus tard,
    Ce n'est pas grande différence.

*FABLE IV*

## L'ENFOUISSEUR ET SON COMPÈRE

Un Pinsemaille avait tant amassé
    Qu'il ne savait où loger sa finance.
L'avarice, compagne et sœur de l'ignorance,
        Le rendait fort embarrassé
        Dans le choix d'un dépositaire;                             5
Car il en voulait un, et voici sa raison :
L'objet tente; il faudra que ce monceau s'altère,
        Si je le laisse à la maison;
Moi-même de mon bien je serai le larron.
Le larron, Quoi jouir, c'est se voler soi-même!          10
Mon ami, j'ai pitié de ton erreur extrême;
        Apprends de moi cette leçon :
Le bien n'est bien qu'en tant que l'on s'en peut défaire.
Sans cela c'est un mal. Veux-tu le réserver
Pour un âge et des temps qui n'en ont plus que faire ?  15
La peine d'acquérir, le soin de conserver,
Otent le prix à l'or, qu'on croit si nécessaire.
        Pour se décharger d'un tel soin,
Notre homme eût pu trouver des gens sûrs au besoin;
Il aima mieux la terre, et prenant son compère,         20
Celui-ci l'aide. Ils vont enfouir le trésor.
Au bout de quelque temps, l'homme va voir son or :
        Il ne retrouva que le gîte.
Soupçonnant à bon droit le compère, il va vite
Lui dire : Apprêtez-vous; car il me reste encor           25
Quelques deniers : je veux les joindre à l'autre masse.
Le compère aussitôt va remettre en sa place
        L'argent volé, prétendant bien
Tout reprendre à la fois sans qu'il y manquât rien.
        Mais, pour ce coup, l'autre fut sage :             30
Il retint tout chez lui, résolu de jouir,
        Plus n'entasser, plus n'enfouir;
Et le pauvre voleur, ne trouvant plus son gage,
        Pensa tomber de sa hauteur.
Il n'est pas malaisé de tromper un trompeur.               35

## FABLE V

## LE LOUP ET LES BERGERS

Un Loup rempli d'humanité
(S'il en est de tels dans le monde)
Fit un jour sur sa cruauté,
Quoiqu'il ne l'exerçât que par nécessité,
Une réflexion profonde.                                        5
Je suis haï, dit-il, et de qui ? De chacun.
Le Loup est l'ennemi commun :
Chiens, chasseurs, villageois, s'assemblent pour sa perte.
Jupiter est là-haut étourdi de leurs cris ;
C'est par là que de loups l'Angleterre est déserte :    10
On y mit notre tête à prix.
Il n'est hobereau qui ne fasse
Contre nous tels bans publier ;
Il n'est marmot osant crier
Que du Loup aussitôt sa mère ne menace.                 15
Le tout pour un Ane rogneux,
Pour un Mouton pourri, pour quelque Chien hargneux,
Dont j'aurai passé mon envie.
Et bien, ne mangeons plus de chose ayant eu vie ;
Paissons l'herbe, broutons ; mourons de faim plutôt.  20
Est-ce une chose si cruelle ?
Vaut-il mieux s'attirer la haine universelle ?
Disant ces mots il vit des Bergers pour leur rôt
Mangeants un agneau cuit en broche.
Oh, oh, dit-il, je me reproche                          25
Le sang de cette gent. Voilà ses gardiens
S'en repaissants, eux et leurs chiens ;
Et moi, Loup, j'en ferai scrupule ?
Non, par tous les Dieux. Non. Je serais ridicule.
Thibaut l'agnelet passera                               30
Sans qu'à la broche je le mette ;
Et non seulement lui, mais la mère qu'il tette,
Et le père qui l'engendra.
Ce Loup avait raison. Est-il dit qu'on nous voie
Faire festin de toute proie,                            35
Manger les animaux, et nous les réduirons

Aux mets de l'âge d'or autant que nous pourrons ?
    Ils n'auront ni croc ni marmite ?
    Bergers, bergers, le loup n'a tort
    Que quand il n'est pas le plus fort :         40
    Voulez-vous qu'il vive en ermite ?


## FABLE VI

### L'ARAIGNÉE ET L'HIRONDELLE

O Jupiter, qui sus de ton cerveau,
Par un secret d'accouchement nouveau,
Tirer Pallas, jadis mon ennemie,
Entends ma plainte une fois en ta vie.
Progné me vient enlever les morceaux;        5
Caracolant, frisant l'air et les eaux,
Elle me prend mes mouches à ma porte :
Miennes je puis les dire; et mon réseau
En serait plein sans ce maudit oiseau :
Je l'ai tissu de matière assez forte.        10
    Ainsi, d'un discours insolent,
Se plaignait l'Araignée autrefois tapissière,
    Et qui, lors étant filandière,
Prétendait enlacer tout insecte volant.
La sœur de Philomèle, attentive à sa proie,    15
Malgré le bestion happait mouches dans l'air,
Pour ses petits, pour elle, impitoyable joie,
Que ses enfants gloutons, d'un bec toujours ouvert,
D'un ton demi-formé, bégayante couvée,
Demandaient par des cris encor mal entendus.    20
    La pauvre Aragne n'ayant plus
Que la tête et les pieds, artisans superflus,
    Se vit elle-même enlevée.
L'Hirondelle, en passant, emporta toile, et tout,
    Et l'animal pendant au bout.    25
Jupin pour chaque état mit deux tables au monde.
L'adroit, le vigilant, et le fort sont assis
    A la première; et les petits
    Mangent leur reste à la seconde.

### FABLE VII

## LA PERDRIX ET LES COQS

Parmi de certains Coqs incivils, peu galants,
    Toujours en noise et turbulents,
    Une Perdrix était nourrie.
    Son sexe et l'hospitalité,
De la part de ces Coqs peuple à l'amour porté          5
Lui faisaient espérer beaucoup d'honnêteté :
Ils feraient les honneurs de la ménagerie.
Ce peuple cependant, fort souvent en furie,
Pour la Dame étrangère ayant peu de respec,
Lui donnait fort souvent d'horribles coups de bec.   10
    D'abord elle en fut affligée;
Mais sitôt qu'elle eut vu cette troupe enragée
S'entre-battre elle-même, et se percer les flancs,
Elle se consola : Ce sont leurs mœurs, dit-elle,
Ne les accusons point; plaignons plutôt ces gens.    15
    Jupiter sur un seul modèle
    N'a pas formé tous les esprits :
Il est des naturels de Coqs et de Perdrix.
S'il dépendait de moi, je passerais ma vie
    En plus honnête compagnie.                         20
Le maître de ces lieux en ordonne autrement.
    Il nous prend avec des tonnelles,
Nous loge avec des Coqs, et nous coupe les ailes :
C'est de l'homme qu'il faut se plaindre seulement.

## FABLE VIII

## LE CHIEN A QUI ON A COUPÉ LES OREILLES

   Qu'ai-je fait pour me voir ainsi
   Mutilé par mon propre maître ?
   Le bel état où me voici!
Devant les autres Chiens oserai-je paraître ?
O rois des animaux, ou plutôt leurs tyrans,    5
   Qui vous ferait choses pareilles ?
Ainsi criait Mouflar, jeune dogue; et les gens
Peu touchés de ses cris douloureux et perçants,
Venaient de lui couper sans pitié les oreilles.
Mouflar y croyait perdre; il vit avec le temps   10
Qu'il y gagnait beaucoup; car étant de nature
A piller ses pareils, mainte mésaventure
   L'aurait fait retourner chez lui
Avec cette partie en cent lieux altérée :
Chien hargneux a toujours l'oreille déchirée.   15
Le moins qu'on peut laisser de prise aux dents d'autrui
C'est le mieux. Quand on n'a qu'un endroit à défendre,
   On le munit de peur d'esclandre :
Témoin maître Mouflar armé d'un gorgerin,
Du reste ayant d'oreille autant que sur ma main;  20
   Un Loup n'eût su par où le prendre.

## FABLE IX

## LE BERGER ET LE ROI

Deux démons à leur gré partagent notre vie,
Et de son patrimoine ont chassé la raison.
Je ne vois point de cœur qui ne leur sacrifie.
Si vous me demandez leur état et leur nom,
J'appelle l'un Amour, et l'autre Ambition.    5

Cette dernière étend le plus loin son empire ;
    Car même elle entre dans l'amour.
Je le ferais bien voir ; mais mon but est de dire
Comme un Roi fit venir un Berger à sa Cour.
Le conte est du bon temps, non du siècle où nous sommes.[10]
Ce Roi vit un troupeau qui couvrait tous les champs,
Bien broutant, en bon corps, rapportant tous les ans,
Grâce aux soins du Berger, de très notables sommes.
Le Berger plut au Roi par ces soins diligents.
Tu mérites, dit-il, d'être Pasteur de gens ;       [15]
Laisse là tes moutons, viens conduire des hommes.
    Je te fais Juge Souverain.
Voilà notre Berger la balance à la main.
Quoiqu'il n'eût guère vu d'autres gens qu'un Hermite,
Son troupeau, ses mâtins, le loup, et puis c'est tout,    [20]
Il avait du bon sens ; le reste vient ensuite.
    Bref, il en vint fort bien à bout.
L'Hermite son voisin accourut pour lui dire :
Veillé-je ? et n'est-ce point un songe que je vois ?
Vous favori ! vous grand ! Défiez-vous des Rois :    [25]
Leur faveur est glissante, on s'y trompe ; et le pire
C'est qu'il en coûte cher ; de pareilles erreurs
Ne produisent jamais que d'illustres malheurs.
Vous ne connaissez pas l'attrait qui vous engage.
Je vous parle en ami. Craignez tout. L'autre rit,    [30]
    Et notre Hermite poursuivit :
Voyez combien déjà la cour vous rend peu sage.
Je crois voir cet Aveugle à qui dans un voyage
    Un serpent engourdi de froid
Vint s'offrir sous la main : il le prit pour un fouet.    [35]
Le sien s'était perdu, tombant de sa ceinture.
Il rendait grâce au Ciel de l'heureuse aventure,
Quand un passant cria : Que tenez-vous, ô Dieux !
Jetez cet animal traître et pernicieux,
Ce Serpent. — C'est un fouet. — C'est un Serpent, vous  [40]
A me tant tourmenter quel intérêt m'oblige ?    [dis-je.
Prétendez-vous garder ce trésor ? — Pourquoi non ?
Mon fouet était usé ; j'en retrouve un fort bon ;
    Vous n'en parlez que par envie.
    L'aveugle enfin ne le crut pas ;    [45]
    Il en perdit bientôt la vie.
L'animal dégourdi piqua son homme au bras.
    Quant à vous, j'ose vous prédire
Qu'il vous arrivera quelque chose de pire.
— Eh ! que me saurait-il arriver que la mort ?    [50]

— Mille dégoûts viendront, dit le Prophète Hermite.
Il en vint en effet ; l'Hermite n'eut pas tort.
Mainte peste de Cour fit tant, par maint ressort,
Que la candeur du Juge, ainsi que son mérite,
Furent suspects au Prince. On cabale, on suscite          55
Accusateurs, et gens grevés par ses arrêts.
De nos biens, dirent-ils, il s'est fait un Palais.
Le Prince voulut voir ces richesses immenses ;
Il ne trouva partout que médiocrité,
Louanges du désert et de la pauvreté ;                    60
      C'étaient là ses magnificences.
Son fait, dit-on, consiste en des pierres de prix.
Un grand coffre en est plein, fermé de dix serrures.
Lui-même ouvrit ce coffre, et rendit bien surpris
      Tous les machineurs d'impostures.                  65
Le coffre étant ouvert, on y vit des lambeaux,
      L'habit d'un gardeur de troupeaux,
Petit chapeau, jupon, panetière, houlette,
      Et, je pense, aussi sa musette.
Doux trésors, ce dit-il, chers gages, qui jamais          70
N'attirâtes sur vous l'envie et le mensonge,
Je vous reprends ; sortons de ces riches Palais
      Comme l'on sortirait d'un songe.
Sire, pardonnez-moi cette exclamation.
J'avais prévu ma chute en montant sur le faîte.           75
Je m'y suis trop complu ; mais qui n'a dans la tête
      Un petit grain d'ambition ?


## FABLE X


### LES POISSONS
### ET LE BERGER QUI JOUE DE LA FLUTE


     Tircis, qui pour la seule Annette
     Faisait résonner les accords
     D'une voix et d'une musette
     Capables de toucher les morts,
     Chantait un jour le long des bords          5
     D'une onde arrosant des prairies,
Dont Zéphire habitait les campagnes fleuries.

Annette cependant à la ligne pêchait;
    Mais nul poisson ne s'approchait.
    La Bergère perdait ses peines.       10
    Le Berger qui par ses chansons,
    Eût attiré des inhumaines,
Crut, et crut mal, attirer des poissons.
Il leur chanta ceci : Citoyens de cette onde,
Laissez votre Naïade en sa grotte profonde.     15
Venez voir un objet mille fois plus charmant.
Ne craignez point d'entrer aux prisons de la Belle :
    Ce n'est qu'à nous qu'elle est cruelle :
    Vous serez traités doucement,
    On n'en veut point à votre vie :      20
Un vivier vous attend, plus clair que fin cristal.
Et, quand à quelques-uns l'appât serait fatal,
Mourir des mains d'Annette est un sort que j'envie.
Ce discours éloquent ne fit pas grand effet :
L'auditoire était sourd aussi bien que muet.     25
Tircis eut beau prêcher : ses paroles miellées
    S'en étant aux vents envolées,
Il tendit un long rets. Voilà les poissons pris,
Voilà les poissons mis aux pieds de la Bergère.
O vous Pasteurs d'humains et non pas de brebis,    30
Rois, qui croyez gagner par raisons les esprits
    D'une multitude étrangère,
Ce n'est jamais par là que l'on en vient à bout;
    Il y faut une autre manière :
Servez-vous de vos rets, la puissance fait tout.    35


## FABLE XI

## LES DEUX PERROQUETS, LE ROI,
## ET SON FILS

Deux Perroquets, l'un père et l'autre fils,
Du rôt d'un Roi faisaient leur ordinaire.
Deux demi-dieux, l'un fils et l'autre père,
De ces oiseaux faisaient leurs favoris.
L'âge liait une amitié sincère     5
Entre ces gens : les deux pères s'aimaient;

Les deux enfants, malgré leur cœur frivole,
L'un avec l'autre aussi s'accoutumaient,
Nourris ensemble, et compagnons d'école.
C'était beaucoup d'honneur au jeune Perroquet ;                    10
Car l'enfant était Prince, et son père Monarque.
Par le tempérament que lui donna la parque,
Il aimait les oiseaux. Un Moineau fort coquet,
Et le plus amoureux de toute la Province,
Faisait aussi sa part des délices du Prince.                      15
Ces deux rivaux un jour ensemble se jouants,
    Comme il arrive aux jeunes gens,
    Le jeu devint une querelle.
    Le Passereau, peu circonspec,
    S'attira de tels coups de bec,                           20
    Que, demi-mort et traînant l'aile,
    On crut qu'il n'en pourrait guérir.
    Le Prince indigné fit mourir
Son Perroquet. Le bruit en vint au père.
L'infortuné vieillard crie et se désespère,                       25
    Le tout en vain ; ses cris sont superflus ;
    L'oiseau parleur est déjà dans la barque ;
    Pour dire mieux, l'Oiseau ne parlant plus
    Fait qu'en fureur sur le fils du Monarque
Son père s'en va fondre, et lui crève les yeux.                   30
Il se sauve aussitôt, et choisit pour asile
    Le haut d'un Pin. Là dans le sein des Dieux
Il goûte sa vengeance en lieu sûr et tranquille.
Le Roi lui-même y court, et dit pour l'attirer :
Ami, reviens chez moi : que nous sert de pleurer ?               35
Haine, vengeance, et deuil, laissons tout à la porte.
    Je suis contraint de déclarer,
    Encor que ma douleur soit forte,
Que le tort vient de nous : mon fils fut l'agresseur.
Mon fils ! non. C'est le sort qui du coup est l'auteur.          40
La Parque avait écrit de tout temps en son livre
Que l'un de nos enfants devait cesser de vivre,
    L'autre de voir, par ce malheur.
Consolons-nous tous deux, et reviens dans ta cage.
    Le Perroquet dit : Sire Roi,                             45
    Crois-tu qu'après un tel outrage
    Je me doive fier à toi ?
Tu m'allègues le sort : prétends-tu par ta foi
Me leurrer de l'appât d'un profane langage ?
Mais que la providence ou bien que le destin                     50
    Règle les affaires du monde

Il est écrit là-haut qu'au faîte de ce pin
    Ou dans quelque Forêt profonde,
J'achèverai mes jours loin du fatal objet
    Qui doit t'être un juste sujet     <sup>55</sup>
De haine et de fureur. Je sais que la vengeance
Est un morceau de Roi, car vous vivez en Dieux.
    Tu veux oublier cette offense :
Je le crois : cependant il me faut pour le mieux
    Éviter ta main et tes yeux.     <sup>60</sup>
Sire Roi mon ami, va-t'en, tu perds ta peine;
    Ne me parle point de retour;
L'absence est aussi bien un remède à la haine
    Qu'un appareil contre l'amour.

## FABLE XII

## LA LIONNE ET L'OURSE

    Mère Lionne avait perdu son fan.
Un chasseur l'avait pris. La pauvre infortunée
    Poussait un tel rugissement
Que toute la Forêt était importunée.
    La nuit ni son obscurité,     <sup>5</sup>
    Son silence et ses autres charmes,
De la Reine des bois n'arrêtait les vacarmes
Nul animal n'était du sommeil visité.
    L'Ourse enfin lui dit : Ma commère,
    Un mot sans plus; tous les enfants     <sup>10</sup>
    Qui sont passés entre vos dents
    N'avaient-ils ni père ni mère ?
    — Ils en avaient. — S'il est ainsi,
Et qu'aucun de leur mort n'ait nos têtes rompues,
    Si tant de mères se sont tues,     <sup>15</sup>
    Que ne vous taisez-vous aussi ?
    — Moi me taire! moi, malheureuse!
Ah j'ai perdu mon fils! Il me faudra traîner
    Une vieillesse douloureuse!
— Dites-moi, qui vous force à vous y condamner ?     <sup>20</sup>
— Hélas! c'est le Destin qui me hait. Ces paroles
Ont été de tout temps en la bouche de tous.

Misérables humains, ceci s'adresse à vous :
Je n'entends résonner que des plaintes frivoles.
Quiconque en pareil cas se croit haï des Cieux,                    25
Qu'il considère Hécube, il rendra grâce aux Dieux.


### FABLE XIII

## LES DEUX AVENTURIERS
## ET LE TALISMAN


Aucun chemin de fleurs ne conduit à la gloire.
Je n'en veux pour témoin qu'Hercule et ses travaux.
  Ce dieu n'a guère de rivaux :
J'en vois peu dans la Fable, encor moins dans l'Histoire.
En voici pourtant un que de vieux Talismans               5
Firent chercher fortune au pays des Romans.
  Il voyageait de compagnie.
Son camarade et lui trouvèrent un poteau
  Ayant au haut cet écriteau :
Seigneur aventurier, s'il te prend quelque envie        10
De voir ce que n'a vu nul Chevalier errant,
  Tu n'as qu'à passer ce torrent;
Puis, prenant dans tes bras un Éléphant de pierre
  Que tu verras couché par terre,
Le porter, d'une haleine, au sommet de ce mont,         15
Qui menace les Cieux de son superbe front.
L'un des deux chevaliers saigna du nez. Si l'onde
  Est rapide autant que profonde,
Dit-il, et supposé qu'on la puisse passer,
Pourquoi de l'Éléphant s'aller embarrasser ?            20
  Quelle ridicule entreprise!
Le sage l'aura fait par tel art et de guise
Qu'on le pourra porter peut-être quatre pas;
Mais jusqu'au haut du mont, d'une haleine, il n'est pas
Au pouvoir d'un mortel, à moins que la figure           25
Ne soit d'un Éléphant nain, pygmée, avorton,
  Propre à mettre au bout d'un bâton :
Auquel cas, où l'honneur d'une telle aventure ?
On nous veut attraper dedans cette écriture :
Ce sera quelque énigme à tromper un enfant.             30

C'est pourquoi je vous laisse avec votre Éléphant.
Le raisonneur parti, l'aventureux se lance,
    Les yeux clos, à travers cette eau.
    Ni profondeur ni violence
Ne purent l'arrêter, et, selon l'écriteau,                    35
Il vit son Éléphant couché sur l'autre rive.
Il le prend, il l'emporte, au haut du mont arrive,
Rencontre une esplanade, et puis une cité.
Un cri par l'Éléphant est aussitôt jeté :
    Le peuple aussitôt sort en armes.                     40
Tout autre Aventurier au bruit de ces alarmes
Aurait fui : celui-ci loin de tourner le dos
Veut vendre au moins sa vie, et mourir en Héros.
Il fut tout étonné d'ouïr cette cohorte
Le proclamer Monarque au lieu de son Roi mort.               45
Il ne se fit prier que de la bonne sorte,
Encor que le fardeau fût, dit-il, un peu fort.
Sixte en disait autant quand on le fit saint Père.
    (Serait-ce bien une misère
    Que d'être Pape ou d'être Roi ?)                     50
On reconnut bientôt son peu de bonne foi.
Fortune aveugle suit aveugle hardiesse.
Le sage quelquefois fait bien d'exécuter,
Avant que de donner le temps à la sagesse
D'envisager le fait, et sans la consulter.                    55


## FABLE XIV


## DISCOURS
### A MONSIEUR LE DUC DE LA ROCHEFOUCAULT


Je me suis souvent dit, voyant de quelle sorte
    L'homme agit et qu'il se comporte
En mille occasions, comme les animaux :
Le Roi de ces gens-là n'a pas moins de défauts
    Que ses sujets, et la nature                          5
    A mis dans chaque créature
Quelque grain d'une masse où puisent les esprits :
J'entends les esprits corps, et pétris de matière.
    Je vais prouver ce que je dis.

A l'heure de l'affût, soit lorsque la lumière                    10
Précipite ses traits dans l'humide séjour,
Soit lorsque le Soleil rentre dans sa carrière,
Et que, n'étant plus nuit, il n'est pas encor jour,
Au bord de quelque bois sur un arbre je grimpe;
Et nouveau Jupiter du haut de cet olympe,                        15
   Je foudroie, à discrétion,
   Un lapin qui n'y pensait guère.
Je vois fuir aussitôt toute la nation
   Des lapins qui sur la bruyère,
   L'œil éveillé, l'oreille au guet,                20
S'égayaient, et de thym parfumaient leur banquet.
   Le bruit du coup fait que la bande
   S'en va chercher sa sûreté
   Dans la souterraine cité;
Mais le danger s'oublie, et cette peur si grande                 25
S'évanouit bientôt. Je revois les lapins
Plus gais qu'auparavant revenir sous mes mains.
Ne reconnaît-on pas en cela les humains ?
     Dispersés par quelque orage,
     A peine ils touchent le port             30
     Qu'ils vont hasarder encor
     Même vent, même naufrage.
     Vrais lapins, on les revoit
     Sous les mains de la fortune.
Joignons à cet exemple une chose commune.                        35
Quand des chiens étrangers passent par quelque endroit,
   Qui n'est pas de leur détroit,
   Je laisse à penser quelle fête.
   Les chiens du lieu n'ayants en tête
Qu'un intérêt de gueule, à cris, à coups de dents,               40
   Vous accompagnent ces passants
   Jusqu'aux confins du territoire.
Un intérêt de biens, de grandeur, et de gloire,
Aux Gouverneurs d'États, à certains courtisans,
A gens de tous métiers en fait tout autant faire.               45
   On nous voit tous, pour l'ordinaire,
Piller le survenant, nous jeter sur sa peau.
La coquette et l'auteur sont de ce caractère;
   Malheur à l'écrivain nouveau.
Le moins de gens qu'on peut à l'entour du gâteau,               50
   C'est le droit du jeu, c'est l'affaire.
Cent exemples pourraient appuyer mon discours;
   Mais les ouvrages les plus courts
Sont toujours les meilleurs. En cela j'ai pour guides

Tous les maîtres de l'art, et tiens qu'il faut laisser       55
Dans les plus beaux sujets quelque chose à penser :
    Ainsi ce discours doit cesser.
Vous qui m'avez donné ce qu'il a de solide,
Et dont la modestie égale la grandeur,
Qui ne pûtes jamais écouter sans pudeur                      60
    La louange la plus permise,
    La plus juste et la mieux acquise,
Vous enfin dont à peine ai-je encore obtenu
Que votre nom reçût ici quelques hommages,
Du temps et des censeurs défendant mes ouvrages,            65
Comme un nom qui, des ans et des peuples connu,
Fait honneur à la France, en grands noms plus féconde
    Qu'aucun climat de l'Univers,
Permettez-moi du moins d'apprendre à tout le monde
Que vous m'avez donné le sujet de ces Vers.                 70


## FABLE XV


## LE MARCHAND, LE GENTILHOMME,
## LE PATRE, ET LE FILS DE ROI


    Quatre chercheurs de nouveaux mondes,
Presque nus échappés à la fureur des ondes,
Un Trafiquant, un Noble, un Pâtre, un Fils de Roi,
    Réduits au sort de Bélisaire *,
    Demandaient aux passants de quoi                      5
    Pouvoir soulager leur misère.
De raconter quel sort les avait assemblés,
Quoique sous divers points tous quatre ils fussent nés,
    C'est un récit de longue haleine.
Ils s'assirent enfin au bord d'une fontaine.               10
Là le conseil se tint entre les pauvres gens.
Le prince s'étendit sur le malheur des grands.
Le Pâtre fut d'avis qu'éloignant la pensée
    De leur aventure passée,


* « Bélisaire était un grand capitaine, qui ayant commandé les
Armées de l'Empereur et perdu les bonnes grâces de son Maître,
tomba dans un tel point de misère, qu'il demandait l'aumône sur les
grands chemins. » *(Note de La Fontaine.)*

Chacun fît de son mieux et s'appliquât au soin                    15
    De pourvoir au commun besoin.
La plainte, ajouta-t-il, guérit-elle son homme ?
Travaillons ! c'est de quoi nous mener jusqu'à Rome.
Un Pâtre ainsi parler ! Ainsi parler ; croit-on
Que le Ciel n'ait donné qu'aux têtes couronnées          20
    De l'esprit et de la raison,
Et que de tout berger, comme de tout mouton,
    Les connaissances soient bornées ?
L'avis de celui-ci fut d'abord trouvé bon
Par les trois échoués au bord de l'Amérique.              25
L'un (c'était le Marchand) savait l'arithmétique :
A tant par mois, dit-il, j'en donnerai leçon.
    — J'enseignerai la politique,
Reprit le Fils de roi. Le Noble poursuivit :
Moi, je sais le blason ; j'en veux tenir école :          30
Comme si devers l'Inde, on eût eu dans l'esprit
La sotte vanité de ce jargon frivole.
Le Pâtre dit : Amis, vous parlez bien ; mais quoi !
Le mois a trente jours ; jusqu'à cette échéance
    Jeûnerons-nous, par votre foi ?              35
    Vous me donnez une espérance
Belle, mais éloignée ; et cependant j'ai faim.
Qui pourvoira de nous au dîner de demain ?
    Ou plutôt sur quelle assurance
Fondez-vous, dites-moi, le souper d'aujourd'hui ?         40
    Avant tout autre, c'est celui
    Dont il s'agit : votre science
Est courte là-dessus : ma main y suppléera.
    A ces mots, le Pâtre s'en va
Dans un bois : il y fit des fagots dont la vente          45
Pendant cette journée et pendant la suivante,
Empêcha qu'un long jeûne à la fin ne fît tant
Qu'ils allassent là-bas exercer leur talent.
    Je conclus de cette aventure
Qu'il ne faut pas tant d'art pour conserver ses jours,    50
    Et grâce aux dons de la nature,
La main est le plus sûr et le plus prompt secours.

# LIVRE ONZIÈME

## FABLE I

### LE LION

Sultan Léopard autrefois
    Eut, ce dit-on, par mainte aubaine,
Force bœufs dans ses prés, force Cerfs dans ses bois,
    Force moutons parmi la plaine.
Il naquit un Lion dans la forêt prochaine.    5
Après les compliments et d'une et d'autre part,
    Comme entre grands il se pratique,
Le Sultan fit venir son Vizir le Renard,
    Vieux routier, et bon politique.
Tu crains, ce lui dit-il, Lionceau mon voisin ;    10
    Son père est mort, que peut-il faire ?
    Plains plutôt le pauvre orphelin.
    Il a chez lui plus d'une affaire,
    Et devra beaucoup au destin
S'il garde ce qu'il a, sans tenter de conquête.    15
    Le Renard dit, branlant la tête :
Tels orphelins, Seigneur, ne me font point pitié :
Il faut de celui-ci conserver l'amitié,
    Ou s'efforcer de le détruire,
    Avant que la griffe et la dent    20
Lui soit crue, et qu'il soit en état de nous nuire.
    N'y perdez pas un seul moment.
J'ai fait son horoscope : il croîtra par la guerre ;
    Ce sera le meilleur Lion
    Pour ses amis qui soit sur terre :    25
    Tâchez donc d'en être, sinon

Tâchez de l'affaiblir. La harangue fut vaine.
Le Sultan dormait lors; et dedans son domaine
Chacun dormait aussi, bêtes, gens : tant qu'enfin
Le Lionceau devient vrai Lion. Le tocsin                          30
Sonne aussitôt sur lui, l'alarme se promène
          De toutes parts; et le Vizir,
Consulté là-dessus dit avec un soupir :
Pourquoi l'irritez-vous ? La chose est sans remède.
En vain nous appelons mille gens à notre aide :               35
Plus ils sont, plus il coûte; et je ne les tiens bons
          Qu'à manger leur part des moutons.
Apaisez le Lion : seul il passe en puissance
Ce monde d'alliés vivants sur notre bien.
Le Lion en a trois qui ne lui coûtent rien,                         40
Son courage, sa force, avec sa vigilance.
Jetez-lui promptement sous la griffe un mouton :
S'il n'en est pas content, jetez-en davantage.
Joignez-y quelque bœuf : choisissez pour ce don
          Tout le plus gras du pâturage.                                45
Sauvez le reste ainsi. Ce conseil ne plut pas.
     Il en prit mal; et force états
          Voisins du Sultan en pâtirent :
          Nul n'y gagna, tous y perdirent.
          Quoi que fît ce monde ennemi,                            50
          Celui qu'ils craignaient fut le maître.
Proposez-vous d'avoir le Lion pour ami,
          Si vous voulez le laisser craître.


# FABLE II

## LES  DIEUX  VOULANT  INSTRUIRE
## UN FILS DE JUPITER

### POUR MONSEIGNEUR LE DUC DU MAINE

Jupiter eut un fils, qui, se sentant du lieu
          Dont il tirait son origine,
          Avait l'âme toute divine.
L'enfance n'aime rien : celle du jeune Dieu
          Faisait sa principale affaire                                   5
          Des doux soins d'aimer et de plaire.

En lui l'amour et la raison
Devancèrent le temps, dont les ailes légères
N'amènent que trop tôt, hélas! chaque saison.
Flore aux regards riants, aux charmantes manières,          10
Toucha d'abord le cœur du jeune Olympien.
Ce que la passion peut inspirer d'adresse,
Sentiments délicats et remplis de tendresse,
Pleurs, soupirs, tout en fut : bref, il n'oublia rien.
Le fils de Jupiter devait par sa naissance                  15
Avoir un autre esprit, et d'autres dons des Cieux,
      Que les enfants des autres Dieux.
Il semblait qu'il n'agît que par réminiscence,
Et qu'il eût autrefois fait le métier d'amant,
      Tant il le fit parfaitement.                          20
Jupiter cependant voulut le faire instruire.
Il assembla les Dieux, et dit : J'ai su conduire
Seul et sans compagnon jusqu'ici l'Univers;
      Mais il est des emplois divers
      Qu'aux nouveaux Dieux je distribue.                   25
Sur cet enfant chéri j'ai donc jeté la vue :
C'est mon sang; tout est plein déjà de ses Autels.
Afin de mériter le rang des immortels,
Il faut qu'il sache tout. Le maître du Tonnerre
Eut à peine achevé, que chacun applaudit.                   30
Pour savoir tout, l'enfant n'avait que trop d'esprit.
      Je veux, dit le Dieu de la guerre,
      Lui montrer moi-même cet art
      Par qui maints héros ont eu part
Aux honneurs de l'Olympe et grossi cet empire.              35
      — Je serai son maître de lyre,
      Dit le blond et docte Apollon.
— Et moi, reprit Hercule à la peau de Lion,
      Son maître à surmonter les vices,
A dompter les transports, monstres empoisonneurs,           40
Comme Hydres renaissants sans cesse dans les cœurs :
      Ennemi des molles délices,
Il apprendra de moi les sentiers peu battus
Qui mènent aux honneurs sur les pas des vertus.
      Quand ce vint au Dieu de Cythère,                     45
      Il dit qu'il lui montrerait tout.
L'Amour avait raison : de quoi ne vient à bout
      L'esprit joint au désir de plaire ?

## FABLE III

### LE FERMIER, LE CHIEN, ET LE RENARD

Le Loup et le Renard sont d'étranges voisins :
Je ne bâtirai point autour de leur demeure.
    Ce dernier guettait à toute heure
Les poules d'un Fermier ; et quoique des plus fins,
Il n'avait pu donner d'atteinte à la volaille.                                    5
D'une part l'appétit, de l'autre le danger,
N'étaient pas au compère un embarras léger.
        Hé quoi ! dit-il, cette canaille
        Se moque impunément de moi ?
        Je vais, je viens, je me travaille,                                      10
J'imagine cent tours ; le rustre, en paix chez soi,
Vous fait argent de tout, convertit en monnoie
Ses chapons, sa poulaille ; il en a même au croc :
Et moi, maître passé, quand j'attrape un vieux coq,
        Je suis au comble de la joie !                                          15
Pourquoi sire Jupin m'a-t-il donc appelé
Au métier de Renard ? Je jure les puissances
De l'Olympe et du Styx, il en sera parlé.
        Roulant en son cœur ces vengeances,
Il choisit une nuit libérale en pavots :                                        20
Chacun était plongé dans un profond repos ;
Le maître du logis, les valets, le chien même,
Poules, poulets, chapons, tout dormait. Le Fermier,
        Laissant ouvert son poulailler,
        Commit une sottise extrême.                                             25
Le voleur tourne tant qu'il entre au lieu guetté,
Le dépeuple, remplit de meurtres la cité :
        Les marques de sa cruauté
Parurent avec l'Aube : on vit un étalage
        De corps sanglants et de carnage.                                       30
        Peu s'en fallut que le Soleil
Ne rebroussât d'horreur vers le manoir liquide.
        Tel, et d'un spectacle pareil,
Apollon irrité contre le fier Atride
Joncha son camp de morts : on vit presque détruit                               35
L'ost des Grecs, et ce fut l'ouvrage d'une nuit.

Tel encore autour de sa tente
Ajax, à l'âme impatiente,
De moutons et de boucs fit un vaste débris,
Croyant tuer en eux son concurrent Ulysse                        40
Et les auteurs de l'injustice
Par qui l'autre emporta le prix.
Le Renard autre Ajax aux volailles funeste,
Emporte ce qu'il peut, laisse étendu le reste.
Le Maître ne trouva de recours qu'à crier                        45
Contre ses gens, son chien, c'est l'ordinaire usage.
Ah! maudit animal, qui n'es bon qu'à noyer,
Que n'avertissais-tu dès l'abord du carnage ?
— Que ne l'évitiez-vous ? c'eût été plus tôt fait :
Si vous, maître et fermier, à qui touche le fait,               50
Dormez sans avoir soin que la porte soit close,
Voulez-vous que moi chien qui n'ai rien à la chose,
Sans aucun intérêt je perde le repos ?
Ce Chien parlait très à propos :
Son raisonnement pouvait être                                    55
Fort bon dans la bouche d'un Maître ;
Mais, n'étant que d'un simple chien,
On trouva qu'il ne valait rien.
On vous sangla le pauvre drille.
Toi donc, qui que tu sois, ô père de famille                     60
(Et je ne t'ai jamais envié cet honneur),
T'attendre aux yeux d'autrui quand tu dors, c'est erreur.
Couche-toi le dernier, et vois fermer ta porte.
Que si quelque affaire t'importe,
Ne la fais point par procureur.                                  65


## FABLE IV

## LE SONGE D'UN HABITANT DU MOGOL


Jadis certain Mogol vit en songe un Vizir
Aux champs Élysiens possesseur d'un plaisir
Aussi pur qu'infini, tant en prix qu'en durée ;
Le même songeur vit en une autre contrée
Un Ermite entouré de feux,                                       5
Qui touchait de pitié même les malheureux.

Le cas parut étrange, et contre l'ordinaire :
Minos en ces deux morts semblait s'être mépris.
Le dormeur s'éveilla, tant il en fut surpris.
Dans ce songe pourtant soupçonnant du mystère,                    10
    Il se fit expliquer l'affaire.
L'interprète lui dit : Ne vous étonnez point;
Votre songe a du sens; et, si j'ai sur ce point
    Acquis tant soit peu d'habitude,
C'est un avis des Dieux. Pendant l'humain séjour,                  15
Ce Vizir quelquefois cherchait la solitude;
Cet Ermite aux Vizirs allait faire sa cour.

Si j'osais ajouter au mot de l'interprète,
J'inspirerais ici l'amour de la retraite :
Elle offre à ses amants des biens sans embarras,                  20
Biens purs, présents du Ciel, qui naissent sous les pas.
Solitude où je trouve une douceur secrète,
Lieux que j'aimai toujours, ne pourrai-je jamais,
Loin du monde et du bruit, goûter l'ombre et le frais ?
Oh! qui m'arrêtera sous vos sombres asiles!                       25
Quand pourront les neuf Sœurs, loin des cours et des villes,
M'occuper tout entier, et m'apprendre des Cieux
Les divers mouvements inconnus à nos yeux,
Les noms et les vertus de ces clartés errantes
Par qui sont nos destins et nos mœurs différentes!                30
Que si je ne suis né pour de si grands projets,
Du moins que les ruisseaux m'offrent de doux objets!
Que je peigne en mes Vers quelque rive fleurie!
La Parque à filets d'or n'ourdira point ma vie;
Je ne dormirai point sous de riches lambris;                      35
Mais voit-on que le somme en perde de son prix ?
En est-il moins profond, et moins plein de délices ?
Je lui voue au désert de nouveaux sacrifices.
Quand le moment viendra d'aller trouver les morts,
J'aurai vécu sans soins, et mourrai sans remords.                 40

*FABLE  V*

## LE LION, LE SINGE, ET LES DEUX ANES

Le Lion, pour bien gouverner,
    Voulant apprendre la morale,
    Se fit un beau jour amener
Le Singe maître ès arts chez la gent animale.
La première leçon que donna le Régent                    5
Fut celle-ci : Grand Roi, pour régner sagement,
    Il faut que tout Prince préfère
Le zèle de l'État à certain mouvement
    Qu'on appelle communément
    Amour propre; car c'est le père,                10
    C'est l'auteur de tous les défauts
    Que l'on remarque aux animaux.
Vouloir que de tout point ce sentiment vous quitte,
    Ce n'est pas chose si petite
    Qu'on en vienne à bout en un jour :              15
C'est beaucoup de pouvoir modérer cet amour.
    Par là, votre personnage auguste
    N'admettra jamais rien en soi
    De ridicule ni d'injuste.
    — Donne-moi, repartit le Roi,                   20
    Des exemples de l'un et l'autre.
    — Toute espèce, dit le docteur,
    (Et je commence par la nôtre)
Toute profession s'estime dans son cœur,
    Traite les autres d'ignorantes,                 25
    Les qualifie impertinentes,
Et semblables discours qui ne nous coûtent rien.
L'amour-propre, au rebours, fait qu'au degré suprême
On porte ses pareils; car c'est un bon moyen
    De s'élever aussi soi-même.                     30
De tout ce que dessus j'argumente très bien
Qu'ici-bas maint talent n'est que pure grimace,
Cabale, et certain art de se faire valoir,
Mieux su des ignorants que des gens de savoir.
    L'autre jour, suivant à la trace               35
Deux Anes qui, prenant tour à tour l'encensoir

Se louaient tour à tour, comme c'est la manière,
J'ouïs que l'un des deux disait à son confrère :
Seigneur, trouvez-vous pas bien injuste et bien sot
L'homme, cet animal si parfait ? Il profane                              40
  Notre auguste nom, traitant d'âne
Quiconque est ignorant, d'esprit lourd, idiot :
  Il abuse encore d'un mot,
Et traite notre rire, et nos discours de braire.
Les humains sont plaisants de prétendre exceller                        45
Par-dessus nous ; non, non ; c'est à vous de parler,
  A leurs Orateurs de se taire :
Voilà les vrais braillards ; mais laissons là ces gens :
  Vous m'entendez, je vous entends :
  Il suffit ; et quant aux merveilles                         50
Dont votre divin chant vient frapper les oreilles,
Philomèle est au prix novice dans cet Art :
Vous surpassez Lambert. L'autre Baudet repart :
Seigneur, j'admire en vous des qualités pareilles.
Ces Anes, non contents de s'être ainsi grattés,                         55
  S'en allèrent dans les Cités
L'un l'autre se prôner : chacun d'eux croyait faire,
En prisant ses pareils, une fort bonne affaire,
Prétendant que l'honneur en reviendrait sur lui.
  J'en connais beaucoup aujourd'hui,                          60
Non parmi les baudets, mais parmi les puissances
Que le Ciel voulut mettre en de plus hauts degrés,
Qui changeraient entre eux les simples excellences,
  S'ils osaient, en des majestés.
J'en dis peut-être plus qu'il ne faut, et suppose                       65
Que votre majesté gardera le secret.
Elle avait souhaité d'apprendre quelque trait
  Qui lui fît voir entre autre chose
L'amour propre donnant du ridicule aux gens.
L'injuste aura son tour : il y faut plus de temps.                      70
Ainsi parla ce Singe. On ne m'a pas su dire
S'il traita l'autre point ; car il est délicat ;
Et notre maître ès Arts, qui n'était pas un fat,
Regardait ce Lion comme un terrible sire.

## FABLE VI

## LE LOUP ET LE RENARD

Mais d'où vient qu'au Renard Ésope accorde un point ?
C'est d'exceller en tours pleins de matoiserie.
J'en cherche la raison, et ne la trouve point.
Quand le Loup a besoin de défendre sa vie,
  Ou d'attaquer celle d'autrui,     5
  N'en sait-il pas autant que lui ?
Je crois qu'il en sait plus ; et j'oserais peut-être
Avec quelque raison contredire mon maître.
Voici pourtant un cas où tout l'honneur échut
A l'hôte des terriers. Un soir il aperçut    10
La Lune au fond d'un puits : l'orbiculaire image
  Lui parut un ample fromage.
  Deux seaux alternativement
  Puisaient le liquide élément :
Notre Renard, pressé par une faim canine,   15
S'accommode en celui qu'au haut de la machine
  L'autre seau tenait suspendu.
  Voilà l'animal descendu,
  Tiré d'erreur, mais fort en peine,
  Et voyant sa perte prochaine.    20
Car comment remonter, si quelque autre affamé,
  De la même image charmé,
  Et succédant à sa misère,
Par le même chemin ne le tirait d'affaire ?
Deux jours s'étaient passés sans qu'aucun vînt au puits. 25
Le temps qui toujours marche avait pendant deux nuits
  Échancré selon l'ordinaire
De l'astre au front d'argent la face circulaire.
  Sire Renard était désespéré.
  Compère Loup, le gosier altéré,   30
  Passe par là ; l'autre dit : Camarade,
Je veux vous régaler ; voyez-vous cet objet ?
C'est un fromage exquis. Le dieu Faune l'a fait,
  La vache Io donna le lait.
  Jupiter, s'il était malade,    35
Reprendrait l'appétit en tâtant d'un tel mets.

J'en ai mangé cette échancrure,
Le reste vous sera suffisante pâture.
Descendez dans un seau que j'ai mis là exprès.
Bien qu'au moins mal qu'il pût il ajustât l'histoire,                    40
    Le Loup fut un sot de le croire.
Il descend, et son poids, emportant l'autre part,
    Reguinde en haut maître Renard.
Ne nous en moquons point : nous nous laissons séduire
    Sur aussi peu de fondement;                                         45
    Et chacun croit fort aisément
    Ce qu'il craint et ce qu'il désire.

## FABLE VII

### LE PAYSAN DU DANUBE

Il ne faut point juger des gens sur l'apparence.
Le conseil en est bon; mais il n'est pas nouveau.
    Jadis l'erreur du Souriceau
Me servit à prouver le discours que j'avance.
    J'ai, pour le fonder à présent,                                      5
Le bon Socrate, Ésope, et certain Paysan
Des rives du Danube, homme dont Marc-Aurèle
    Nous fait un portrait fort fidèle.
On connaît les premiers : quant à l'autre, voici
    Le personnage en raccourci.                                        10
Son menton nourrissait une barbe touffue,
    Toute sa personne velue
Représentait un Ours, mais un Ours mal léché.
Sous un sourcil épais il avait l'œil caché,
Le regard de travers, nez tortu, grosse lèvre,                          15
    Portait sayon de poil de chèvre,
    Et ceinture de joncs marins.
Cet homme ainsi bâti fut député des Villes
Que lave le Danube : il n'était point d'asiles
    Où l'avarice des Romains                                            20
Ne pénétrât alors, et ne portât les mains.
Le député vint donc, et fit cette harangue :
Romains, et vous, Sénat, assis pour m'écouter,
Je supplie avant tout les Dieux de m'assister :

Veuillent les Immortels, conducteurs de ma langue,    25
Que je ne dise rien qui doive être repris.
Sans leur aide, il ne peut entrer dans les esprits
      Que tout mal et toute injustice :
Faute d'y recourir, on viole leurs lois.
Témoin nous, que punit la Romaine avarice :          30
Rome est par nos forfaits, plus que par ses exploits,
      L'instrument de notre supplice.
Craignez, Romains, craignez que le Ciel quelque jour
Ne transporte chez vous les pleurs et la misère;
Et mettant en nos mains par un juste retour          35
Les armes dont se sert sa vengeance sévère,
      Il ne vous fasse en sa colère
      Nos esclaves à votre tour.
Et pourquoi sommes-nous les vôtres ? Qu'on me die
En quoi vous valez mieux que cent peuples divers.    40
Quel droit vous a rendus maîtres de l'Univers ?
Pourquoi venir troubler une innocente vie ?
Nous cultivions en paix d'heureux champs, et nos mains
Étaient propres aux Arts ainsi qu'au labourage :
      Qu'avez-vous appris aux Germains ?            45
      Ils ont l'adresse et le courage;
      S'ils avaient eu l'avidité,
      Comme vous, et la violence,
Peut-être en votre place ils auraient la puissance,
Et sauraient en user sans inhumanité.                50
Celle que vos Préteurs ont sur nous exercée
      N'entre qu'à peine en la pensée.
      La majesté de vos Autels
      Elle-même en est offensée;
      Car sachez que les immortels                 55
Ont les regards sur nous. Grâces à vos exemples,
Ils n'ont devant les yeux que des objets d'horreur,
      De mépris d'eux, et de leurs Temples,
D'avarice qui va jusques à la fureur.
Rien ne suffit aux gens qui nous viennent de Rome;   60
      La terre, et le travail de l'homme
Font pour les assouvir des efforts superflus.
      Retirez-les : on ne veut plus
      Cultiver pour eux les campagnes;
Nous quittons les cités, nous fuyons aux montagnes;  65
      Nous laissons nos chères compagnes;
Nous ne conversons plus qu'avec des Ours affreux,
Découragés de mettre au jour des malheureux,
Et de peupler pour Rome un pays qu'elle opprime.

Quant à nos enfants déjà nés,                         70
Nous souhaitons de voir leurs jours bientôt bornés :
Vos préteurs au malheur nous font joindre le crime.
    Retirez-les : ils ne nous apprendront
        Que la mollesse et que le vice;
        Les Germains comme eux deviendront          75
        Gens de rapine et d'avarice.
C'est tout ce que j'ai vu dans Rome à mon abord :
    N'a-t-on point de présent à faire ?
Point de pourpre à donner ? C'est en vain qu'on espère
Quelque refuge aux lois : encor leur ministère       80
A-t-il mille longueurs. Ce discours, un peu fort
    Doit commencer à vous déplaire.
    Je finis. Punissez de mort
    Une plainte un peu trop sincère.
A ces mots, il se couche et chacun étonné             85
Admire le grand cœur, le bon sens, l'éloquence,
    Du sauvage ainsi prosterné.
On le créa Patrice; et ce fut la vengeance
Qu'on crut qu'un tel discours méritait. On choisit
    D'autres préteurs, et par écrit                    90
Le Sénat demanda ce qu'avait dit cet homme,
Pour servir de modèle aux parleurs à venir.
    On ne sut pas longtemps à Rome
    Cette éloquence entretenir.


### FABLE VIII


# LE VIEILLARD
## ET LES TROIS JEUNES HOMMES


    Un octogénaire plantait.
Passe encor de bâtir; mais planter à cet âge!
Disaient trois jouvenceaux, enfants du voisinage;
    Assurément il radotait.
    Car, au nom des Dieux, je vous prie,                5
Quel fruit de ce labeur pouvez-vous recueillir ?
Autant qu'un Patriarche il vous faudrait vieillir.
    A quoi bon charger votre vie
Des soins d'un avenir qui n'est pas fait pour vous ?

Ne songez désormais qu'à vos erreurs passées :              10
Quittez le long espoir et les vastes pensées;
        Tout cela ne convient qu'à nous.
        — Il ne convient pas à vous-mêmes,
Repartit le Vieillard. Tout établissement
Vient tard et dure peu. La main des Parques blêmes       15
De vos jours et des miens se joue également.
Nos termes sont pareils par leur courte durée.
Qui de nous des clartés de la voûte azurée
Doit jouir le dernier ? Est-il aucun moment
Qui vous puisse assurer d'un second seulement ?          20
Mes arrière-neveux me devront cet ombrage :
        Eh bien défendez-vous au Sage
De se donner des soins pour le plaisir d'autrui ?
Cela même est un fruit que je goûte aujourd'hui :
J'en puis jouir demain, et quelques jours encore;        25
        Je puis enfin compter l'Aurore
        Plus d'une fois sur vos tombeaux.
Le Vieillard eut raison; l'un des trois jouvenceaux
Se noya dès le port allant à l'Amérique;
L'autre, afin de monter aux grandes dignités,            30
Dans les emplois de Mars servant la République,
Par un coup imprévu vit ses jours emportés.
        Le troisième tomba d'un arbre
        Que lui-même il voulut enter;
Et pleurés du Vieillard, il grava sur leur marbre         35
        Ce que je viens de raconter.

## FABLE IX

### LES SOURIS ET LE CHAT-HUANT

        Il ne faut jamais dire aux gens :
Écoutez un bon mot, oyez une merveille.
        Savez-vous si les écoutants
En feront une estime à la vôtre pareille ?
Voici pourtant un cas qui peut être excepté :             5
Je le maintiens prodige, et tel que d'une fable
Il a l'air et les traits, encor que véritable.
On abattit un pin pour son antiquité,

Vieux Palais d'un hibou, triste et sombre retraite
De l'oiseau qu'Atropos prend pour son interprète.          10
Dans son tronc caverneux, et miné par le temps,
    Logeaient, entre autres habitants,
Force Souris sans pieds, toutes rondes de graisse.
L'Oiseau les nourrissait parmi des tas de blé,
Et de son bec avait leur troupeau mutilé ;               15
Cet Oiseau raisonnait, il faut qu'on le confesse.
En son temps aux Souris le compagnon chassa.
Les premières qu'il prit du logis échappées,
Pour y remédier, le drôle estropia
Tout ce qu'il prit ensuite. Et leurs jambes coupées       20
Firent qu'il les mangeait à sa commodité,
    Aujourd'hui l'une, et demain l'autre.
Tout manger à la fois, l'impossibilité
S'y trouvait, joint aussi le soin de sa santé.
Sa prévoyance allait aussi loin que la nôtre :            25
    Elle allait jusqu'à leur porter
    Vivres et grains pour subsister.
    Puis, qu'un Cartésien s'obstine
A traiter ce Hibou de montre et de machine !
    Quel ressort lui pouvait donner                30
Le conseil de tronquer un peuple mis en mue ?
    Si ce n'est pas là raisonner,
    La raison m'est chose inconnue.
    Voyez que d'arguments il fit :
    Quand ce peuple est pris, il s'enfuit :         35
Donc il faut le croquer aussitôt qu'on le happe.
Tout : il est impossible. Et puis, pour le besoin
N'en dois-je pas garder ? Donc il faut avoir soin
    De le nourrir sans qu'il échappe.
Mais comment ? Otons-lui les pieds. Or, trouvez-moi       40
Chose par les humains à sa fin mieux conduite.
Quel autre art de penser Aristote et sa suite
    Enseignent-ils, par votre foi ?


    Ceci n'est point une fable ; et la chose, quoique merveil-
leuse et presque incroyable, est véritablement arrivée. J'ai
peut-être porté trop loin la prévoyance de ce Hibou ; car
je ne prétends pas établir dans les bêtes un progrès de raisonnement tel que celui-ci ; mais ces exagérations sont
permises à la poésie, surtout dans la manière d'écrire dont
je me sers.

## ÉPILOGUE

C'est ainsi que ma Muse, aux bords d'une onde pure,
    Traduisait en langue des Dieux
    Tout ce que disent sous les cieux
Tant d'êtres empruntants la voix de la nature.
Trucheman de peuples divers,                                    5
Je les faisais servir d'Acteurs en mon ouvrage;
    Car tout parle dans l'Univers;
    Il n'est rien qui n'ait son langage.
Plus éloquents chez eux qu'ils ne sont dans mes Vers,
Si ceux que j'introduis me trouvent peu fidèle,              10
Si mon œuvre n'est pas un assez bon modèle,
    J'ai du moins ouvert le chemin :
D'autres pourront y mettre une dernière main.
Favoris des neuf Sœurs, achevez l'entreprise :
Donnez mainte leçon que j'ai sans doute omise;            15
Sous ces inventions il faut l'envelopper :
Mais vous n'avez que trop de quoi vous occuper :
Pendant le doux emploi de ma Muse innocente,
Louis dompte l'Europe, et d'une main puissante
Il conduit à leur fin les plus nobles projets               20
    Qu'ait jamais formés un Monarque.
Favoris des neuf Sœurs, ce sont là des sujets
    Vainqueurs du temps et de la Parque.

# LIVRE DOUZIÈME

## A MONSEIGNEUR
## LE DUC DE BOURGOGNE

MONSEIGNEUR,

Je ne puis employer pour mes Fables de protection qui me soit plus glorieuse que la vôtre. Ce goût exquis et ce jugement si solide que vous faites paraître dans toutes choses au delà d'un âge où à peine les autres Princes sont-ils touchés de ce qui les environne avec le plus d'éclat, tout cela, joint au devoir de vous obéir et à la passion de vous plaire, m'a obligé de vous présenter un Ouvrage dont l'original a été l'admiration de tous les siècles aussi bien que celle de tous les sages. Vous m'avez même ordonné de continuer; et, si vous me permettez de le dire, il y a des sujets dont je vous suis redevable et où vous avez jeté des grâces qui ont été admirées de tout le monde. Nous n'avons plus besoin de consulter ni Apollon ni les Muses, ni aucune des Divinités du Parnasse : elles se rencontrent toutes dans les présents que vous a faits la Nature, et dans cette science de bien juger des Ouvrages de l'esprit, à quoi vous joignez déjà celle de connaître toutes les règles qui y conviennent. Les Fables d'Ésope sont une ample matière pour ces talents; elles embrassent toutes sortes d'événements et de caractères. Ces mensonges sont proprement une manière d'histoire où on ne flatte personne. Ce ne sont pas choses de peu d'importance que ces sujets. Les Animaux sont les précepteurs des Hommes dans mon Ouvrage. Je ne m'étendrai pas davantage là-dessus : vous voyez mieux que moi le profit qu'on en peut tirer. Si vous vous connaissez maintenant en Orateurs et en Poètes, vous vous connaîtrez encore mieux quelque jour en bons Politiques et en bons Généraux d'Armée; et vous vous tromperez aussi peu au choix des Personnes qu'au mérite des Actions. Je ne suis pas d'un âge à espérer d'en être témoin. Il faut que je me contente de travailler sous vos ordres. L'envie de vous plaire me tiendra lieu d'une imagination que les ans ont affaiblie. Quand vous souhaiterez quelque Fable, je la trouverai dans ce fonds-là. Je voudrais bien que vous y puissiez trouver des louanges dignes du Monarque qui fait maintenant le destin de tant de Peuples et de Nations, et qui rend toutes les parties du Monde attentives à ses Conquêtes, à ses Victoires, et à la Paix qui semble se rapprocher, et dont il impose les conditions avec toute la modération que peuvent souhaiter nos Ennemis. Je me le figure comme un Conquérant qui veut mettre des bornes à sa Gloire et à sa Puissance, et de qui on pourrait dire, à meilleur titre qu'on ne l'a dit d'Alexandre, qu'il va tenir les États de l'Univers, en obligeant les Ministres de tant de Princes de s'assembler pour terminer une guerre qui ne peut être que ruineuse à leurs Maîtres. Ce sont des sujets au-dessus de nos paroles : je les laisse à de meilleures Plumes que la mienne, et suis avec un profond respect,

MONSEIGNEUR,

Votre très humble, très obéissant,
et très fidèle serviteur,

DE LA FONTAINE.

## FABLE I

## LES COMPAGNONS D'ULYSSE

### A MONSEIGNEUR LE DUC DE BOURGOGNE

Prince, l'unique objet du soin des Immortels,
Souffrez que mon encens parfume vos Autels.
Je vous offre un peu tard ces Présents de ma Muse;
Les ans et les travaux me serviront d'excuse :
Mon esprit diminue, au lieu qu'à chaque instant          5
On aperçoit le vôtre aller en augmentant.
Il ne va pas, il court, il semble avoir des ailes.
Le Héros dont il tient des qualités si belles
Dans le métier de Mars brûle d'en faire autant :
Il ne tient pas à lui que, forçant la victoire,          10
        Il ne marche à pas de géant
        Dans la carrière de la Gloire.
Quelque Dieu le retient : c'est notre Souverain,
Lui qu'un mois a rendu maître et vainqueur du Rhin;
Cette rapidité fut alors nécessaire :                    15
Peut-être elle serait aujourd'hui téméraire.
Je m'en tais; aussi bien les Ris et les Amours
Ne sont pas soupçonnés d'aimer les longs discours.
De ces sortes de Dieux votre Cour se compose.
Ils ne vous quittent point. Ce n'est pas qu'après tout   20
D'autres Divinités n'y tiennent le haut bout :
Le sens et la raison y règlent toute chose.
Consultez ces derniers sur un fait où les Grecs,
        Imprudents et peu circonspects,
        S'abandonnèrent à des charmes                     25
Qui métamorphosaient en bêtes les humains.
Les Compagnons d'Ulysse, après dix ans d'alarmes,
Erraient au gré du vent, de leur sort incertains.
        Ils abordèrent un rivage
        Où la fille du dieu du jour,                      30
        Circé, tenait alors sa Cour.
        Elle leur fit prendre un breuvage
Délicieux, mais plein d'un funeste poison.
        D'abord ils perdent la raison;
Quelques moments après, leur corps et leur visage        35

Prennent l'air et les traits d'animaux différents.
Les voilà devenus Ours, Lions, Éléphants;
    Les uns sous une masse énorme,
    Les autres sous une autre forme;
Il s'en vit de petits, *exemplum, ut talpa.*        40
    Le seul Ulysse en échappa.
Il sut se défier de la liqueur traîtresse.
    Comme il joignait à la sagesse
La mine d'un Héros et le doux entretien,
    Il fit tant que l'Enchanteresse        45
Prit un autre poison peu différent du sien.
Une Déesse dit tout ce qu'elle a dans l'âme :
    Celle-ci déclara sa flamme.
Ulysse était trop fin pour ne pas profiter
    D'une pareille conjoncture.        50
Il obtint qu'on rendrait à ces Grecs leur figure.
Mais la voudront-ils bien, dit la Nymphe, accepter ?
Allez le proposer de ce pas à la troupe.
Ulysse y court, et dit : L'empoisonneuse coupe
A son remède encore; et je viens vous l'offrir :        55
Chers amis, voulez-vous hommes redevenir ?
    On vous rend déjà la parole.
    Le Lion dit, pensant rugir :
    Je n'ai pas la tête si folle;
Moi renoncer aux dons que je viens d'acquérir ?        60
J'ai griffe et dent, et mets en pièces qui m'attaque.
Je suis Roi : deviendrai-je un Citadin d'Ithaque ?
Tu me rendras peut-être encor simple Soldat :
    Je ne veux point changer d'état.
Ulysse du Lion court à l'Ours : Eh! mon frère,        65
Comme te voilà fait! je t'ai vu si joli!
    — Ah! vraiment nous y voici,
    Reprit l'Ours à sa manière.
Comme me voilà fait ? comme doit être un ours.
Qui t'a dit qu'une forme est plus belle qu'une autre ?        70
    Est-ce à la tienne à juger de la nôtre ?
Je me rapporte aux yeux d'une Ourse mes amours.
Te déplais-je ? va-t'en, suis ta route et me laisse :
Je vis libre, content, sans nul soin qui me presse;
    Et te dis tout net et tout plat :        75
    Je ne veux point changer d'état.
Le prince grec au Loup va proposer l'affaire;
Il lui dit, au hasard d'un semblable refus :
    Camarade, je suis confus
    Qu'une jeune et belle Bergère        80

Conte aux échos les appétits gloutons
   Qui t'ont fait manger ses moutons.
Autrefois on t'eût vu sauver sa bergerie :
   Tu menais une honnête vie.
   Quitte ces bois, et redevien,                               85
   Au lieu de loup, homme de bien.
— En est-il ? dit le Loup. Pour moi, je n'en vois guère.
Tu t'en viens me traiter de bête carnassière :
Toi qui parles, qu'es-tu ? N'auriez-vous pas sans moi
Mangé ces animaux que plaint tout le Village ?            90
   Si j'étais Homme, par ta foi,
   Aimerais-je moins le carnage ?
Pour un mot quelquefois vous vous étranglez tous :
Ne vous êtes-vous pas l'un à l'autre des Loups ?
Tout bien considéré, je te soutiens en somme            95
   Que scélérat pour scélérat,
   Il vaut mieux être un Loup qu'un Homme :
   Je ne veux point changer d'état.
Ulysse fit à tous une même semonce,
   Chacun d'eux fit même réponce,                           100
   Autant le grand que le petit.
La liberté, les bois, suivre leur appétit,
   C'était leurs délices suprêmes :
Tous renonçaient au lôs des belles actions.
Ils croyaient s'affranchir suivants leurs passions,      105
   Ils étaient esclaves d'eux-mêmes.
Prince, j'aurais voulu vous choisir un sujet
Où je pusse mêler le plaisant à l'utile :
   C'était sans doute un beau projet
   Si ce choix eût été facile.                               110
Les compagnons d'Ulysse enfin se sont offerts.
Ils ont force pareils en ce bas Univers :
   Gens à qui j'impose pour peine
   Votre censure et votre haine.

## FABLE II

### LE CHAT ET LES DEUX MOINEAUX
#### A MONSEIGNEUR LE DUC DE BOURGOGNE

Un Chat contemporain d'un fort jeune Moineau
Fut logé près de lui dès l'âge du berceau;
La Cage et le Panier avaient mêmes Pénates.
Le Chat était souvent agacé par l'Oiseau :
L'un s'escrimait du bec, l'autre jouait des pattes.      5
Ce dernier toutefois épargnait son ami.
    Ne le corrigeant qu'à demi
    Il se fût fait un grand scrupule
    D'armer de pointes sa férule.
    Le Passereau moins circonspect,                   10
    Lui donnait force coups de bec.
    En sage et discrète personne,
    Maître Chat excusait ces jeux :
Entre amis, il ne faut jamais qu'on s'abandonne
    Aux traits d'un courroux sérieux.                 15
Comme ils se connaissaient tous deux dès leur bas âge,
Une longue habitude en paix les maintenait;
Jamais en vrai combat le jeu ne se tournait;
    Quand un Moineau du voisinage
S'en vint les visiter, et se fit compagnon             20
Du pétulant Pierrot et du sage Raton.
Entre les deux oiseaux il arriva querelle;
    Et Raton de prendre parti.
Cet inconnu, dit-il, nous la vient donner belle
    D'insulter ainsi notre ami!                       25
Le Moineau du voisin viendra manger le nôtre ?
Non, de par tous les Chats! Entrant lors au combat,
Il croque l'étranger. Vraiment, dit maître Chat,
Les Moineaux ont un goût exquis et délicat!
Cette réflexion fit aussi croquer l'autre.             30
Quelle Morale puis-je inférer de ce fait ?
Sans cela toute Fable est un œuvre imparfait.
J'en crois voir quelques traits; mais leur ombre m'abuse,
Prince, vous les aurez incontinent trouvés :
Ce sont des jeux pour vous, et non point pour ma Muse; 35
Elle et ses Sœurs n'ont pas l'esprit que vous avez.

## *FABLE III*

### DU THÉSAURISEUR ET DU SINGE

Un Homme accumulait. On sait que cette erreur
    Va souvent jusqu'à la fureur.
Celui-ci ne songeait que Ducats et Pistoles.
Quand ces biens sont oisifs, je tiens qu'ils sont frivoles.
    Pour sûreté de son Trésor,       5
Notre Avare habitait un lieu dont Amphitrite
Défendait aux voleurs de toutes parts l'abord.
Là d'une volupté selon moi fort petite,
Et selon lui fort grande, il entassait toujours :
    Il passait les nuits et les jours       10
A compter, calculer, supputer sans relâche,
Calculant, supputant, comptant comme à la tâche :
Car il trouvait toujours du mécompte à son fait.
Un gros Singe plus sage, à mon sens, que son maître,
Jetait quelque Doublon toujours par la fenêtre,       15
    Et rendait le compte imparfait :
    La chambre, bien cadenassée,
Permettait de laisser l'argent sur le comptoir.
Un beau jour dom Bertrand se mit dans la pensée
D'en faire un sacrifice au liquide manoir.       20
    Quant à moi, lorsque je compare
Les plaisirs de ce Singe à ceux de cet Avare,
Je ne sais bonnement auxquels donner le prix.
Dom Bertrand gagnerait près de certains esprits;
Les raisons en seraient trop longues à déduire.       25
Un jour donc l'animal, qui ne songeait qu'à nuire,
Détachait du monceau, tantôt quelque Doublon,
    Un Jacobus, un Ducaton,
    Et puis quelque Noble à la rose;
Éprouvait son adresse et sa force à jeter       30
Ces morceaux de métal qui se font souhaiter
    Par les humains sur toute chose.
S'il n'avait entendu son Compteur à la fin
    Mettre la clef dans la serrure,
Les Ducats auraient tous pris le même chemin,       35
    Et couru la même aventure;

Il les aurait fait tous voler jusqu'au dernier
Dans le gouffre enrichi par maint et maint naufrage.
Dieu veuille préserver maint et maint Financier
    Qui n'en fait pas meilleur usage.                    40

## FABLE IV

### LES DEUX CHÈVRES

    Dès que les Chèvres ont brouté,
    Certain esprit de liberté
Leur fait chercher fortune; elles vont en voyage
    Vers les endroits du pâturage
    Les moins fréquentés des humains.                 5
Là s'il est quelque lieu sans route et sans chemins,
Un rocher, quelque mont pendant en précipices,
C'est où ces Dames vont promener leurs caprices;
Rien ne peut arrêter cet animal grimpant.
    Deux Chèvres donc s'émancipant,                   10
    Toutes deux ayant patte blanche,
Quittèrent les bas prés, chacune de sa part.
L'une vers l'autre allait pour quelque bon hasard.
Un ruisseau se rencontre, et pour pont une planche.
Deux Belettes à peine auraient passé de front        15
      Sur ce pont;
D'ailleurs, l'onde rapide et le ruisseau profond
Devaient faire trembler de peur ces Amazones.
Malgré tant de dangers, l'une de ces personnes
Pose un pied sur la planche, et l'autre en fait autant.   20
Je m'imagine voir avec Louis le Grand
    Philippe Quatre qui s'avance
    Dans l'île de la Conférence.
    Ainsi s'avançaient pas à pas,
    Nez à nez, nos Aventurières,                      25
    Qui, toutes deux étant fort fières,
Vers le milieu du pont ne se voulurent pas
L'une à l'autre céder. Elles avaient la gloire
De compter dans leur race (à ce que dit l'Histoire)
L'une certaine Chèvre au mérite sans pair           30
Dont Polyphème fit présent à Galatée,

Et l'autre la chèvre Amalthée,
Par qui fut nourri Jupiter.
Faute de reculer, leur chute fut commune;
    Toutes deux tombèrent dans l'eau.                    35
    Cet accident n'est pas nouveau
    Dans le chemin de la Fortune.


## A MONSEIGNEUR LE DUC DE BOURGOGNE,

qui avait demandé à M. de la Fontaine
une fable qui fût nommée *le Chat et la Souris.*


Pour plaire au jeune Prince à qui la Renommée
    Destine un Temple en mes Écrits,
Comment composerai-je une Fable nommée
        Le Chat et la Souris ?
Dois-je représenter dans ces Vers une belle            5
Qui, douce en apparence, et toutefois cruelle,
Va se jouant des cœurs que ses charmes ont pris
        Comme le Chat et la Souris ?

Prendrai-je pour sujet les jeux de la Fortune ?
Rien ne lui convient mieux, et c'est chose commune     10
Que de lui voir traiter ceux qu'on croit ses amis
        Comme le Chat fait la Souris,

Introduirai-je un Roi qu'entre ses favoris
Elle respecte seul, Roi qui fixe sa roue,
Qui n'est point empêché d'un monde d'Ennemis,          15
Et qui des plus puissants, quand il lui plaît, se joue
        Comme le Chat de la Souris ?

Mais insensiblement, dans le tour que j'ai pris,
Mon dessein se rencontre; et si je ne m'abuse,
Je pourrais tout gâter par de plus longs récits.       20
Le jeune Prince alors se jouerait de ma Muse
        Comme le Chat de la Souris.

## FABLE V

## LE VIEUX CHAT ET LA JEUNE SOURIS

Une jeune Souris de peu d'expérience
Crut fléchir un vieux Chat, implorant sa clémence,
Et payant de raisons le Raminagrobis :
    Laissez-moi vivre : une Souris
    De ma taille et de ma dépense                        5
    Est-elle à charge en ce logis ?
    Affamerais-je, à votre avis,
    L'Hôte et l'Hôtesse, et tout leur monde ?
    D'un grain de blé je me nourris ;
    Une noix me rend toute ronde.                       10
A présent je suis maigre ; attendez quelque temps.
Réservez ce repas à messieurs vos Enfants.
Ainsi parlait au Chat la Souris attrapée.
    L'autre lui dit : Tu t'es trompée.
Est-ce à moi que l'on tient de semblables discours ?    15
Tu gagnerais autant de parler à des sourds.
Chat, et vieux, pardonner ? cela n'arrive guères.
    Selon ces lois, descends là-bas,
    Meurs, et va-t'en, tout de ce pas,
    Haranguer les sœurs Filandières.                    20
Mes Enfants trouveront assez d'autres repas.
    Il tint parole ; Et pour ma Fable
Voici le sens moral qui peut y convenir :
La jeunesse se flatte, et croit tout obtenir ;
    La vieillesse est impitoyable.                      25

## FABLE VI

### LE CERF MALADE

En pays pleins de Cerfs un Cerf tomba malade.
 Incontinent maint camarade
Accourt à son grabat le voir, le secourir,
Le consoler du moins : multitude importune.
 Eh! Messieurs, laissez-moi mourir.     **5**
 Permettez qu'en forme commune
La parque m'expédie, et finissez vos pleurs.
 Point du tout : les Consolateurs
De ce triste devoir tout au long s'acquittèrent;
 Quand il plut à Dieu s'en allèrent.   **10**
 Ce ne fut pas sans boire un coup,
C'est-à-dire sans prendre un droit de pâturage.
Tout se mit à brouter les bois du voisinage.
La pitance du Cerf en déchut de beaucoup;
 Il ne trouva plus rien à frire.    **15**
 D'un mal il tomba dans un pire,
 Et se vit réduit à la fin
 A jeûner et mourir de faim.
 Il en coûte à qui vous réclame,
 Médecins du corps et de l'âme.    **20**
 O temps, ô mœurs! J'ai beau crier,
 Tout le monde se fait payer.

## FABLE VII

### LA CHAUVE-SOURIS, LE BUISSON,
### ET LE CANARD

Le Buisson, le Canard, et la Chauve-Souris,
 Voyant tous trois qu'en leur pays
 Ils faisaient petite fortune,
Vont trafiquer au loin, et font bourse commune.

Ils avaient des Comptoirs, des Facteurs, des Agents          5
    Non moins soigneux qu'intelligents,
Des Registres exacts de mise et de recette.
    Tout allait bien; quand leur emplette,
    En passant par certains endroits
    Remplis d'écueils, et fort étroits,          10
    Et de Trajet très difficile,
Alla tout emballée au fond des magasins
    Qui du Tartare sont voisins.
Notre Trio poussa maint regret inutile;
    Ou plutôt il n'en poussa point,          15
Le plus petit Marchand est savant sur ce point;
Pour sauver son crédit, il faut cacher sa perte.
Celle que par malheur nos gens avaient soufferte
Ne put se réparer : le cas fut découvert.
Les voilà sans crédit, sans argent, sans ressource,          20
    Prêts à porter le bonnet vert.
    Aucun ne leur ouvrit sa bourse.
Et le sort principal, et les gros intérêts,
    Et les Sergents, et les procès,
    Et le créancier à la porte,          25
    Dès devant la pointe du jour,
N'occupaient le Trio qu'à chercher maint détour
    Pour contenter cette cohorte.
Le Buisson accrochait les passants à tous coups.
Messieurs, leur disait-il, de grâce, apprenez-nous          30
    En quel lieu sont les marchandises
    Que certains gouffres nous ont prises.
Le plongeon sous les eaux s'en allait les chercher.
L'oiseau Chauve-Souris n'osait plus approcher
    Pendant le jour nulle demeure :          35
    Suivi de Sergents à toute heure,
    En des trous il s'allait cacher.
Je connais maint detteur qui n'est ni souris-chauve,
Ni Buisson, ni Canard, ni dans tel cas tombé,
Mais simple grand Seigneur, qui tous les jours se sauve          40
    Par un escalier dérobé.

## FABLE VIII

# LA QUERELLE
## DES CHIENS ET DES CHATS,
### ET CELLE
## DES CHATS ET DES SOURIS

La Discorde a toujours régné dans l'Univers ;
Notre monde en fournit mille exemples divers :
Chez nous cette Déesse a plus d'un Tributaire.
    Commençons par les Éléments :
Vous serez étonnés de voir qu'à tous moments     5
    Ils seront appointés contraire.
    Outre ces quatre potentats,
    Combien d'êtres de tous états
    Se font une guerre éternelle !
Autrefois un logis plein de Chiens et de Chats,    10
Par cent Arrêts rendus en forme solennelle,
Vit terminer tous leurs débats.
Le Maître ayant réglé leurs emplois, leurs Repas,
Et menacé du fouet quiconque aurait querelle,
Ces animaux vivaient entr'eux comme cousins.    15
Cette union si douce, et presque fraternelle,
    Édifiait tous les voisins.
Enfin elle cessa. Quelque plat de potage,
Quelque os par préférence à quelqu'un d'eux donné,
Fit que l'autre parti s'en vint tout forcené    20
    Représenter un tel outrage.
J'ai vu des chroniqueurs attribuer le cas
Aux passe-droits qu'avait une chienne en gésine.
    Quoi qu'il en soit, cet altercas
Mit en combustion la salle et la cuisine ;    25
Chacun se déclara pour son Chat, pour son Chien.
On fit un Règlement dont les Chats se plaignirent,
    Et tout le quartier étourdirent.
Leur Avocat disait qu'il fallait bel et bien
Recourir aux Arrêts. En vain ils les cherchèrent.    30
Dans un coin où d'abord leurs Agents les cachèrent,
    Les Souris enfin les mangèrent.

Autre procès nouveau : Le peuple Souriquois
En pâtit. Maint vieux Chat, fin, subtil, et narquois,
Et d'ailleurs en voulant à toute cette race,                              35
        Les guetta, les prit, fit main basse
Le Maître du logis ne s'en trouva que mieux.
J'en reviens à mon dire. On ne voit, sous les Cieux
Nul animal, nul être, aucune Créature,
Qui n'ait son opposé : c'est la loi de Nature.                           40
D'en chercher la raison, ce sont soins superflus.
Dieu fit bien ce qu'il fit, et je n'en sais pas plus.
    Ce que je sais, c'est qu'aux grosses paroles
On en vient sur un rien, plus des trois quarts du temps.
Humains, il vous faudrait encore à soixante ans                          45
        Renvoyer chez les Barbacoles.


## FABLE IX

### LE LOUP ET LE RENARD

D'où vient que personne en la vie
N'est satisfait de son état ?
Tel voudrait bien être Soldat
A qui le Soldat porte envie.

Certain Renard voulut, dit-on,                                            5
Se faire Loup. Hé ! qui peut dire
Que pour le métier de Mouton
Jamais aucun Loup ne soupire ?

Ce qui m'étonne est qu'à huit ans
Un Prince en Fable ait mis la chose,                                     10
Pendant que sous mes cheveux blancs
Je fabrique à force de temps
Des Vers moins sensés que sa Prose.

Les traits dans sa Fable semés
Ne sont en l'ouvrage du poète                                           15
Ni tous, ni si bien exprimés.
Sa louange en est plus complète.

De la chanter sur la Musette,
C'est mon talent; mais je m'attends
Que mon Héros, dans peu de temps,                            20
Me fera prendre la trompette.

Je ne suis pas un grand Prophète;
Cependant je lis dans les Cieux
Que bientôt ses faits glorieux
Demanderont plusieurs Homères;                               25
Et ce temps-ci n'en produit guères.
Laissant à part tous ces mystères,
Essayons de conter la Fable avec succès.

Le Renard dit au Loup : Notre cher, pour tous mets
J'ai souvent un vieux Coq, ou de maigres Poulets;            30
        C'est une viande qui me lasse.
Tu fais meilleure chère avec moins de hasard.
J'approche des maisons, tu te tiens à l'écart.
Apprends-moi ton métier, Camarade, de grâce;
        Rends-moi le premier de ma race                      35
Qui fournisse son croc de quelque Mouton gras :
Tu ne me mettras point au nombre des ingrats.
— Je le veux, dit le Loup; il m'est mort un mien frère :
Allons prendre sa peau, tu t'en revêtiras.
Il vint, et le Loup dit : Voici comme il faut faire,         40
Si tu veux écarter les Mâtins du troupeau.
        Le Renard, ayant mis la peau,
Répétait les leçons que lui donnait son maître.
D'abord il s'y prit mal, puis un peu mieux, puis bien;
        Puis enfin il n'y manqua rien.                       45
A peine il fut instruit autant qu'il pouvait l'être,
Qu'un Troupeau s'approcha. Le nouveau Loup y court
Et répand la terreur dans les lieux d'alentour.
        Tel, vêtu des armes d'Achille,
Patrocle mit l'alarme au Camp et dans la Ville :             50
Mères, Brus et Vieillards au Temple couraient tous.
L'ost au Peuple bêlant crut voir cinquante Loups.
Chien, Berger, et Troupeau, tout fuit vers le Village,
Et laisse seulement une Brebis pour gage.
Le larron s'en saisit. A quelque pas de là                   55
Il entendit chanter un Coq du voisinage.
Le Disciple aussitôt droit au Coq s'en alla,
        Jetant bas sa robe de classe,
Oubliant les Brebis, les leçons, le Régent,
        Et courant d'un pas diligent.                        60

Que sert-il qu'on se contrefasse ?
Prétendre ainsi changer est une illusion :
    L'on reprend sa première trace
    A la première occasion.
    De votre esprit, que nul autre n'égale,                65
Prince, ma Muse tient tout entier ce projet :
    Vous m'avez donné le sujet,
    Le dialogue, et la morale.


## FABLE X

### L'ÉCREVISSE ET SA FILLE

Les Sages quelquefois, ainsi que l'Écrevisse,
Marchent à reculons, tournent le dos au port.
C'est l'art des Matelots ; c'est aussi l'artifice
De ceux qui, pour couvrir quelque puissant effort,
Envisagent un point directement contraire,                5
Et font vers ce lieu-là courir leur adversaire.
Mon sujet est petit, cet accessoire est grand.
Je pourrais l'appliquer à certain Conquérant
Qui tout seul déconcerte une Ligue à cent têtes.
Ce qu'il n'entreprend pas, et ce qu'il entreprend,        10
N'est d'abord qu'un secret, puis devient des conquêtes.
En vain l'on a les yeux sur ce qu'il veut cacher ;
Ce sont arrêts du sort qu'on ne peut empêcher :
Le torrent, à la fin, devient insurmontable.
Cent dieux sont impuissants contre un seul Jupiter.       15
Louis et le Destin me semblent de concert
Entraîner l'Univers. Venons à notre Fable.

Mère Écrevisse un jour à sa Fille disait :
Comme tu vas, bon Dieu ! ne peux-tu marcher droit ?
— Et comme vous allez vous-même ! dit la fille.           20
Puis-je autrement marcher que ne fait ma famille ?
Veut-on que j'aille droit quand on y va tortu ?
        Elle avait raison ; la vertu
        De tout exemple domestique
        Est universelle, et s'applique                    25
En bien, en mal, en tout ; fait des sages, des sots :

Beaucoup plus de ceux-ci. Quant à tourner le dos
A son but, j'y reviens ; la méthode en est bonne,
     Surtout au métier de Bellone ;
     Mais il faut le faire à propos.        30


## FABLE XI

## L'AIGLE ET LA PIE


L'Aigle, Reine des airs, avec Margot la Pie,
Différentes d'humeur, de langage, et d'esprit
     Et d'habit,
     Traversaient un bout de prairie.
Le hasard les assemble en un coin détourné.     5
L'Agasse eut peur ; mais l'Aigle, ayant fort bien dîné,
La rassure, et lui dit : Allons de compagnie ;
Si le Maître des Dieux assez souvent s'ennuie,
     Lui qui gouverne l'Univers,
J'en puis bien faire autant, moi qu'on sait qui le sers.  10
Entretenez-moi donc, et sans cérémonie.
Caquet bon-bec alors de jaser au plus dru,
Sur ceci, sur cela, sur tout. L'homme d'Horace,
Disant le bien, le mal, à travers champs, n'eût su
Ce qu'en fait de babil y savait notre Agasse.     15
Elle offre d'avertir de tout ce qui se passe,
     Sautant, allant de place en place,
Bon espion, Dieu sait. Son offre ayant déplu,
     L'Aigle lui dit tout en colère :
     Ne quittez point votre séjour,     20
Caquet bon-bec, ma mie : adieu. Je n'ai que faire
     D'une babillarde à ma Cour :
     C'est un fort méchant caractère.
     Margot ne demandait pas mieux.
Ce n'est pas ce qu'on croit, que d'entrer chez les Dieux :  25
Cet honneur a souvent de mortelles angoisses.
Rediseurs, Espions, gens à l'air gracieux,
Au cœur tout différent, s'y rendent odieux,
Quoiqu'ainsi que la Pie il faille dans ces lieux
     Porter habit de deux paroisses.     30

## FABLE XII

## LE MILAN, LE ROI, ET LE CHASSEUR *
### A SON ALTESSE SÉRÉNISSIME
### MONSEIGNEUR LE PRINCE DE CONTI

Comme les Dieux sont bons, ils veulent que les Rois
    Le soient aussi : c'est l'indulgence
    Qui fait le plus beau de leurs droits,
    Non les douceurs de la vengeance :
Prince, c'est votre avis. On sait que le courroux     5
S'éteint en votre cœur sitôt qu'on l'y voit naître.
Achille qui du sien ne put se rendre maître,
    Fut par là moins Héros que vous.
Ce titre n'appartient qu'à ceux d'entre les hommes
Qui, comme en l'âge d'or, font cent biens ici-bas.    10
Peu de Grands sont nés tels en cet âge où nous sommes,
L'Univers leur sait gré du mal qu'ils ne font pas.
    Loin que vous suiviez ces exemples,
Mille actes généreux vous promettent des Temples.
Apollon, Citoyen de ces Augustes lieux,    15
Prétend y célébrer votre nom sur sa Lyre.
Je sais qu'on vous attend dans le Palais des Dieux :
Un siècle de séjour doit ici vous suffire.
Hymen veut séjourner tout un siècle chez vous.
    Puissent ses plaisirs les plus doux    20
    Vous composer des destinées
    Par ce temps à peine bornées!
Et la Princesse et vous n'en méritez pas moins :
    J'en prends ses charmes pour témoins;
    Pour témoins j'en prends les merveilles    25
Par qui le Ciel, pour vous prodigue en ses présents,
De qualités qui n'ont qu'en vous seuls leurs pareilles
    Voulut orner vos jeunes ans.
Bourbon de son esprit ces grâces assaisonne.
    Le Ciel joignit en sa personne    30
    Ce qui sait se faire estimer
    A ce qui sait se faire aimer.
Il ne m'appartient pas d'étaler votre joie;
    Je me tais donc, et vais rimer
    Ce que fit un Oiseau de proie.    35

Un Milan, de son nid antique possesseur,
  Étant pris vif par un Chasseur,
D'en faire au Prince un don cet homme se propose.
La rareté du fait donnait prix à la chose,
L'Oiseau, par le Chasseur humblement présenté,   40
  Si ce conte n'est apocriphe,
  Va tout droit imprimer sa griffe
  Sur le nez de sa Majesté.
— Quoi! sur le nez du Roi ? — Du Roi même en personne.
— Il n'avait donc alors ni Sceptre ni Couronne ?   45
— Quand il en aurait eu, ç'aurait été tout un :
Le nez Royal fut pris comme un nez du commun.
Dire des Courtisans les clameurs et la peine
Serait se consumer en efforts impuissants,
Le Roi n'éclata point : les cris sont indécents   50
  A la Majesté Souveraine.
L'Oiseau garda son poste : on ne put seulement
Hâter son départ d'un moment.
Son Maître le rappelle, et crie, et se tourmente,
Lui présente le leurre, et le poing; mais en vain.   55
  On crut que jusqu'au lendemain
Le maudit animal à la serre insolente
  Nicherait là malgré le bruit
Et sur le nez sacré voudrait passer la nuit.
Tâcher de l'en tirer irritait son caprice.   60
Il quitte enfin le Roi, qui dit : Laissez aller
Ce Milan, et celui qui m'a cru régaler.
Ils se sont acquittés tous deux de leur office,
L'un en Milan, et l'autre en Citoyen des bois :
Pour moi, qui sais comment doivent agir les Rois,   65
  Je les affranchis du supplice.
Et la Cour d'admirer. Les Courtisans ravis,
Élèvent de tels faits, par eux si mal suivis :
Bien peu, même des Rois, prendraient un tel modèle;
  Et le Veneur l'échappa belle,   70
Coupable seulement, tant lui que l'animal,
D'ignorer le danger d'approcher trop du Maître.
  Ils n'avaient appris à connaître
Que les hôtes des bois : était-ce un si grand mal ?
Pilpay fait près du Gange arriver l'aventure.   75
  Là, nulle humaine Créature
Ne touche aux animaux pour leur sang épancher.
Le Roi même ferait scrupule d'y toucher.
Savons-nous, disent-ils, si cet Oiseau de proie
  N'était point au siège de Troie ?   80

Peut-être y tint-il lieu d'un Prince ou d'un Héros
  Des plus huppés et des plus hauts :
Ce qu'il fut autrefois il pourra l'être encore.
  Nous croyons, après Pythagore,
Qu'avec les Animaux de forme nous changeons :   85
  Tantôt Milans, tantôt Pigeons,
  Tantôt Humains, puis Volatilles
  Ayant dans les airs leurs familles.

  Comme l'on conte en deux façons
L'accident du Chasseur, voici l'autre manière.   90
Un certain Fauconnier ayant pris, ce dit-on,
A la chasse un Milan (ce qui n'arrive guère),
  En voulut au Roi faire un don,
  Comme de chose singulière.
Ce cas n'arrive pas quelquefois en cent ans;   95
C'est le *non plus ultra* de la Fauconnerie.
Ce Chasseur perce donc un gros de Courtisans,
Plein de zèle, échauffé, s'il le fut de sa vie.
  Par ce parangon des présents
  Il croyait sa fortune faite :   100
  Quand l'Animal porte-sonnette,
  Sauvage encore et tout grossier,
  Avec ses ongles tout d'acier,
Prend le nez du Chasseur, happe le pauvre sire :
  Lui de crier; chacun de rire,   105
Monarque et Courtisans. Qui n'eût ri ? Quant à moi,
Je n'en eusse quitté ma part pour un empire.
  Qu'un Pape rie, en bonne foi
Je ne l'ose assurer; mais je tiendrais un Roi
  Bien malheureux, s'il n'osait rire :   110
C'est le plaisir des Dieux. Malgré son noir souci,
Jupiter et le Peuple Immortel rit aussi.
Il en fit des éclats, à ce que dit l'Histoire,
Quand Vulcain, clopinant, lui vint donner à boire.
Que le peuple immortel se montrât sage ou non,  115
J'ai changé mon sujet avec juste raison;
  Car, puisqu'il s'agit de morale,
Que nous eût du Chasseur l'aventure fatale
Enseigné de nouveau ? L'on a vu de tout temps
Plus de sots Fauconniers que de rois indulgents.  120

## FABLE XIII

### LE RENARD,
### LES MOUCHES, ET LE HÉRISSON

Aux traces de son sang, un vieux hôte des bois,
    Renard fin, subtil et matois,
Blessé par des Chasseurs, et tombé dans la fange,
Autrefois attira ce Parasite ailé
    Que nous avons mouche appelé.        5
Il accusait les Dieux, et trouvait fort étrange
Que le Sort à tel point le voulût affliger,
    Et le fît aux Mouches manger.
Quoi! se jeter sur moi, sur moi le plus habile
    De tous les Hôtes des Forêts!        10
Depuis quand les Renards sont-ils un si bon mets?
Et que me sert ma queue? Est-ce un poids inutile?
Va! le Ciel te confonde, animal importun.
    Que ne vis-tu sur le commun?
    Un Hérisson du voisinage,        15
    Dans mes vers nouveau personnage,
Voulut le délivrer de l'importunité
    Du Peuple plein d'avidité:
Je les vais de mes dards enfiler par centaines,
Voisin Renard, dit-il, et terminer tes peines.        20
— Garde-t'en bien, dit l'autre; ami, ne le fais pas;
Laisse-les, je te prie, achever leurs repas.
Ces animaux sont soûls; une troupe nouvelle
Viendrait fondre sur moi, plus âpre et plus cruelle.
Nous ne trouvons que trop de mangeurs ici-bas:        25
Ceux-ci sont courtisans, ceux-là sont magistrats.
Aristote appliquait cet apologue aux hommes.
    Les exemples en sont communs,
    Surtout au pays où nous sommes.
Plus telles gens sont pleins, moins ils sont importuns.        30

## FABLE XIV

## L'AMOUR ET LA FOLIE

Tout est mystère dans l'Amour,
Ses Flèches, son Carquois, son Flambeau, son Enfance.
    Ce n'est pas l'ouvrage d'un jour
    Que d'épuiser cette Science.
Je ne prétends donc point tout expliquer ici.       5
Mon but est seulement de dire, à ma manière,
    Comment l'Aveugle que voici
(C'est un Dieu), comment, dis-je, il perdit la lumière;
Quelle suite eut ce mal, qui peut-être est un bien;
J'en fais juge un Amant, et ne décide rien.      10
La Folie et l'Amour jouaient un jour ensemble.
Celui-ci n'était pas encor privé des yeux.
Une dispute vint : l'Amour veut qu'on assemble
    Là-dessus le Conseil des Dieux.
    L'autre n'eut pas la patience;      15
 Elle lui donne un coup si furieux,
    Qu'il en perd la clarté des Cieux.
    Vénus en demande vengeance.
Femme et mère, il suffit pour juger de ses cris :
    Les Dieux en furent étourdis,      20
    Et Jupiter, et Némésis,
Et les Juges d'Enfer, enfin toute la bande.
Elle représenta l'énormité du cas.
Son fils, sans un bâton, ne pouvait faire un pas :
Nulle peine n'était pour ce crime assez grande.      25
Le dommage devait être aussi réparé.
    Quand on eut bien considéré
L'intérêt du Public, celui de la Partie,
Le résultat enfin de la suprême Cour
    Fut de condamner la Folie      30
    A servir de guide à l'Amour.

## FABLE XV

### LE CORBEAU, LA GAZELLE, LA TORTUE, ET LE RAT

*A MADAME DE LA SABLIÈRE*

Je vous gardais un Temple dans mes vers :
Il n'eût fini qu'avecque l'Univers.
Déjà ma main en fondait la durée
Sur ce bel Art qu'ont les Dieux inventé,
Et sur le nom de la Divinité                                     5
Que dans ce Temple on aurait adorée.
Sur le portail j'aurais ces mots écrits
PALAIS SACRÉ DE LA DÉESSE IRIS;
Non celle-là qu'a Junon à ses gages;
Car Junon même et le Maître des Dieux                           10
Serviraient l'autre, et seraient glorieux
Du seul honneur de porter ses messages.
L'Apothéose à la voûte eût paru;
Là, tout l'Olympe en pompe eût été vu
Plaçant Iris sous un Dais de lumière.                            15
Les murs auraient amplement contenu
Toute sa vie, agréable matière,
Mais peu féconde en ces événements
Qui des États font les renversements.
Au fond du Temple eût été son image,                            20
Avec ses traits, son souris, ses appas,
Son art de plaire et de n'y penser pas,
Ses agréments à qui tout rend hommage.
J'aurais fait voir à ses pieds des mortels
Et des Héros, des demi-Dieux encore,                            25
Même des Dieux; ce que le Monde adore
Vient quelquefois parfumer ses Autels.
J'eusse en ses yeux fait briller de son âme
Tous les trésors, quoique imparfaitement :
Car ce cœur vif et tendre infiniment,                           30
Pour ses amis et non point autrement,
Car cet esprit, qui, né du Firmament,
A beauté d'homme avec grâces de femme,
Ne se peut pas, comme on veut, exprimer.

O vous, Iris, qui savez tout charmer,                          35
Qui savez plaire en un degré suprême,
Vous que l'on aime à l'égal de soi-même
(Ceci soit dit sans nul soupçon d'amour;
Car c'est un mot banni de votre Cour;
Laissons-le donc), agréez que ma Muse                          40
Achève un jour cette ébauche confuse.
J'en ai placé l'idée et le projet,
Pour plus de grâce, au devant d'un sujet
Où l'amitié donne de telles marques,
Et d'un tel prix, que leur simple récit                        45
Peut quelque temps amuser votre esprit.
Non que ceci se passe entre Monarques :
Ce que chez vous nous voyons estimer
N'est pas un Roi qui ne sait point aimer :
C'est un Mortel qui sait mettre sa vie                         50
Pour son ami. J'en vois peu de si bons.
Quatre animaux, vivants de compagnie,
Vont aux humains en donner des leçons.

La Gazelle, le Rat, le Corbeau, la Tortue,
Vivaient ensemble unis : douce société.                        55
Le choix d'une demeure aux humains inconnue
     Assurait leur félicité.
Mais quoi! l'homme découvre enfin toutes retraites.
     Soyez au milieu des déserts,
     Au fond des eaux, en haut des airs,                       60
Vous n'éviterez point ses embûches secrètes.
La Gazelle s'allait ébattre innocemment,
     Quand un chien, maudit instrument
     Du plaisir barbare des hommes,
Vint sur l'herbe éventer les traces de ses pas.                65
Elle fuit, et le Rat à l'heure du repas
Dit aux amis restants : D'où vient que nous ne sommes
     Aujourd'hui que trois conviés ?
La Gazelle déjà nous a-t-elle oubliés ?
     A ces paroles, la Tortue                                  70
     S'écrie, et dit : Ah! si j'étais
     Comme un Corbeau d'ailes pourvue,
     Tout de ce pas je m'en irais
     Apprendre au moins quelle contrée,
     Quel accident tient arrêtée                               75
     Notre compagne au pied léger :
Car, à l'égard du cœur, il en faut mieux juger.
     Le Corbeau part à tire d'aile :

Il aperçoit de loin l'imprudente Gazelle
    Prise au piège, et se tourmentant.                    80
Il retourne avertir les autres à l'instant.
Car de lui demander quand, pourquoi, ni comment
    Ce malheur est tombé sur elle,
Et perdre en vains discours cet utile moment,
    Comme eût fait un Maître d'École,                 85
    Il avait trop de jugement.
    Le Corbeau donc vole et revole.
    Sur son rapport, les trois amis
    Tiennent conseil. Deux sont d'avis
    De se transporter sans remise                    90
    Aux lieux où la Gazelle est prise.
L'autre, dit le Corbeau, gardera le logis :
Avec son marcher lent, quand arriverait-elle ?
    Après la mort de la Gazelle.
Ces mots à peine dits, ils s'en vont secourir          95
    Leur chère et fidèle Compagne,
    Pauvre Chevrette de montagne.
    La Tortue y voulut courir :
    La voilà comme eux en campagne,
Maudissant ses pieds courts avec juste raison,         100
Et la nécessité de porter sa maison.
Rongemaille (le Rat eut à bon droit ce nom)
Coupe les nœuds du lacs : on peut penser la joie.
Le Chasseur vient et dit : Qui m'a ravi ma proie ?
Rongemaille, à ces mots, se retire en un trou,         105
Le Corbeau sur un arbre, en un bois la Gazelle;
    Et le Chasseur, à demi fou
    De n'en avoir nulle nouvelle,
Aperçoit la Tortue, et retient son courroux.
    D'où vient, dit-il, que je m'effraie ?            110
Je veux qu'à mon souper celle-ci me défraie.
Il la mit dans son sac. Elle eût payé pour tous,
    Si le Corbeau n'en eût averti la Chevrette.
    Celle-ci, quittant sa retraite,
Contrefait la boiteuse, et vient se présenter.         115
    L'homme de suivre, et de jeter
Tout ce qui lui pesait : si bien que Rongemaille
Autour des nœuds du sac tant opère et travaille
    Qu'il délivre encor l'autre sœur,
Sur qui s'était fondé le souper du Chasseur.           120


Pilpay conte qu'ainsi la chose s'est passée.
Pour peu que je voulusse invoquer Apollon,

J'en ferais, pour vous plaire, un Ouvrage aussi long
    Que l'Iliade ou l'Odyssée.
Rongemaille ferait le principal héros,             125
Quoiqu'à vrai dire ici chacun soit nécessaire.
Portemaison l'Infante y tient de tels propos
    Que Monsieur du Corbeau va faire
Office d'Espion, et puis de Messager.
La Gazelle a d'ailleurs l'adresse d'engager       130
Le Chasseur à donner du temps à Rongemaille.
      Ainsi chacun en son endroit
      S'entremet, agit, et travaille.
A qui donner le prix ? Au cœur si l'on m'en croit.


## FABLE XVI

### LA FORÊT ET LE BUCHERON

Un Bûcheron venait de rompre ou d'égarer
Le bois dont il avait emmanché sa cognée.
Cette perte ne put sitôt se réparer
Que la Forêt n'en fût quelque temps épargnée.
    L'Homme enfin la prie humblement        5
    De lui laisser tout doucement
    Emporter une unique branche,
    Afin de faire un autre manche.
Il irait employer ailleurs son gagne-pain ;
Il laisserait debout maint chêne et maint sapin    10
Dont chacun respectait la vieillesse et les charmes.
L'innocente Forêt lui fournit d'autres armes.
Elle en eut du regret. Il emmanche son fer.
    Le misérable ne s'en sert
    Qu'à dépouiller sa bienfaitrice        15
    De ses principaux ornements.
    Elle gémit à tous moments :
    Son propre don fait son supplice.

Voilà le train du Monde et de ses Sectateurs :
On s'y sert du bienfait contre les bienfaiteurs.    20
Je suis las d'en parler ; mais que de doux ombrages
    Soient exposés à ces outrages,
    Qui ne se plaindrait là-dessus ?

Hélas! j'ai beau crier et me rendre incommode :                    25
    L'ingratitude et les abus
    N'en seront pas moins à la mode.


## FABLE XVII

### LE RENARD, LE LOUP, ET LE CHEVAL

Un Renard, jeune encor, quoique des plus madrés,
Vit le premier Cheval qu'il eût vu de sa vie.
Il dit à certain Loup, franc novice : Accourez :
    Un Animal paît dans nos prés,
Beau, grand; j'en ai la vue encor toute ravie.                     5
— Est-il plus fort que nous ? dit le Loup en riant.
    Fais-moi son Portrait, je te prie.
— Si j'étais quelque Peintre ou quelque Étudiant,
Repartit le Renard, j'avancerais la joie
    Que vous aurez en le voyant.                         10
Mais venez. Que sait-on ? peut-être est-ce une proie
Que la Fortune nous envoie.
Ils vont; et le Cheval, qu'à l'herbe on avait mis,
Assez peu curieux de semblables amis,
Fut presque sur le point d'enfiler la venelle.                     15
Seigneur, dit le Renard, vos humbles serviteurs
Apprendraient volontiers comment on vous appelle.
Le Cheval, qui n'était dépourvu de cervelle,
Leur dit : Lisez mon nom, vous le pouvez, Messieurs :
Mon Cordonnier l'a mis autour de ma semelle.                       20
Le Renard s'excusa sur son peu de savoir.
Mes parents, reprit-il, ne m'ont point fait instruire;
Ils sont pauvres et n'ont qu'un trou pour tout avoir.
Ceux du Loup, gros Messieurs, l'ont fait apprendre à lire.
    Le Loup, par ce discours flatté,                     25
    S'approcha; mais sa vanité
Lui coûta quatre dents : le Cheval lui desserre
Un coup; et haut le pied. Voilà mon Loup par terre
    Mal en point, sanglant et gâté.
Frère, dit le Renard, ceci nous justifie                           30
    Ce que m'ont dit des gens d'esprit :
Cet animal vous a sur la mâchoire écrit
Que de tout inconnu le Sage se méfie.

## FABLE XVIII

### LE RENARD ET LES POULETS D'INDE

    Contre les assauts d'un Renard
Un arbre à des Dindons servait de citadelle.
Le perfide ayant fait tout le tour du rempart,
    Et vu chacun en sentinelle,
S'écria : Quoi! Ces gens se moqueront de moi!     5
Eux seuls seront exempts de la commune loi!
Non, par tous les Dieux, non. Il accomplit son dire.
La lune, alors luisant, semblait, contre le sire,
Vouloir favoriser la dindonnière gent.
Lui, qui n'était novice au métier d'assiégeant,    10
Eut recours à son sac de ruses scélérates,
Feignit vouloir gravir, se guinda sur ses pattes,
Puis contrefit le mort, puis le ressuscité.
    Harlequin n'eût exécuté
    Tant de différents personnages.    15
Il élevait sa queue, il la faisait briller,
    Et cent mille autres badinages.
Pendant quoi nul Dindon n'eût osé sommeiller :
L'ennemi les lassait en leur tenant la vue
    Sur même objet toujours tendue.    20
Les pauvres gens étant à la longue éblouis
Toujours il en tombait quelqu'un : autant de pris,
Autant de mis à part; près de moitié succombe.
Le compagnon les porte en son garde-manger.
Le trop d'attention qu'on a pour le danger    25
    Fait le plus souvent qu'on y tombe.

## FABLE XIX

### LE SINGE

Il est un Singe dans Paris
A qui l'on avait donné femme.
Singe en effet d'aucuns maris,
Il la battait : la pauvre Dame
En a tant soupiré qu'enfin elle n'est plus.                                5
  Leur fils se plaint d'étrange sorte,
  Il éclate en cris superflus :
  Le père en rit; sa femme est morte.
  Il a déjà d'autres amours
  Que l'on croit qu'il battra toujours.                          10
Il hante la taverne et souvent il s'enivre.
  N'attendez rien de bon du Peuple imitateur,
   Qu'il soit Singe ou qu'il fasse un Livre :
   La pire espèce, c'est l'Auteur.


## FABLE XX

### LE PHILOSOPHE SCYTHE

Un Philosophe austère, et né dans la Scythie,
Se proposant de suivre une plus douce vie,
Voyagea chez les Grecs, et vit en certains lieux
Un Sage assez semblable au vieillard de Virgile,
Homme égalant les Rois, homme approchant des Dieux,       5
Et, comme ces derniers satisfait et tranquille.
Son bonheur consistait aux beautés d'un Jardin.
Le Scythe l'y trouva, qui la serpe à la main,
De ses arbres à fruit retranchait l'inutile,
Ébranchait, émondait, ôtait ceci, cela,                              10
  Corrigeant partout la Nature,
Excessive à payer ses soins avec usure.

Le Scythe alors lui demanda :
Pourquoi cette ruine. Était-il d'homme sage
De mutiler ainsi ces pauvres habitants ?                             15
Quittez-moi votre serpe, instrument de dommage ;
  Laissez agir la faux du temps :
Ils iront aussi tôt border le noir rivage.
— J'ôte le superflu, dit l'autre, et l'abattant,
  Le reste en profite d'autant.                                      20
Le Scythe, retourné dans sa triste demeure,
Prend la serpe à son tour, coupe et taille à toute heure ;
Conseille à ses voisins, prescrit à ses amis
  Un universel abatis.
Il ôte de chez lui les branches les plus belles,                     25
Il tronque son Verger contre toute raison,
  Sans observer temps ni saison,
  Lunes ni vieilles ni nouvelles.
Tout languit et tout meurt. Ce Scythe exprime bien
  Un indiscret Stoïcien :                                            30
  Celui-ci retranche de l'âme
Désirs et passions, le bon et le mauvais,
  Jusqu'aux plus innocents souhaits.
Contre de telles gens, quant à moi, je réclame.
Ils ôtent à nos cœurs le principal ressort ;                         35
Ils font cesser de vivre avant que l'on soit mort.


### FABLE XXI

### L'ÉLÉPHANT ET LE SINGE DE JUPITER

Autrefois l'Éléphant et le Rhinocéros,
En dispute du pas et des droits de l'Empire,
Voulurent terminer la querelle en champ clos.
Le jour en était pris, quand quelqu'un vint leur dire
  Que le Singe de Jupiter,                                            5
Portant un Caducée, avait paru dans l'air.
Ce Singe avait nom Gille, à ce que dit l'Histoire.
  Aussitôt l'Éléphant de croire
  Qu'en qualité d'Ambassadeur
  Il venait trouver sa Grandeur.                                     10
  Tout fier de ce sujet de gloire,

Il attend maître Gille, et le trouve un peu lent
    A lui présenter sa créance.
    Maître Gille enfin, en passant,
    Va saluer son Excellence.     <sup>15</sup>
L'autre était préparé sur la légation;
    Mais pas un mot : l'attention
Qu'il croyait que les Dieux eussent à sa querelle
N'agitait pas encor chez eux cette nouvelle.
       Qu'importe à ceux du Firmament    <sup>20</sup>
       Qu'on soit Mouche ou bien Éléphant ?
Il se vit donc réduit à commencer lui-même :
Mon cousin Jupiter, dit-il, verra dans peu
Un assez beau combat, de son Trône suprême.
       Toute sa Cour verra beau jeu.    <sup>25</sup>
— Quel combat ? dit le Singe avec un front sévère.
L'Éléphant repartit : Quoi! vous ne savez pas
Que le Rhinocéros me dispute le pas;
Qu'Éléphantide a guerre avecque Rhinocère ?
Vous connaissez ces lieux, ils ont quelque renom.    <sup>30</sup>
— Vraiment je suis ravi d'en apprendre le nom,
    Repartit Maître Gille : on ne s'entretient guère
    De semblables sujets dans nos vastes Lambris.
       L'Éléphant, honteux et surpris,
    Lui dit : Et parmi nous que venez-vous donc faire ?  <sup>35</sup>
— Partager un brin d'herbe entre quelques Fourmis :
Nous avons soin de tout. Et quant à votre affaire,
On n'en dit rien encor dans le conseil des Dieux :
Les petits et les grands sont égaux à leurs yeux.

### FABLE XXII

### UN FOU ET UN SAGE

Certain Fou poursuivait à coups de pierre un Sage.
Le Sage se retourne et lui dit : Mon ami,
C'est fort bien fait à toi; reçois cet écu-ci :
Tu fatigues assez pour gagner davantage.
Toute peine, dit-on, est digne de loyer.    <sup>5</sup>
Vois cet homme qui passe; il a de quoi payer.
Adresse-lui tes dons, ils auront leur salaire.

Amorcé par le gain, notre Fou s'en va faire
  Même insulte à l'autre Bourgeois.
On ne le paya pas en argent cette fois.    10
Maint estafier accourt; on vous happe notre homme,
  On vous l'échine, on vous l'assomme.
  Auprès des Rois il est de pareils fous :
  A vos dépens ils font rire le Maître.
Pour réprimer leur babil, irez-vous    15
Les maltraiter ? Vous n'êtes pas peut-être
Assez puissant. Il faut les engager
A s'adresser à qui peut se venger.


### FABLE XXIII

## LE RENARD ANGLAIS

*A MADAME HARVEY*


Le bon cœur est chez vous compagnon du bon sens
Avec cent qualités trop longues à déduire,
Une noblesse d'âme, un talent pour conduire
  Et les affaires et les gens,
Une humeur franche et libre, et le don d'être amie  5
Malgré Jupiter même et les temps orageux.
Tout cela méritait un éloge pompeux;
Il en eût été moins selon votre génie :
La pompe vous déplaît, l'éloge vous ennuie.
J'ai donc fait celui-ci court et simple. Je veux  10
  Y coudre encore un mot ou deux
  En faveur de votre patrie :
Vous l'aimez. Les Anglais pensent profondément;
Leur esprit, en cela, suit leur tempérament.
Creusant dans les sujets, et forts d'expériences,  15
Ils étendent partout l'empire des Sciences.
Je ne dis point ceci pour vous faire ma cour.
Vos gens à pénétrer l'emportent sur les autres;
  Même les Chiens de leur séjour
  Ont meilleur nez que n'ont les nôtres.  20
Vos Renards sont plus fins. Je m'en vais le prouver.
  Par un d'eux, qui, pour se sauver
  Mit en usage un stratagème

Non encor pratiqué, des mieux imaginés.
Le scélérat, réduit en un péril extrême,                           25
Et presque mis à bout par ces Chiens au bon nez,
    Passa près d'un patibulaire.
    Là, des animaux ravissants,
Blaireaux, Renards, Hiboux, race encline à mal faire,
Pour l'exemple pendus, instruisaient les passants.                 30
Leur confrère aux abois entre ces morts s'arrange.
Je crois voir Annibal qui, pressé des Romains
Met leurs chefs en défaut, ou leur donne le change,
Et sait en vieux Renard s'échapper de leurs mains.
    Les clefs de Meute, parvenues                   35
A l'endroit où pour mort le traître se pendit,
Remplirent l'air de cris : leur maître les rompit,
Bien que de leurs abois ils perçassent les nues.
Il ne put soupçonner ce tour assez plaisant.
Quelque terrier, dit-il, a sauvé mon galant,                       40
Mes chiens n'appellent point au delà des colonnes
    Où sont tant d'honnêtes personnes.
Il y viendra, le drôle! Il y vint, à son dam.
    Voilà maint basset clabaudant;
Voilà notre Renard au charnier se guindant.                        45
Maître pendu croyait qu'il en irait de même
Que le jour qu'il tendit de semblables panneaux;
Mais le pauvret, ce coup, y laissa ses houseaux.
Tant il est vrai qu'il faut changer de stratagème.
Le Chasseur, pour trouver sa propre sûreté,                        50
N'aurait pas cependant un tel tour inventé;
Non point par peu d'esprit; est-il quelqu'un qui nie
Que tout Anglais n'en ait bonne provision ?
    Mais le peu d'amour pour la vie
    Leur nuit en mainte occasion.                   55


    Je reviens à vous, non pour dire
    D'autres traits sur votre sujet
    Trop abondant pour ma Lyre :
    Peu de nos chants, peu de nos Vers,
Par un encens flatteur amusent l'Univers                           65
Et se font écouter des nations étranges.
    Votre Prince vous dit un jour
    Qu'il aimait mieux un trait d'amour
    Que quatre Pages de louanges.
Agréez seulement le don que je vous fais                           65
    Des derniers efforts de ma Muse.
    C'est peu de chose; elle est confuse

De ces Ouvrages imparfaits.
Cependant ne pourriez-vous faire
Que le même hommage pût plaire
A celle qui remplit vos climats d'habitants
Tirés de l'Ile de Cythère ?
Vous voyez par là que j'entends
Mazarin, des Amours Déesse tutléaire.


## FABLE XXIV

### DAPHNIS ET ALCIMADURE
*IMITATION DE THÉOCRITE*

*A MADAME DE LA MÉSANGÈRE*

Aimable fille d'une mère
A qui seule aujourd'hui mille cœurs font la cour,
Sans ceux que l'amitié rend soigneux de vous plaire,
Et quelques-uns encor que vous garde l'Amour,
Je ne puis qu'en cette Préface                              5
Je ne partage entre elle et vous
Un peu de cet encens qu'on recueille au Parnasse,
Et que j'ai le secret de rendre exquis et doux.
Je vous dirai donc... Mais tout dire,
Ce serait trop; il faut choisir,                           10
Ménageant ma voix et ma Lyre,
Qui bientôt vont manquer de force et de loisir.
Je louerai seulement un cœur, plein de tendresse,
Ces nobles sentiments, ces grâces, cet esprit :
Vous n'auriez en cela ni Maître ni Maîtresse,             15
Sans celle dont sur vous l'éloge rejaillit.
Gardez d'environner ces roses
De trop d'épines, si jamais
L'Amour vous dit les mêmes choses :
Il les dit mieux que je ne fais;                           20
Aussi sait-il punir ceux qui ferment l'oreille
A ses conseils. Vous l'allez voir.


Jadis une jeune merveille
Méprisait de ce Dieu le souverain pouvoir :
On l'appelait Alcimadure :                                 25

Fier et farouche objet, toujours courant aux bois,
Toujours sautant aux prés, dansant sur la verdure,
    Et ne connaissant autres lois
Que son caprice ; au reste, égalant les plus belles,
    Et surpassant les plus cruelles ;                    30
N'ayant trait qui ne plût, pas même en ses rigueurs :
Quelle l'eût-on trouvée au fort de ses faveurs !
Le jeune et beau Daphnis, Berger de noble race,
L'aima pour son malheur : jamais la moindre grâce
Ni le moindre regard, le moindre mot enfin,              35
Ne lui fut accordé par ce cœur inhumain.
Las de continuer une poursuite vaine,
    Il ne songea plus qu'à mourir ;
    Le désespoir le fit courir
    A la porte de l'Inhumaine.                         40
Hélas ! ce fut aux vents qu'il raconta sa peine ;
    On ne daigna lui faire ouvrir
Cette maison fatale, où parmi ses Compagnes,
L'Ingrate, pour le jour de sa nativité,
    Joignait aux fleurs de sa beauté                   45
Les trésors des jardins et des vertes campagnes.
J'espérais, cria-t-il, expirer à vos yeux ;
    Mais je vous suis trop odieux,
Et ne m'étonne pas qu'ainsi que tout le reste
Vous me refusiez même un plaisir si funeste.            50
Mon père, après ma mort, et je l'en ai chargé,
    Doit mettre à vos pieds l'héritage
    Que votre cœur a négligé.
Je veux que l'on y joigne aussi le pâturage,
    Tous mes troupeaux, avec mon chien,                55
    Et que du reste de mon bien
    Mes Compagnons fondent un Temple
    Où votre image se contemple,
Renouvelants de fleurs l'Autel à tout moment.
J'aurai près de ce temple un simple monument ;         60
    On gravera sur la bordure :
*Daphnis mourut d'amour. Passant, arrête-toi ;*
*Pleure, et dis :* « *Celui-ci succomba sous la loi*
    « *De la cruelle Alcimadure.* »
A ces mots, par la Parque il se sentit atteint.         65
Il aurait poursuivi ; la douleur le prévint.
Son ingrate sortit triomphante et parée.
On voulut, mais en vain, l'arrêter un moment
Pour donner quelques pleurs au sort de son amant :
Elle insulta toujours au fils de Cythérée,             70

Menant dès ce soir même, au mépris de ses lois,
Ses compagnes danser autour de sa statue.
Le dieu tomba sur elle et l'accabla du poids :
    Une voix sortit de la nue,
Écho redit ces mots dans les airs épandus :        75
*Que tout aime à présent : l'insensible n'est plus.*
Cependant de Daphnis l'Ombre au Styx descendue
Frémit et s'étonna la voyant accourir.
Tout l'Érèbe entendit cette Belle homicide
S'excuser au Berger, qui ne daigna l'ouïr        80
Non plus qu'Ajax Ulysse, et Didon son perfide.


# FABLE XXV

## PHILÉMON ET BAUCIS

### SUJET TIRÉ DES MÉTAMORPHOSES D'OVIDE

### A MONSEIGNEUR LE DUC DE VENDOME


Ni l'or ni la grandeur ne nous rendent heureux;
Ces deux Divinités n'accordent à nos vœux
Que des biens peu certains, qu'un plaisir peu tranquille :
Des soucis dévorants c'est l'éternel asile;
Véritables Vautours, que le fils de Japet        5
Représente, enchaîné sur son triste sommet.
L'humble toit est exempt d'un tribut si funeste :
Le sage y vit en paix, et méprise le reste;
Content de ces douceurs, errant parmi les bois,
Il regarde à ses pieds les favoris des Rois;        10
Il lit au front de ceux qu'un vain luxe environne
Que la Fortune vend ce qu'on croit qu'elle donne.
Approche-t-il du but, quitte-t-il ce séjour,
Rien ne trouble sa fin : c'est le soir d'un beau jour.
Philémon et Baucis nous en offrent l'exemple :        15
Tous deux virent changer leur Cabane en un Temple.
Hyménée et l'Amour, par des désirs constants,
Avaient uni leurs cœurs dès leur plus doux Printemps.
Ni le temps ni l'hymen n'éteignirent leur flamme;
Clothon prenait plaisir à filer cette trame.        20
Ils surent cultiver, sans se voir assistés,

Leur enclos et leur champ par deux fois vingt Étés.
Eux seuls ils composaient toute leur République :
Heureux de ne devoir à pas un domestique
Le plaisir ou le gré des soins qu'ils se rendaient !          25
Tout vieillit : sur leur front les rides s'étendaient ;
L'amitié modéra leurs feux sans les détruire,
Et par des traits d'amour sut encor se produire.
Ils habitaient un bourg plein de gens dont le cœur
Joignait aux duretés un sentiment moqueur.                    30
Jupiter résolut d'abolir cette engeance.
Il part avec son fils, le Dieu de l'Éloquence ;
Tous deux en Pèlerins vont visiter ces lieux :
Mille logis y sont, un seul ne s'ouvre aux Dieux.
Prêts enfin à quitter un séjour si profane,                   35
Ils virent à l'écart une étroite cabane,
Demeure hospitalière, humble et chaste maison.
Mercure frappe : on ouvre ; aussitôt Philémon
Vient au-devant des dieux, et leur tient ce langage :
Vous me semblez tous deux fatigués du voyage,                 40
Reposez-vous. Usez du peu que nous avons ;
L'aide des Dieux a fait que nous le conservons ;
Usez-en ; saluez ces Pénates d'argile :
Jamais le Ciel ne fut aux humains si facile
Que quand Jupiter même était de simple bois ;                45
Depuis qu'on l'a fait d'or, il est sourd à nos voix.
Baucis, ne tardez point : faites tiédir cette onde ;
Encor que le pouvoir au désir ne réponde,
Nos Hôtes agréront les soins qui leur sont dus.
Quelques restes de feu sous la cendre épandus               50
D'un souffle haletant par Baucis s'allumèrent :
Des branches de bois sec aussitôt s'enflammèrent.
L'onde tiède, on lava les pieds des Voyageurs.
Philémon les pria d'excuser ces longueurs ;
Et, pour tromper l'ennui d'une attente importune,           55
Il entretint les Dieux, non point sur la Fortune,
Sur ses jeux, sur la pompe et la grandeur des rois,
Mais sur ce que les champs, les vergers et les bois
Ont de plus innocent, de plus doux, de plus rare.
Cependant par Baucis le festin se prépare.                  60
La table où l'on servit le champêtre repas
Fut d'ais non façonnés à l'aide du compas :
Encore assure-t-on, si l'histoire en est crue,
Qu'en un de ses supports le temps l'avait rompue.
Baucis en égala les appuis chancelants                      65
Du débris d'un vieux vase, autre injure des ans.

Un tapis tout usé couvrit deux escabelles :
Il ne servait pourtant qu'aux fêtes solennelles.
Le linge orné de fleurs fut couvert, pour tous mets,
D'un peu de lait, de fruits, et des dons de Cérès.                    70
Les divins Voyageurs, altérés de leur course,
Mêlaient au vin grossier le cristal d'une source.
Plus le vase versait, moins il s'allait vidant :
Philémon reconnut ce miracle évident;
Baucis n'en fit pas moins : tous deux s'agenouillèrent;              75
A ce signe d'abord leurs yeux se dessillèrent.
Jupiter leur parut avec ces noirs sourcis
Qui font trembler les Cieux sur leurs Pôles assis.
Grand Dieu, dit Philémon, excusez notre faute :
Quels humains auraient cru recevoir un tel Hôte ?                    80
Ces mets, nous l'avouons, sont peu délicieux :
Mais, quand nous serions Rois, que donner à des Dieux ?
C'est le cœur qui fait tout : que la terre et que l'onde
Apprêtent un repas pour les Maîtres du monde;
Ils lui préféreront les seuls présents du cœur.                     85
Baucis sort à ces mots pour réparer l'erreur.
Dans le verger courait une perdrix privée,
Et par de tendres soins dès l'enfance élevée;
Elle en veut faire un mets, et la poursuit en vain :
La volatille échappe à sa tremblante main;                          90
Entre les pieds des Dieux elle cherche un asile.
Ce recours à l'oiseau ne fut pas inutile :
Jupiter intercède. Et déjà les vallons
Voyaient l'ombre en croissant tomber du haut des monts.
Les Dieux sortent enfin, et font sortir leurs Hôtes.                95
De ce Bourg, dit Jupin, je veux punir les fautes :
Suivez-nous. Toi, Mercure, appelle les vapeurs.
O gens durs! vous n'ouvrez vos logis ni vos cœurs!
Il dit : et les Autans troublent déjà la plaine.
Nos deux Époux suivaient, ne marchant qu'avec peine;               100
Un appui de roseau soulageait leurs vieux ans :
Moitié secours des Dieux, moitié peur, se hâtants,
Sur un mont assez proche enfin ils arrivèrent;
A leurs pieds aussitôt cent nuages crevèrent;
Des ministres du Dieu les escadrons flottants                       105
Entraînèrent, sans choix, animaux, habitants,
Arbres, maisons, vergers, toute cette demeure;
Sans vestige du Bourg, tout disparut sur l'heure.
Les vieillards déploraient ces sévères destins.
Les animaux périr! car encor les humains,                           110
Tous avaient dû tomber sous les célestes armes.

Baucis en répandit en secret quelques larmes.
Cependant l'humble Toit devient Temple, et ses murs
Changent leur frêle enduit aux marbres les plus durs.
De pilastres massifs les cloisons revêtues          115
En moins de deux instants s'élèvent jusqu'aux nues;
Le chaume devient or; tout brille en ce pourpris;
Tous ces événements sont peints sur le lambris.
Loin, bien loin les tableaux de Zeuxis et d'Apelle!
Ceux-ci furent tracés d'une main immortelle.          120
Nos deux Époux, surpris, étonnés, confondus,
Se crurent, par miracle, en l'Olympe rendus.
Vous comblez, dirent-ils, vos moindres créatures;
Aurions-nous bien le cœur et les mains assez pures
Pour présider ici sur les honneurs divins,          125
Et Prêtres vous offrir les vœux des Pèlerins ?
Jupiter exauça leur prière innocente.
Hélas! dit Philémon, si votre main puissante
Voulait favoriser jusqu'au bout deux mortels,
Ensemble nous mourrions en servant vos Autels :     130
Clothon ferait d'un coup ce double sacrifice;
D'autres mains nous rendraient un vain et triste office :
Je ne pleurerais point celle-ci, ni ses yeux
Ne troubleraient non plus de leurs larmes ces lieux.
Jupiter à ce vœu fut encor favorable.               135
Mais oserai-je dire un fait presque incroyable ?
Un jour qu'assis tous deux dans le sacré parvis
Ils contaient cette histoire aux pèlerins ravis,
La troupe, à l'entour d'eux, debout prêtait l'oreille;
Philémon leur disait : Ce lieu plein de merveille    140
N'a pas toujours servi de Temple aux Immortels :
Un Bourg était autour, ennemi des Autels,
Gens barbares, gens durs, habitacle d'impies;
Du céleste courroux tous furent les hosties.
Il ne resta que nous d'un si triste débris :        145
Vous en verrez tantôt la suite en nos lambris.
Jupiter l'y peignit. En contant ces Annales,
Philémon regardait Baucis par intervalles;
Elle devenait arbre, et lui tendait les bras;
Il veut lui tendre aussi les siens, et ne peut pas.  150
Il veut parler, l'écorce a sa langue pressée.
L'un et l'autre se dit adieu de la pensée :
Le corps n'est tantôt plus que feuillage et que bois.
D'étonnement la Troupe, ainsi qu'eux, perd la voix,
Même instant, même sort à leur fin les entraîne;     155
Baucis devient Tilleul, Philémon devient Chêne.

On les va voir encore, afin de mériter
Les douceurs qu'en hymen Amour leur fit goûter :
Ils courbent sous le poids des offrandes sans nombre.
Pour peu que des Époux séjournent sous leur ombre,          160
Ils s'aiment jusqu'au bout, malgré l'effort des ans.
Ah! si... Mais autre part j'ai porté mes présents.
Célébrons seulement cette Métamorphose.
Des fidèles témoins m'ayant conté la chose,
Clio me conseilla de l'étendre en ces Vers,                 165
Qui pourront quelque jour l'apprendre à l'Univers :
Quelque jour on verra chez les Races futures
Sous l'appui d'un grand nom passer ces Aventures.
Vendôme, consentez au los que j'en attends :
Faites-moi triompher de l'Envie et du Temps;                170
Enchaînez ces démons, que sur nous ils n'attentent,
Ennemis des Héros et de ceux qui les chantent.
Je voudrais pouvoir dire en un style assez haut
Qu'ayant mille vertus vous n'avez nul défaut.
Toutes les célébrer serait œuvre infinie;                   175
L'entreprise demande un plus vaste génie :
Car quel mérite enfin ne vous fait estimer ?
Sans parler de celui qui force à vous aimer ?
Vous joignez à ces dons l'amour des beaux Ouvrages,
Vous y joignez un goût plus sûr que nos suffrages :         180
Don du Ciel, qui peut seul tenir lieu des présents
Que nous font à regret le travail et les ans.
Peu de gens élevés, peu d'autres encor même,
Font voir par ces faveurs que Jupiter les aime.
Si quelque enfant des Dieux les possède, c'est vous;        185
Je l'ose dans ces Vers soutenir devant tous.
Clio, sur son giron, à l'exemple d'Homère,
Vient de les retoucher, attentive à vous plaire :
On dit qu'elle et ses sœurs, par l'ordre d'Apollon,
Transportent dans Anet tout le sacré Vallon :               190
Je le crois. Puissions-nous chanter sous les ombrages
Des arbres dont ce lieu va border ses rivages!
Puissent-ils tout d'un coup élever leurs sourcis,
Comme on vit autrefois Philémon et Baucis!

## FABLE XXVI

## LA MATRONE D'ÉPHÈSE

S'il est un conte usé, commun et rebattu,
C'est celui qu'en ces vers j'accommode à ma guise.
    — Et pourquoi donc le choisis-tu ?
    Qui t'engage à cette entreprise ?
N'a-t-elle point déjà produit assez d'écrits ?     5
    Quelle grâce aura ta Matrone
    Au prix de celle de Pétrone ?
Comment la rendras-tu nouvelle à nos esprits ?
— Sans répondre aux censeurs, car c'est chose infinie,
Voyons si dans mes vers je l'aurai rajeunie.     10

    Dans Éphèse, il fut autrefois
Une dame en sagesse et vertus sans égale,
    Et selon la commune voix
Ayant su raffiner sur l'amour conjugale.
Il n'était bruit que d'elle et de sa chasteté :     15
    On l'allait voir par rareté :
C'était l'honneur du sexe : heureuse sa patrie :
Chaque mère à sa bru l'alléguait pour patron;
Chaque époux la prônait à sa femme chérie;
D'elle descendent ceux de la prudoterie,     20
    Antique et célèbre maison.
    Son mari l'aimait d'amour folle.
    Il mourut. De dire comment,
    Ce serait un détail frivole;
    Il mourut, et son testament     25
N'était plein que de legs qui l'auraient consolée,
Si les biens réparaient la perte d'un mari
    Amoureux autant que chéri.
Mainte veuve pourtant fait la déchevelée,
Qui n'abandonne pas le soin du demeurant,     30
Et du bien qu'elle aura fait le compte en pleurant.
Celle-ci par ses cris mettait tout en alarme;
    Celle-ci faisait un vacarme,
Un bruit, et des regrets à percer tous les cœurs;
    Bien qu'on sache qu'en ces malheurs     35
De quelque désespoir qu'une âme soit atteinte,

La douleur est toujours moins forte que la plainte,
Toujours un peu de faste entre parmi les pleurs.
Chacun fit son devoir de dire à l'affligée
Que tout a sa mesure, et que de tels regrets                    40
     Pourraient pécher par leur excès :
Chacun rendit par là sa douleur rengrégée.
Enfin ne voulant plus jouir de la clarté
     Que son époux avait perdue,
Elle entre dans sa tombe, en ferme volonté                     45
D'accompagner cette ombre aux enfers descendue.
Et voyez ce que peut l'excessive amitié;
(Ce mouvement aussi va jusqu'à la folie)
Une esclave en ce lieu la suivit par pitié,
     Prête à mourir de compagnie.                         50
Prête, je m'entends bien; c'est-à-dire en un mot
N'ayant examiné qu'à demi ce complot,
Et jusques à l'effet courageuse et hardie.
L'esclave avec la dame avait été nourrie.
Toutes deux s'entraimaient, et cette passion                   55
Était crue avec l'âge au cœur des deux femelles :
Le monde entier à peine eût fourni deux modèles
     D'une telle inclination.

Comme l'esclave avait plus de sens que la dame,
Elle laissa passer les premiers mouvements,                    60
Puis tâcha, mais en vain, de remettre cette âme
Dans l'ordinaire train des communs sentiments.
Aux consolations la veuve inaccessible
S'appliquait seulement à tout moyen possible
De suivre le défunt aux noirs et tristes lieux :               65
Le fer aurait été le plus court et le mieux,
Mais la dame voulait paître encore ses yeux
     Du trésor qu'enfermait la bière,
     Froide dépouille et pourtant chère.
     C'était là le seul aliment                          70
     Qu'elle prît en ce monument.
     La faim donc fut celle des portes
     Qu'entre d'autres de tant de sortes,
Notre veuve choisit pour sortir d'ici-bas.
Un jour se passe, et deux sans autre nourriture               75
Que ses fréquents soupirs, que ses fréquents hélas,
     Qu'un inutile et long murmure
Contre les dieux, le sort, et toute la nature.
     Enfin sa douleur n'omit rien,
     Si la douleur doit s'exprimer si bien.              80

Encore un autre mort faisait sa résidence
Non loin de ce tombeau, mais bien différemment,
    Car il n'avait pour monument
    Que le dessous d'une potence.
Pour exemple aux voleurs on l'avait là laissé.    85
    Un soldat bien récompensé
    Le gardait avec vigilance.
    Il était dit par ordonnance
Que si d'autres voleurs, un parent, un ami
L'enlevaient, le soldat nonchalant, endormi,    90
    Remplirait aussitôt sa place,
    C'était trop de sévérité;
    Mais la publique utilité
Défendait que l'on fît au garde aucune grâce.
Pendant la nuit il vit aux fentes du tombeau    95
Briller quelque clarté, spectacle assez nouveau.
Curieux, il y court, entend de loin la dame
    Remplissant l'air de ses clameurs.
Il entre, est étonné, demande à cette femme,
    Pourquoi ces cris, pourquoi ces pleurs,    100
    Pourquoi cette triste musique,
Pourquoi cette maison noire et mélancolique.
Occupée à ses pleurs à peine elle entendit
    Toutes ces demandes frivoles,
    Le mort pour elle y répondit;    105
    Cet objet sans autres paroles
    Disait assez par quel malheur
La dame s'enterrait ainsi toute vivante.
Nous avons fait serment, ajouta la suivante,
De nous laisser mourir de faim et de douleur.    110
Encore que le soldat fût mauvais orateur,
Il leur fit concevoir ce que c'est que la vie.
La dame cette fois eut de l'attention;
    Et déjà l'autre passion
    Se trouvait un peu ralentie.    115
Le temps avait agi. Si la foi du serment,
Poursuivit le soldat, vous défend l'aliment,
    Voyez-moi manger seulement,
Vous n'en mourrez pas moins. Un tel tempérament
    Ne déplut pas aux deux femelles :    120
    Conclusion qu'il obtint d'elles
Une permission d'apporter son soupé;
Ce qu'il fit; et l'esclave eut le cœur fort tenté
De renoncer dès lors à la cruelle envie
    De tenir au mort compagnie.    125

Madame, ce dit-elle, un penser m'est venu :
Qu'importe à votre époux que vous cessiez de vivre ?
Croyez-vous que lui-même il fût homme à vous suivre
Si par votre trépas vous l'aviez prévenu ?
Non Madame, il voudrait achever sa carrière.                           130
La nôtre sera longue encor si nous voulons.
Se faut-il à vingt ans enfermer dans la bière ?
Nous aurons tout loisir d'habiter ces maisons.
On ne meurt que trop tôt; qui nous presse ? attendons;
Quant à moi je voudrais ne mourir que ridée.                          135
Voulez-vous emporter vos appas chez les morts ?
Que vous servira-t-il d'en être regardée ?
     Tantôt en voyant les trésors
Dont le Ciel prit plaisir d'orner votre visage,
     Je disais : hélas ! c'est dommage,                          140
Nous-mêmes nous allons enterrer tout cela.
A ce discours flatteur la dame s'éveilla.
Le Dieu qui fait aimer prit son temps; il tira
Deux traits de son carquois; de l'un il entama
Le soldat jusqu'au vif; l'autre effleura la dame :                     145
Jeune et belle elle avait sous ses pleurs de l'éclat,
     Et des gens de goût délicat
Auraient bien pu l'aimer, et même étant leur femme.
Le garde en fut épris : les pleurs et la pitié,
     Sorte d'amour ayant ses charmes,                           150
Tout y fit : une belle, alors qu'elle est en larmes
     En est plus belle de moitié.
Voilà donc notre veuve écoutant la louange,
Poison qui de l'amour est le premier degré;
     La voilà qui trouve à son gré                              155
Celui qui le lui donne; il fait tant qu'elle mange,
Il fait tant que de plaire, et se rend en effet
Plus digne d'être aimé que le mort le mieux fait.
     Il fait tant enfin qu'elle change;
Et toujours par degrés, comme l'on peut penser :                      160
De l'un à l'autre il fait cette femme passer;
     Je ne le trouve pas étrange.
Elle écoute un Amant, elle en fait un Mari;
Le tout au nez du mort qu'elle avait tant chéri.
Pendant cet hyménée un voleur se hasarde                               165
D'enlever le dépôt commis aux soins du garde.
Il en entend le bruit; il y court à grands pas;
     Mais en vain, la chose était faite.
Il revient au tombeau conter son embarras,
     Ne sachant où trouver retraite.                           170

L'Esclave alors lui dit le voyant éperdu :
    L'on vous a pris votre pendu ?
Les lois ne vous feront, dites-vous, nulle grâce ?
Si Madame y consent j'y remédierai bien.
    Mettons notre mort en la place,                    175
    Les passants n'y connaîtront rien.
La Dame y consentit. O volages femelles !
La femme est toujours femme ; il en est qui sont belles,
    Il en est qui ne le sont pas.
    S'il en était d'assez fidèles,                      180
    Elles auraient assez d'appas.

Prudes vous vous devez défier de vos forces.
Ne vous vantez de rien. Si votre intention
    Est de résister aux amorces,
La nôtre est bonne aussi ; mais l'exécution                              185
Nous trompe également ; témoin cette Matrone.
    Et n'en déplaise au bon Pétrone,
Ce n'était pas un fait tellement merveilleux
Qu'il en dût proposer l'exemple à nos neveux.
Cette veuve n'eut tort qu'au bruit qu'on lui vit faire ;                 190
Qu'au dessein de mourir, mal conçu, mal formé ;
    Car de mettre au patibulaire,
    Le corps d'un mari tant aimé,
Ce n'était pas peut-être une si grande affaire.
Cela lui sauvait l'autre ; et tout considéré,                            195
Mieux vaut goujat debout qu'Empereur enterré.


## FABLE XXVII

### BELPHÉGOR
#### NOUVELLE TIRÉE DE MACHIAVEL

Un jour Satan, Monarque des enfers,
Faisait passer ses sujets en revue.
Là confondus tous les états divers,
Princes et Rois, et la tourbe menue,
Jetaient maint pleur, poussaient maint et maint cri,     5
Tant que Satan en était étourdi.
Il demandait en passant à chaque âme :

Qui t'a jetée en l'éternelle flamme ?
L'une disait : hélas c'est mon mari ;
L'autre aussitôt répondait : c'est ma femme.          10
Tant et tant fut ce discours répété,
Qu'enfin Satan dit en plein consistoire :
Si ces gens-ci disent la vérité
Il est aisé d'augmenter notre gloire.
Nous n'avons donc qu'à le vérifier.                   15
Pour cet effet, il nous faut envoyer
Quelque démon plein d'art et de prudence ;
Qui non content d'observer avec soin
Tous les hymens dont il sera témoin,
Y joigne aussi sa propre expérience.                  20
Le Prince ayant proposé sa sentence,
Le noir Sénat suivit tout d'une voix.
De Belphégor aussitôt on fit choix.
Ce diable était tout yeux et tout oreilles,
Grand éplucheur, clairvoyant à merveilles,            25
Capable enfin de pénétrer dans tout,
Et de pousser l'examen jusqu'au bout.
Pour subvenir aux frais de l'entreprise,
On lui donna mainte et mainte remise,
Toutes à vue, et qu'en lieux différents               30
Il pût toucher par des correspondants.
Quant au surplus, les fortunes humaines,
Les biens, les maux, les plaisirs et les peines,
Bref ce qui suit notre condition,
Fut une annexe à sa légation.                         35
Il se pouvait tirer d'affliction,
Par ses bons tours et par son industrie,
Mais non mourir, ni revoir sa patrie,
Qu'il n'eût ici consumé certain temps :
Sa mission devait durer dix ans.                      40
Le voilà donc qui traverse et qui passe
Ce que le Ciel voulut mettre d'espace
Entre ce monde et l'éternelle nuit ;
Il n'en mit guère, un moment y conduit.
Notre démon s'établit à Florence,                     45
Ville pour lors de luxe et de dépense.
Même il la crut propre pour le trafic.
Là sous le nom du seigneur Roderic,
Il se logea, meubla, comme un riche homme ;
Grosse maison, grand train, nombre de gens ;          50
Anticipant tous les jours sur la somme
Qu'il ne devait consumer qu'en dix ans.

On s'étonnait d'une telle bombance.
Il tenait table, avait de tous côtés
Gens à ses frais, soit pour ses voluptés, 55
Soit pour le faste et la magnificence.
L'un des plaisirs où plus il dépensa
Fut la louange : Apollon l'encensa ;
Car il est maître en l'art de flatterie.
Diable n'eut onc tant d'honneurs en sa vie. 60
Son cœur devint le but de tous les traits
Qu'amour lançait : il n'était point de belle
Qui n'employât ce qu'elle avait d'attraits
Pour le gagner, tant sauvage fût-elle :
Car de trouver une seule rebelle, 65
Ce n'est la mode à gens de qui la main
Par les présents s'aplanit tout chemin.
C'est un ressort en tous desseins utile.
Je l'ai jà dit, et le redis encor ;
Je ne connais d'autre premier mobile 70
Dans l'Univers, que l'argent et que l'or.
Notre envoyé cependant tenait compte
De chaque hymen, en journaux différents ;
L'un, des époux satisfaits et contents,
Si peu rempli que le diable en eut honte. 75
L'autre journal incontinent fut plein.
A Belphégor il ne restait enfin
Que d'éprouver la chose par lui-même.
Certaine fille à Florence était lors ;
Belle, et bien faite, et peu d'autres trésors ; 80
Noble d'ailleurs, mais d'un orgueil extrême ;
Et d'autant plus que de quelque vertu
Un tel orgueil paraissait revêtu.
Pour Roderic on en fit la demande.
Le Père dit que Madame Honnesta, 85
C'était son nom, avait eu jusques là
Force partis ; mais que parmi la bande
Il pourrait bien Roderic préférer,
Et demandait temps pour délibérer.
On en convient. Le poursuivant s'applique 90
A gagner celle où ses vœux s'adressaient.
Fêtes et bals, sérénades, musique,
Cadeaux, festins, bien fort appetissaient,
Altéraient fort le fonds de l'ambassade.
Il n'y plaint rien, en use en grand Seigneur, 95
S'épuise en dons : l'autre se persuade
Qu'elle lui fait encor beaucoup d'honneur.

Conclusion, qu'après force prières,
Et des façons de toutes les manières,
Il eut un oui de Madame Honnesta.          100
Auparavant le Notaire y passa :
Dont Belphégor se moquant en son âme :
Hé quoi, dit-il, on acquiert une femme
Comme un château! Ces gens ont tout gâté.
Il eut raison : ôtez d'entre les hommes      105
La simple foi, le meilleur est ôté.
Nous nous jetons, pauvres gens que nous sommes,
Dans les procès en prenant le revers.
Les si, les cas, les contrats sont la porte
Par où la noise entra dans l'univers :        110
N'espérons pas que jamais elle en sorte.
Solennités et lois n'empêchent pas
Qu'avec l'hymen amour n'ait des débats.
C'est le cœur seul qui peut rendre tranquille.
Le cœur fait tout, le reste est inutile.      115
Qu'ainsi ne soit, voyons d'autres états.
Chez les amis tout s'excuse, tout passe;
Chez les Amants tout plaît, tout est parfait;
Chez les Époux tout ennuie et tout lasse.
Le devoir nuit : chacun est ainsi fait.      120
Mais, dira-t-on, n'est-il en nulles guises
D'heureux ménage ? Après mûr examen,
J'appelle un bon, voire un parfait hymen,
Quand les conjoints se souffrent leurs sottises.

Sur ce point-là c'est assez raisonné :       125
Dès que chez lui le Diable eut amené
Son épousée, il jugea par lui-même
Ce qu'est l'hymen avec un tel démon :
Toujours débats, toujours quelque sermon
Plein de sottise en un degré suprême.       130
Le bruit fut tel que Madame Honnesta
Plus d'une fois les voisins éveilla :
Plus d'une fois on courut à la noise :
Il lui fallait quelque simple bourgeoise,
Ce disait-elle : un petit trafiquant        135
Traiter ainsi les filles de mon rang!
Méritait-il femme si vertueuse?
Sur mon devoir je suis trop scrupuleuse :
J'en ai regret et si je faisais bien...
Il n'est pas sûr qu'Honnesta ne fît rien :   140
Ces prudes-là nous en font bien accroire.

Nos deux Époux, à ce que dit l'histoire,
Sans disputer n'étaient pas un moment.
Souvent leur guerre avait pour fondement
Le jeu, la jupe ou quelque ameublement,          145
D'été, d'hiver, d'entre-temps, bref un monde
D'inventions propres à tout gâter.
Le pauvre diable eut lieu de regretter
De l'autre enfer la demeure profonde.
Pour comble enfin Roderic épousa             150
La parenté de Madame Honnesta,
Ayant sans cesse et le père et la mère,
Et la grand'sœur avec le petit frère;
De ses deniers mariant la grand'sœur,
Et du petit payant le précepteur.             155
Je n'ai pas dit la principale cause
De sa ruine infaillible accident;
Et j'oubliais qu'il eut un intendant.
Un intendant ? Qu'est-ce que cette chose ?
Je définis cet être un animal              160
Qui comme on dit sait pêcher en eau trouble,
Et plus le bien de son maître va mal,
Plus le sien croît, plus son profit redouble ?
Tant qu'aisément lui-même achèterait
Ce qui de net au Seigneur resterait :           165
Dont par raison bien et dûment déduite
On pourrait voir chaque chose réduite
En son état, s'il arrivait qu'un jour
L'autre devînt l'Intendant à son tour,
Car regagnant ce qu'il eut étant maître,         170
Ils reprendraient tous deux leur premier être.
Le seul recours du pauvre Roderic,
Son seul espoir, était certain trafic
Qu'il prétendait devoir remplir sa bourse,
Espoir douteux, incertaine ressource.           175
Il était dit que tout serait fatal
A notre époux, ainsi tout alla mal.
Ses agents tels que la plupart des nôtres,
En abusaient : il perdit un vaisseau,
Et vit aller le commerce à vau-l'eau,          180
Trompé des uns, mal servi par les autres.
Il emprunta. Quand ce vint à payer,
Et qu'à sa porte il vit le créancier,
Force lui fut d'esquiver par la fuite,
Gagnant les champs, où de l'âpre poursuite       185
Il se sauva chez un certain fermier,

En certain coin remparé de fumier.
A Matheo, c'était le nom du Sire,
Sans tant tourner il dit ce qu'il était;
Qu'un double mal chez lui le tourmentait,                    190
Ses créanciers et sa femme encor pire :
Qu'il n'y savait remède que d'entrer
Au corps des gens, et de s'y remparer,
D'y tenir bon : irait-on là le prendre ?
Dame Honnesta viendrait-elle y prôner                        195
Qu'elle a regret de se bien gouverner ?
Chose ennuyeuse et qu'il est las d'entendre.
Que de ces corps trois fois il sortirait
Sitôt que lui Matheo l'en prierait;
Trois fois sans plus et ce pour récompense                   200
De l'avoir mis à couvert des Sergens.
Tout aussitôt l'Ambassadeur commence
Avec grand bruit d'entrer au corps des gens.
Ce que le sien, ouvrage fantastique,
Devint alors, l'histoire n'en dit rien.                      205
Son coup d'essai fut une fille unique
Où le galant se trouvait assez bien;
Mais Matheo moyennant grosse somme
L'en fit sortir au premier mot qu'il dit.
C'était à Naples, il se transporte à Rome;                   210
Saisit un corps : Matheo l'en bannit,
La chasse encore : autre somme nouvelle.
Trois fois enfin, toujours d'un corps femelle,
Remarquez bien, notre Diable sortit.
Le Roi de Naples avait lors une fille,                       215
Honneur du sexe, espoir de sa famille;
Maint jeune prince était son poursuivant.
Là d'Honnesta Belphégor se sauvant,
On ne le put tirer de cet asile.
Il n'était bruit aux champs comme à la ville                 220
Que d'un manant qui chassait les esprits.
Cent mille écus d'abord lui sont promis.
Bien affligé de manquer cette somme
(Car ces trois fois l'empêchaient d'espérer
Que Belphégor se laissât conjurer)                           225
Il la refuse : il se dit un pauvre homme,
Pauvre pécheur, qui sans savoir comment,
Sans dons du Ciel, par hasard seulement,
De quelques corps a chassé quelque Diable,
Apparemment chétif, et misérable,                            230
Et ne connaît celui-ci nullement.

Il a beau dire ; on le force, on l'amène,
On le menace, on lui dit que sous peine
D'être pendu, d'être mis haut et court
En un gibet, il faut que sa puissance                      235
Se manifeste avant la fin du jour.
Dès l'heure même on vous met en présence
Notre Démon et son Conjurateur.
D'un tel combat le Prince est spectateur.
Chacun y court : n'est fils de bonne mère                  240
Qui pour le voir ne quitte toute affaire.
D'un côté sont le gibet et la hart,
Cent mille écus bien comptés d'autre part.
Matheo tremble, et lorgne la finance.
L'esprit malin voyant sa contenance,                       245
Riait sous cape, alléguait les trois fois ;
Dont Matheo suait en son harnois,
Pressait, priait, conjurait avec larmes.
Le tout en vain : plus il est en alarmes,
Plus l'autre rit. Enfin le manant dit                      250
Que sur ce Diable il n'avait nul crédit.
On vous le happe et mène à la potence.
Comme il allait haranguer l'assistance,
Nécessité lui suggéra ce tour :
Il dit tout bas qu'on battît le tambour,                   255
Ce qui fut fait ; de quoi l'esprit immonde
Un peu surpris au manant demanda :
Pourquoi ce bruit ? coquin, qu'entends-je là ?
L'autre répond : C'est Madame Honnesta
Qui vous réclame, et va pour tout le monde                 260
Cherchant l'époux que le Ciel lui donna.
Incontinent le Diable décampa,
S'enfuit au fond des enfers et conta
Tout le succès qu'avait eu son voyage :
Sire, dit-il, le nœud du mariage                           265
Damne aussi dru qu'aucuns autres états.
Votre grandeur voit tomber ici-bas,
Non par flocons, mais menu comme pluie,
Ceux que l'hymen fait de sa confrérie,
J'ai par moi-même examiné le cas.                          270
Non que de soi la chose ne soit bonne :
Elle eut jadis un plus heureux destin ;
Mais comment tout se corrompt à la fin,
Plus beau fleuron n'est en votre couronne.
Satan le crut : il fut récompensé ;                        275
Encore qu'il eût son retour avancé ;

Car qu'eût-il fait ? Ce n'était pas merveilles
Qu'ayant sans cesse un Diable à ses oreilles,
Toujours le même et toujours sur un ton,
Il fût contraint d'enfiler la venelle;                              280
Dans les enfers encore en change-t-on;
L'autre peine est à mon sens plus cruelle.
Je voudrais voir quelque Saint y durer.
Elle eût à Job fait tourner la cervelle.
De tout ceci que prétends-je inférer ?                             285
Premièrement je ne sais pire chose
Que de changer son logis en prison;
En second lieu si par quelque raison
Votre ascendant à l'hymen vous expose,
N'épousez point d'Honnesta s'il se peut;                           290
N'a pas pourtant une Honnesta qui veut.


## FABLE XXVIII

## LES FILLES DE MINÉE

*SUJET TIRÉ DES MÉTAMORPHOSES D'OVIDE*


Je chante dans ces vers les filles de Minée,
Troupe aux arts de Pallas dès l'enfance adonnée,
Et de qui le travail fit entrer en courroux
Bacchus, à juste droit de ses honneurs jaloux.
Tout dieu veut aux humains se faire reconnaître :             5
On ne voit point les champs répondre aux soins du maître,
Si dans les jours sacrés, autour de ses guérets,
Il ne marche en triomphe à l'honneur de Cérès.
La Grèce était en jeux pour le fils de Sémèle;
Seules on vit trois sœurs condamner ce saint zèle.          10
Alcithoé, l'aînée, ayant pris ses fuseaux,
Dit aux autres : Quoi donc! toujours les dieux nouveaux!
L'Olympe ne peut plus contenir tant de têtes,
Ni l'an fournir de jours assez pour tant de fêtes.
Je ne dis rien des vœux dus aux travaux divers             15
De ce dieu qui purgea de monstres l'univers :
Mais à quoi sert Bacchus, qu'à causer des querelles ?
Affaiblir les plus sains ? enlaidir les plus belles ?
Souvent mener au Styx par de tristes chemins ?

Et nous irions chommer la peste des humains ?            20
Pour moi, j'ai résolu de poursuivre ma tâche.
Se donne qui voudra ce jour-ci du relâche :
Ces mains n'en prendront point. Je suis encor d'avis
Que nous rendions le temps moins long par des récits :
Toutes trois, tour à tour, racontons quelque histoire.    25
Je pourrais retrouver sans peine en ma mémoire
Du monarque des dieux les divers changements ;
Mais, comme chacun sait tous ces événements,
Disons ce que l'amour inspire à nos pareilles,
Non toutefois qu'il faille, en contant ses merveilles,    30
Accoutumer nos cœurs à goûter son poison ;
Car, ainsi que Bacchus, il trouble la raison :
Récitons-nous les maux que ses biens nous attirent.
Alcithoé se tut, et ses sœurs applaudirent.
Après quelques moments, haussant un peu la voix :         35
Dans Thèbes, reprit-elle, on conte qu'autrefois
Deux jeunes cœurs s'aimaient d'une égale tendresse :
Pirame, c'est l'amant, eut Thisbé pour maîtresse.
Jamais couple ne fut si bien assorti qu'eux :
L'un bien fait, l'autre belle, agréables tous deux,        40
Tous deux dignes de plaire, ils s'aimèrent sans peine ;
D'autant plus tôt épris, qu'une invincible haine
Divisant leurs parents ces deux amants unit,
Et concourut aux traits dont l'Amour se servit.
Le hasard, non le choix, avait rendu voisines             45
Leurs maisons, où régnaient ces guerres intestines :
Ce fut un avantage à leurs désirs naissants.
Le cours en commença par des jeux innocents :
La première étincelle eut embrasé leur âme,
Qu'ils ignoraient encor ce que c'était que flamme.        50
Chacun favorisait leurs transports mutuels,
Mais c'était à l'insu de leurs parents cruels.
La défense est un charme : on dit qu'elle assaisonne
Les plaisirs, et surtout ceux que l'amour nous donne.
D'un des logis à l'autre, elle instruisit du moins        55
Nos amants à se dire avec signes leurs soins.
Ce léger réconfort ne les put satisfaire ;
Il fallut recourir à quelque autre mystère.
Un vieux mur entr'ouvert séparait leurs maisons ;
Le temps avait miné ses antiques cloisons :              60
Là souvent de leurs maux ils déploraient la cause ;
Les paroles passaient, mais c'était peu de chose.
Se plaignant d'un tel sort, Pirame dit un jour :
Chère Thisbé, le Ciel veut qu'on s'aide en amour ;

Nous avons à nous voir une peine infinie :                              65
Fuyons de nos parents l'injuste tyrannie.
J'en ai d'autres en Grèce ; ils se tiendront heureux
Que vous daigniez chercher un asile chez eux ;
Leur amitié, leurs biens, leur pouvoir, tout m'invite
A prendre le parti dont je vous sollicite.                              70
C'est votre seul repos qui me le fait choisir,
Car je n'ose parler, hélas ! de mon désir.
Faut-il à votre gloire en faire un sacrifice,
De crainte de vains bruits faut-il que je languisse ?
Ordonnez, j'y consens ; tout me semblera doux ;                        75
Je vous aime, Thisbé, moins pour moi que pour vous.
— J'en pourrais dire autant, lui repartit l'Amante :
Votre amour étant pure, encor que véhémente,
Je vous suivrai partout ; notre commun repos
Me doit mettre au-dessus de tous les vains propos ;                    80
Tant que de ma vertu je serai satisfaite,
Je rirai des discours d'une langue indiscrète,
Et m'abandonnerai sans crainte à votre ardeur,
Contente que je suis des soins de ma pudeur.

Jugez ce que sentit Pirame à ces paroles ;                             85
Je n'en fais point ici de peintures frivoles :
Suppléez au peu d'art que le Ciel mit en moi ;
Vous-mêmes peignez-vous cet Amant hors de soi.
Demain, dit-il, il faut sortir avant l'Aurore ;
N'attendez point les traits que son char fait éclore.                  90
Trouvez-vous aux degrés du Terme de Cérès ;
Là, nous nous attendrons : le rivage est tout près,
Une barque est au bord ; les rameurs, le vent même.
Tout pour notre départ montre une hâte extrême ;
L'augure en est heureux, notre sort va changer ;                       95
Et les dieux sont pour nous, si je sais bien juger.
Thisbé consent à tout ; elle en donne pour gage
Deux baisers, par le mur arrêtés au passage,
Heureux mur ! tu devais servir mieux leur désir :
Ils n'obtinrent de toi qu'une ombre de plaisir.                        100
Le lendemain Thisbé sort, et prévient Pirame ;
L'impatience, hélas ! maîtresse de son âme,
La fait arriver seule et sans guide aux degrés.
L'ombre et le jour luttaient dans les champs azurés.
Une lionne vient, monstre imprimant la crainte ;                       105
D'un carnage récent sa gueule est toute teinte.
Thisbé fuit ; et son voile, emporté par les airs,
Source d'un sort cruel, tombe dans ces déserts.

La lionne le voit, le souille, le déchire ;
Et, l'ayant teint de sang, aux forêts se retire.                    110
Thisbé s'était cachée en un buisson épais.
Pirame arrive, et voit ces vestiges tout frais :
O dieux ! que devient-il ? Un froid court dans ses veines ;
Il aperçoit le voile étendu dans ces plaines ;
Il se lève ; et le sang, joint aux traces des pas,                  115
L'empêche de douter d'un funeste trépas.
Thisbé ! s'écria-t-il, Thisbé, je t'ai perdue !
Te voilà, par ma faute, aux Enfers descendue !
Je l'ai voulu : c'est moi qui suis le monstre affreux
Par qui tu t'en vas voir le séjour ténébreux :                      120
Attends-moi, je te vais rejoindre aux rives sombres ;
Mais m'oserai-je à toi présenter chez les ombres ?
Jouis au moins du sang que je te vais offrir,
Malheureux de n'avoir qu'une mort à souffrir.
Il dit, et d'un poignard coupe aussitôt sa trame.                   125
Thisbé vient ; Thisbé voit tomber son cher Pirame.
Que devint-elle aussi ? Tout lui manque à la fois,
Le sens et les esprits, aussi bien que la voix.
Elle revient enfin ; Clothon, pour l'amour d'elle,
Laisse à Pirame ouvrir sa mourante prunelle.                        130
Il ne regarde point la lumière des cieux ;
Sur Thisbé seulement il tourne encor les yeux.
Il voudrait lui parler, sa langue est retenue :
Il témoigne mourir content de l'avoir vue.
Thisbé prend le poignard ; et, découvrant son sein :                135
Je n'accuserai point, dit-elle, ton dessein,
Bien moins encor l'erreur de ton âme alarmée :
Ce serait t'accuser de m'avoir trop aimée.
Je ne t'aime pas moins : tu vas voir que mon cœur
N'a, non plus que le tien, mérité son malheur.                      140
Cher Amant ! reçois donc ce triste sacrifice.
Sa main et le poignard font alors leur office ;
Elle tombe, et, tombant range ses vêtements :
Dernier trait de pudeur même aux derniers moments.
Les Nymphes d'alentour lui donnèrent des larmes,                    145
Et du sang des Amants teignirent par des charmes
Le fruit d'un mûrier proche, et blanc jusqu'à ce jour,
Éternel monument d'un si parfait amour.
Cette histoire attendrit les filles de Minée.
L'une accusait l'Amant, l'autre la Destinée ;                       150
Et toute d'une voix conclurent que nos cœurs
De cette passion devraient être vainqueurs :
Elle meurt quelquefois avant qu'être contente ;

L'est-elle, elle devient aussitôt languissante;
Sans l'hymen on n'en doit recueillir aucun fruit, 155
Et cependant l'hymen est ce qui la détruit.
Il y joint, dit Clymène, une âpre jalousie,
Poison le plus cruel dont l'âme soit saisie :
Je n'en veux pour témoin que l'erreur de Procris.
Alcithoé ma sœur, attachant vos esprits, 160
Des tragiques amours vous a conté l'élite :
Celles que je vais dire ont aussi leur mérite.
J'accourcirai le temps, ainsi qu'elle, à mon tour.
Peu s'en faut que Phébus ne partage le jour;
A ses rayons perçants opposons quelques voiles. 165
Voyons combien nos mains ont avancé nos toiles :
Je veux que, sur la mienne, avant que d'être au soir,
Un progrès tout nouveau se fasse apercevoir.
Cependant donnez-moi quelque heure de silence :
Ne vous rebutez point de mon peu d'éloquence; 170
Souffrez-en les défauts, et songez seulement
Au fruit qu'on peut tirer de cet événement.

Céphale aimait Procris; il était aimé d'elle :
Chacun se proposait leur hymen pour modèle.
Ce qu'Amour fait sentir de piquant et de doux 175
Comblait abondamment les vœux de ces Époux.
Ils ne s'aimaient que trop! leurs soins et leur tendresse
Approchaient des transports d'Amant et de Maîtresse.
Le Ciel même envia cette félicité :
Céphale eut à combattre une Divinité. 180
Il était jeune et beau; l'Aurore en fut charmée,
N'étant pas à ces biens chez elle accoutumée.
Nos belles cacheraient un pareil sentiment :
Chez les Divinités on en use autrement.
Celle-ci déclara ses pensers à Céphale; 185
Il eut beau lui parler de la foi conjugale :
Les jeunes Déités qui n'ont qu'un vieil Époux
Ne se soumettent point à ces lois comme nous :
La Déesse enleva ce Héros si fidèle.
De modérer ces feux il pria l'Immortelle : 190
Elle le fit; l'amour devint simple amitié.
Retournez, dit l'Aurore, avec votre moitié;
Je ne troublerai plus votre ardeur ni la sienne :
Recevez seulement ces marques de la mienne.
(C'était un javelot toujours sûr de ses coups.) 195
Un jour cette Procris qui ne vit que pour vous
Fera le désespoir de votre âme charmée,

Et vous aurez regret de l'avoir tant aimée.
Tout oracle est douteux, et porte un double sens :
Celui-ci mit d'abord notre Époux en suspens.                    200
J'aurai regret aux vœux que j'ai formés pour elle !
Et comment ? n'est-ce point qu'elle m'est infidèle ?
Ah ! finissent mes jours plutôt que de le voir !
Éprouvons toutefois ce que peut son devoir.
Des Mages aussitôt consultant la science,                       205
D'un feint adolescent il prend la ressemblance,
S'en va trouver Procris, élève jusqu'aux Cieux
Ses beautés, qu'il soutient être dignes des Dieux ;
Joint les pleurs aux soupirs, comme un Amant sait faire,
Et ne peut s'éclaircir par cet art ordinaire.                   210
Il fallut recourir à ce qui porte coup,
Aux présents : il offrit, donna, promit beaucoup,
Promit tant, que Procris lui parut incertaine ;
Toute chose a son prix. Voilà Céphale en peine :
Il renonce aux cités, s'en va dans les forêts,                  215
Conte aux vents, conte aux bois ses déplaisirs secrets,
S'imagine en chassant dissiper son martyre.
C'était pendant ces mois où le chaud qu'on respire
Oblige d'implorer l'haleine des Zéphirs.
Doux Vents, s'écriait-il, prêtez-moi des soupirs !              220
Venez, légers Démons par qui nos champs fleurissent ;
Aure, fais-les venir ; je sais qu'ils t'obéissent :
Ton emploi dans ces lieux est de tout ranimer.
On l'entendit : on crut qu'il venait de nommer
Quelque objet de ses vœux, autre que son Épouse.               225
Elle en est avertie ; et la voilà jalouse.
Maint voisin charitable entretient ses ennuis.
Je ne le puis plus voir, dit-elle, que les nuits !
Il aime donc cette Aure, et me quitte pour elle ?
—Nous vous plaignons ; il l'aime, et sans cesse il l'appelle : 230
Les échos de ces lieux n'ont plus d'autres emplois
Que celui d'enseigner le nom d'Aure à nos bois ;
Dans tous les environs le nom d'Aure résonne.
Profitez d'un avis qu'en passant on vous donne :
L'intérêt qu'on y prend est de vous obliger.                    235
Elle en profite, hélas ! et ne fait qu'y songer.
Les Amants sont toujours de légère croyance.
S'ils pouvaient conserver un rayon de prudence,
(Je demande un grand point, la prudence en amours)
Ils seraient aux rapports insensibles et sourds ;               240
Notre Épouse ne fut l'une ni l'autre chose.
Elle se lève un jour ; et lorsque tout repose,

Que de l'aube au teint frais la charmante douceur
Force tout au sommeil, hormis quelque chasseur,
Elle cherche Céphale : un bois l'offre à sa vue.          245
Il invoquait déjà cette Aure prétendue :
Viens me voir, disait-il, chère Déesse, accours!
Je n'en puis plus, je meurs; fais que par ton secours
La peine que je sens se trouve soulagée.
L'épouse se prétend par ces mots outragée :             250
Elle croit y trouver, non le sens qu'ils cachaient,
Mais celui seulement que ses soupçons cherchaient.
O triste jalousie! ô passion amère!
Fille d'un fol amour, que l'erreur a pour mère!
Ce qu'on voit par tes yeux cause assez d'embarras       255
Sans voir encor par eux ce que l'on ne voit pas!
Procris s'était cachée en la même retraite
Qu'un fan de biche avait pour demeure secrète.
Il en sort; et le bruit trompe aussitôt l'Époux.
Céphale prend le dard toujours sûr de ses coups,        260
Le lance en cet endroit, et perce sa jalouse :
Malheureux assassin d'une si chère Épouse!
Un cri lui fait d'abord soupçonner quelque erreur;
Il accourt, voit sa faute; et, tout plein de fureur,
Du même javelot il veut s'ôter la vie.                  265
L'Aurore et les Destins arrêtent cette envie;
Cet office lui fut plus cruel qu'indulgent :
L'infortuné Mari sans cesse s'affligeant
Eût accru par ses pleurs le nombre des fontaines,
Si la déesse enfin, pour terminer ses peines,          270
N'eût obtenu du Sort que l'on tranchât ses jours :
Triste fin d'un hymen bien divers en son cours!
Fuyons ce nœud, mes sœurs, je ne puis trop le dire :
Jugez par le meilleur quel peut être le pire.
S'il ne nous est permis d'aimer que sous ses lois,     275
N'aimons point. Ce dessein fut pris par toutes trois.
Toutes trois, pour chasser de si tristes pensées,
A revoir leur travail se montrent empressées.
Clymène, en un tissu riche, pénible et grand,
Avait presque achevé le fameux différend               280
D'entre le dieu des eaux et Pallas la savante.
On voyait en lointain une ville naissante;
L'honneur de la nommer, entre eux deux contesté,
Dépendait du présent de chaque déité.
Neptune fit le sien d'un symbole de guerre :           285
Un coup de son trident fit sortir de la terre
Un animal fougueux, un Coursier plein d'ardeur :

Chacun de ce présent admirait la grandeur.
Minerve l'effaça, donnant à la contrée
L'Olivier, qui de paix est la marque assurée.          290
Elle emporta le prix, et nomma la cité :
Athène offrit ses vœux à cette déité;
Pour les lui présenter on choisit cent pucelles,
Toutes sachant broder, aussi sages que belles.
Les premières portaient force présents divers;          295
Tout le reste entourait la déesse aux yeux pers;
Avec un doux souris elle acceptait l'hommage.
Clymène ayant enfin reployé son ouvrage,
La jeune Iris commence en ces mots son récit :

Rarement pour les pleurs mon talent réussit;          300
Je suivrai toutefois la matière imposée.
Télamon pour Cloris avait l'âme embrasée,
Cloris pour Télamon brûlait de son côté.
La naissance, l'esprit, les grâces, la beauté,
Tout se trouvait en eux, hormis ce que les hommes          305
Font marcher avant tout dans ce siècle où nous sommes :
Ce sont les biens, c'est l'or, mérite universel.
Ces Amants, quoique épris d'un désir mutuel,
N'osaient au blond Hymen sacrifier encore,
Faute de ce métal que tout le monde adore.          310
Amour s'en passerait; l'autre état ne le peut :
Soit raison, soit abus, le Sort ainsi le veut.
Cette loi, qui corrompt les douceurs de la vie,
Fut par le jeune Amant d'une autre erreur suivie.
Le Démon des Combats vint troubler l'Univers :          315
Un Pays contesté par des Peuples divers
Engagea Télamon dans un dur exercice;
Il quitta pour un temps l'amoureuse milice.
Cloris y consentit, mais non pas sans douleur :
Il voulut mériter son estime et son cœur.          320
Pendant que ses exploits terminent la querelle,
Un parent de Cloris meurt, et laisse à la belle
D'amples possessions et d'immenses trésors.
Il habitait les lieux où Mars régnait alors.
La belle s'y transporte; et partout révérée,          325
Partout des deux partis Cloris considérée,
Voit de ses propres yeux les champs où Télamon
Venait de consacrer un trophée à son nom.
Lui de sa part accourt; et, tout couvert de gloire,
Il offre à ses amours les fruits de sa victoire.          330

Leur rencontre se fit non loin de l'élément
Qui doit être évité de tout heureux amant.
Dès ce jour l'âge d'or les eût joints sans mystère ;
L'âge de fer en tout a coutume d'en faire.
Cloris ne voulut donc couronner tous ces biens                335
Qu'au sein de sa patrie, et de l'aveu des siens.
Tout chemin, hors la mer, allongeant leur souffrance,
Ils commettent aux flots cette douce espérance.
Zéphyre les suivait quand, presque en arrivant,
Un pirate survient, prend le dessus du vent,                  340
Les attaque, les bat. En vain, par sa vaillance,
Télamon jusqu'au bout porte la résistance :
Après un long combat son parti fut défait,
Lui pris ; et ses efforts n'eurent pour tout effet
Qu'un esclavage indigne. O dieux ! qui l'eût pu croire ?      345
Le sort, sans respecter ni son sang ni sa gloire,
Ni son bonheur prochain, ni les vœux de Cloris,
Le fit être forçat aussitôt qu'il fut pris.

Le Destin ne fut pas à Cloris si contraire.
Un célèbre Marchand l'achète du Corsaire :                    350
Il l'emmène ; et bientôt la Belle, malgré soi,
Au milieu de ses fers range tout sous sa loi.
L'Épouse du Marchand la voit avec tendresse.
Ils en font leur Compagne, et leur fils sa Maîtresse.
Chacun veut cet hymen : Cloris à leurs désirs                 355
Répondait seulement par de profonds soupirs.
Damon, c'était ce fils, lui tient ce doux langage :
Vous soupirez toujours, toujours votre visage
Baigné de pleurs nous marque un déplaisir secret.
Qu'avez-vous ? vos beaux yeux verraient-ils à regret         360
Ce que peuvent leurs traits et l'excès de ma flamme ?
Rien ne vous force ici ; découvrez-nous votre âme :
Cloris, c'est moi qui suis l'esclave, et non pas vous.
Ces lieux, à votre gré, n'ont-ils rien d'assez doux ?
Parlez ; nous sommes prêts à changer de demeure :            365
Mes parents m'ont promis de partir tout à l'heure.
Regrettez-vous les biens que vous avez perdus ?
Tout le nôtre est à vous ; ne le dédaignez plus.
J'en sais qui l'agréeraient ; j'ai su plaire à plus d'une ;
Pour vous, vous méritez toute une autre fortune.            370
Quelle que soit la nôtre, usez-en : vous voyez
Ce que nous possédons, et nous-même à vos pieds.
Ainsi parle Damon ; et Cloris tout en larmes

Lui répond en ces mots, accompagnés de charmes :
Vos moindres qualités, et cet heureux séjour          375
Même aux filles des dieux donneraient de l'amour ;
Jugez donc si Cloris, esclave et malheureuse,
Voit l'offre de ces biens d'une âme dédaigneuse.
Je sais quel est leur prix : mais de les accepter,
Je ne puis ; et voudrais vous pouvoir écouter ;       380
Ce qui me le défend, ce n'est point l'esclavage :
Si toujours la naissance éleva mon courage,
Je me vois, grâce aux Dieux, en des mains où je puis
Garder ces sentiments malgré tous mes ennuis ;
Je puis même avouer (hélas ! faut-il le dire ?)       385
Qu'un autre a sur mon cœur conservé son empire.
Je chéris un Amant, ou mort, ou dans les fers ;
Je prétends le chérir encor dans les enfers.
Pourriez-vous estimer le cœur d'une inconstante ?
Je ne suis déjà plus aimable ni charmante ;           390
Cloris n'a plus ces traits que l'on trouvait si doux,
Et doublement esclave est indigne de vous.
Touché de ce discours, Damon prend congé d'elle.
Fuyons, dit-il en soi ; j'oublierai cette Belle :
Tout passe, et même un jour ses larmes passeront :    395
Voyons ce que l'absence et le temps produiront.
A ces mots il s'embarque ; et, quittant le rivage,
Il court de mer en mer, aborde en lieu sauvage,
Trouve des malheureux de leurs fers échappés,
Et sur le bord d'un bois à chasser occupés.           400
Télamon, de ce nombre, avait brisé sa chaîne :
Aux regards de Damon il se présente à peine,
Que son air, sa fierté, son esprit, tout enfin
Fait qu'à l'abord Damon admire son destin ;
Puis le plaint, puis l'emmène, et puis lui dit sa flamme. 405
D'une Esclave, dit-il, je n'ai pu toucher l'âme :
Elle chérit un mort ! Un mort ! ce qui n'est plus
L'emporte dans son cœur ! mes vœux sont superflus.
Là-dessus, de Cloris il lui fait la peinture.
Télamon dans son âme admire l'aventure,               410
Dissimule, et se laisse emmener au séjour
Où Cloris lui conserve un si parfait amour.
Comme il voulait cacher avec soin sa fortune,
Nulle peine pour lui n'était vile et commune.
On apprend leur retour et leur débarquement ;        415
Cloris, se présentant à l'un et l'autre Amant,
Reconnaît Télamon sous un faix qui l'accable.
Ses chagrins le rendaient pourtant méconnaissable ;

Un œil indifférent à le voir eût erré,
Tant la peine et l'amour l'avaient défiguré!                    420
Le fardeau qu'il portait ne fut qu'un vain obstacle,
Cloris le reconnaît, et tombe à ce spectacle :
Elle perd tous ses sens et de honte et d'amour
Télamon, d'autre part, tombe presque à son tour.
On demande à Cloris la cause de sa peine :                     425
Elle la dit; ce fut sans s'attirer de haine.
Son récit ingénu redoubla la pitié
Dans des cœurs prévenus d'une juste amitié.
Damon dit que son zèle avait changé de face :
On le crut. Cependant, quoi qu'on dise et qu'on fasse,         430
D'un triomphe si doux l'honneur et le plaisir
Ne se perd qu'en laissant des restes de désir.
On crut pourtant Damon. Il restreignit son zèle
A sceller de l'Hymen une union si belle ;
Et, par un sentiment à qui rien n'est égal,                    435
Il pria ses parents de doter son rival :
Il l'obtint, renonçant dès lors à l'Hyménée.
Le soir étant venu de l'heureuse journée,
Les noces se faisaient à l'ombre d'un ormeau;
L'enfant d'un voisin vit s'y percher un corbeau :              440
Il fait partir de l'arc une flèche maudite,
Perce les deux époux d'une atteinte subite.
Cloris mourut du coup, non sans que son Amant
Attirât ses regards en ce dernier moment.
Il s'écrie, en voyant finir ses destinées :                    445
Quoi! la Parque a tranché le cours de ses années!
Dieux, qui l'avez voulu, ne suffisait-il pas
Que la haine du Sort avançât mon trépas ?
En achevant ces mots, il acheva de vivre :
Son amour, non le coup, l'obligea de la suivre :               450
Blessé légèrement, il passa chez les morts :
Le Styx vit nos Époux accourir sur ses bords.
Même accident finit leurs précieuses trames;
Même tombe eut leurs corps, même séjour leurs âmes.
Quelques-uns ont écrit (mais ce fait est peu sûr)              455
Que chacun d'eux devint statue et marbre dur :
Le couple infortuné face à face repose.
Je ne garantis point cette métamorphose :
On en doute. — On la croit plus que vous ne pensez,
Dit Climène; et, cherchant dans les siècles passés            460
Quelque exemple d'amour et de vertu parfaite,
Tout ceci me fut dit par un sage Interprète.
J'admirai, je plaignis ces Amants malheureux :

On les allait unir; tout concourait pour eux;
Ils touchaient au moment; l'attente en était sûre :          465
Hélas! il n'en est point de telle en la nature;
Sur le point de jouir tout s'enfuit de nos mains :
Les Dieux se font un jeu de l'espoir des humains.
— Laissons, reprit Iris, cette triste pensée.
La Fête est vers sa fin, grâce au Ciel, avancée;          470
Et nous avons passé tout ce temps en récits
Capables d'affliger les moins sombres esprits :
Effaçons, s'il se peut, leur image funeste.
Je prétends de ce jour mieux employer le reste,
Et dire un changement, non de corps, mais de cœur.       475
Le miracle en est grand; Amour en fut l'auteur :
Il en fait tous les jours de diverse manière;
Je changerai de style en changeant de matière.
Zoon plaisait aux yeux; mais ce n'est pas assez :
          Son peu d'esprit, son humeur sombre,          480
          Rendaient ces talents mal placés.
Il fuyait les cités, il ne cherchait que l'ombre,
Vivait parmi les bois, concitoyen des ours.
Et passait sans aimer les plus beaux de ses jours.
Nous avons condamné l'amour, m'allez-vous dire :         485
J'en blâme en nous l'excès; mais je n'approuve pas
          Qu'insensible aux plus doux appas
          Jamais un homme ne soupire.
Hé quoi! ce long repos est-il d'un si grand prix ?
Les morts sont donc heureux ? Ce n'est pas mon avis :     490
Je veux des passions; et si l'état le pire
          Est le néant, je ne sais point
De néant plus complet qu'un cœur froid à ce point.
Zoon n'aimant donc rien, ne s'aimant pas lui-même,
Vit Iole endormie, et le voilà frappé :                  495
          Voilà son cœur développé.
          Amour, par son savoir suprême,
Ne l'eut pas fait amant, qu'il en fit un héros.
Zoon rend grâce au Dieu qui troublait son repos :
Il regarde en tremblant cette jeune merveille.          500
          A la fin Iole s'éveille;
          Surprise et dans l'étonnement,
          Elle veut fuir, mais son Amant
          L'arrête, et lui tient ce langage :
Rare et charmant objet, pourquoi me fuyez-vous ?         505
Je ne suis plus celui qu'on trouvait si sauvage :
C'est l'effet de vos traits, aussi puissants que doux;
Ils m'ont l'âme et l'esprit et la raison donnée.

Souffrez que, vivant sous vos lois,
J'emploie à vous servir des biens que je vous dois.     510
Iole, à ce discours encor plus étonnée,
Rougit, et sans répondre elle court au hameau,
Et raconte à chacun ce miracle nouveau.
Ses compagnes d'abord s'assemblent autour d'elle :
Zoon suit en triomphe, et chacun applaudit.             515
Je ne vous dirai point, mes sœurs, tout ce qu'il fit,
        Ni ses soins pour plaire à la belle :
Leur hymen se conclut. Un Satrape voisin,
        Le propre jour de cette fête,
        Enlève à Zoon sa conquête :                     520
On ne soupçonnait point qu'il eût un tel dessein.
Zoon accourt au bruit, recouvre ce cher gage,
Poursuit le ravisseur, et le joint et l'engage
        En un combat de main à main :
Iole en est le prix aussi bien que le juge.            525
Le Satrape, vaincu, trouve encor du refuge
        En la bonté de son rival.
Hélas! cette bonté lui devint inutile;
Il mourut du regret de cet hymen fatal :
Aux plus infortunés la tombe sert d'asile.             530
Il prit pour héritière, en finissant ses jours,
Iole, qui mouilla de pleurs son mausolée.
Que sert-il d'être plaint quand l'âme est envolée ?
Ce satrape eût mieux fait d'oublier ses amours.
La jeune Iris à peine achevait cette histoire;         535
Et ses sœurs avouaient qu'un chemin à la gloire,
C'est l'amour : on fait tout pour se voir estimé;
Est-il quelque chemin plus court pour être aimé ?
Quel charme de s'ouïr louer par une bouche
Qui même sans s'ouvrir nous enchante et nous touche.   540
Ainsi disaient ces sœurs. Un orage soudain
Jette un secret remords dans leur profane sein.
Bacchus entre, et sa cour, confus et long cortège :
Où sont, dit-il, ces sœurs à la main sacrilège ?
Que Pallas les défende, et vienne en leur faveur       545
Opposer son Ægide à ma juste fureur :
Rien ne m'empêchera de punir leur offense.
Voyez : et qu'on se rie après de ma puissance!
Il n'eut pas dit, qu'on vit trois monstres au plancher,
Ailés, noirs et velus, en un coin s'attacher.          550
On cherche les trois Sœurs; on n'en voit nulle trace :
Leurs métiers sont brisés; on élève en leur place
Une Chapelle au Dieu, père du vrai Nectar.

Pallas a beau se plaindre, elle a beau prendre part
Au destin de ces Sœurs par elle protégées;                         555
Quand quelque dieu, voyant ses bontés négligées,
Nous fait sentir son ire, un autre n'y peut rien :
L'Olympe s'entretient en paix par ce moyen.
Profitons, s'il se peut, d'un si fameux exemple :
Chommons : c'est faire assez qu'aller de Temple en
                                            [Temple         560
Rendre à chaque immortel les vœux qui lui sont dus :
Les jours donnés aux Dieux ne sont jamais perdus.


## FABLE XXIX

### LE JUGE ARBITRE, L'HOSPITALIER,
### ET LE SOLITAIRE


Trois Saints, également jaloux de leur salut,
Portés d'un même esprit, tendaient à même but.
Ils s'y prirent tous trois par des routes diverses :
Tous chemins vont à Rome : ainsi nos Concurrents
Crurent pouvoir choisir des sentiers différents.              5
L'un, touché des soucis, des longueurs, des traverses,
Qu'en apanage on voit aux Procès attachés
S'offrit de les juger sans récompense aucune,
Peu soigneux d'établir ici-bas sa fortune.
Depuis qu'il est des Lois, l'Homme, pour ses péchés,         10
Se condamne à plaider la moitié de sa vie.
La moitié ? les trois quarts, et bien souvent le tout.
Le Conciliateur crut qu'il viendrait à bout
De guérir cette folle et détestable envie.
Le second de nos Saints choisit les Hôpitaux.               15
Je le loue; et le soin de soulager ces maux
Est une charité que je préfère aux autres.
Les Malades d'alors, étant tels que les nôtres,
Donnaient de l'exercice au pauvre Hospitalier;
Chagrins, impatients, et se plaignant sans cesse :           20
Il a pour tels et tels un soin particulier;
        Ce sont ses amis; il nous laisse.
Ces plaintes n'étaient rien au prix de l'embarras
Où se trouva réduit l'appointeur de débats :
Aucun n'était content; la sentence arbitrale                 25

A nul des deux ne convenait :
Jamais le Juge ne tenait
A leur gré la balance égale.
De semblables discours rebutaient l'Appointeur :
Il court aux Hôpitaux, va voir leur Directeur :                              30
Tous deux ne recueillant que plainte et que murmure,
Affligés, et contraints de quitter ces emplois,
Vont confier leur peine au silence des bois.
Là, sous d'âpres rochers, près d'une source pure,
Lieu respecté des vents, ignoré du Soleil,                                   35
Ils trouvent l'autre Saint, lui demandent conseil.
Il faut, dit leur ami, le prendre de soi-même.
    Qui mieux que vous sait vos besoins ?
Apprendre à se connaître est le premier des soins
Qu'impose à tous mortels la Majesté suprême.                                 40
Vous êtes-vous connus dans le monde habité ?
L'on ne le peut qu'aux lieux pleins de tranquillité :
Chercher ailleurs ce bien est une erreur extrême.
    Troublez l'eau : vous y voyez-vous ?
Agitez celle-ci. — Comment nous verrions-nous ?                             45
    La vase est un épais nuage
Qu'aux effets du cristal nous venons d'opposer.
— Mes Frères, dit le Saint, laissez-la reposer,
    Vous verrez alors votre image.
Pour vous mieux contempler demeurez au désert.                              50
    Ainsi parla le Solitaire.
Il fut cru ; l'on suivit ce conseil salutaire.
Ce n'est pas qu'un emploi ne doive être souffert.
Puisqu'on plaide, et qu'on meurt, et qu'on devient malade,
Il faut des Médecins, il faut des Avocats.                                  55
Ces secours, grâce à Dieu, ne nous manqueront pas :
Les honneurs et le gain, tout me le persuade.
Cependant on s'oublie en ces communs besoins.
O vous dont le Public emporte tous les soins,
    Magistrats, Princes et Ministres,                            60
Vous que doivent troubler mille accidents sinistres,
Que le malheur abat, que le bonheur corrompt,
Vous ne vous voyez point, vous ne voyez personne.
Si quelque bon moment à ces pensers vous donne,
    Quelque flatteur vous interrompt.                            65
Cette leçon sera la fin de ces Ouvrages :
Puisse-t-elle être utile aux siècles à venir !
Je la présente aux Rois, je la propose aux Sages :
    Par où saurais-je mieux finir ?

# APPENDICE

FABLES
PARUES DU VIVANT DE
LA FONTAINE,
MAIS NON RECUEILLIES
DANS LE LIVRE DES *FABLES*

# LE SOLEIL ET LES GRENOUILLES

Les Filles du limon tiraient du Roi des Astres
    Assistance et protection.
Guerre ni pauvreté, ni semblables désastres
Ne pouvaient approcher de cette Nation.
Elle faisait valoir en cent lieux son empire.     5
Les reines des étangs, Grenouilles veux-je dire,
    Car que coûte-t-il d'appeler
    Les choses par noms honorables ?
Contre leur bienfaiteur osèrent cabaler,
    Et devinrent insupportables.     10
L'imprudence, l'orgueil, et l'oubli des bienfaits,
    Enfants de la bonne fortune,
Firent bientôt crier cette troupe importune;
    On ne pouvait dormir en paix :
    Si l'on eût cru leur murmure,     15
    Elles auraient par leurs cris
    Soulevé grands et petits
    Contre l'œil de la Nature.
Le Soleil, à leur dire, allait tout consumer;
    Il fallait promptement s'armer,     20
    Et lever des troupes puissantes.
    Aussitôt qu'il faisait un pas,
    Ambassades Croassantes
    Allaient dans tous les États.
    A les ouïr, tout le monde,     25
    Toute la machine ronde
    Roulait sur les intérêts
    De quatre méchants marais.
    Cette plainte téméraire
    Dure toujours; et pourtant     30
    Grenouilles devraient se taire,
    Et ne murmurer pas tant :
    Car si le Soleil se pique,
    Il le leur fera sentir;
    La République aquatique     35
    Pourrait bien s'en repentir.

## LA LIGUE DES RATS

Une Souris craignait un Chat
Qui dès longtemps la guettait au passage.
Que faire en cet état ? Elle, prudente et sage,
Consulte son Voisin : c'était un maître Rat,
    Dont la rateuse Seigneurie                                 5
S'était logée en bonne Hôtellerie,
Et qui cent fois s'était vanté, dit-on,
    De ne craindre de Chat ou Chatte
    Ni coup de dent, ni coup de patte.
Dame Souris, lui dit ce fanfaron,                                  10
    Ma foi, quoi que je fasse,
Seul, je ne puis chasser le Chat qui vous menace ;
  Mais assemblant tous les Rats d'alentour,
    Je lui pourrai jouer d'un mauvais tour.
    La Souris fait une humble révérence ;                      15
    Et le Rat court en diligence
A l'Office, qu'on nomme autrement la Dépense,
    Où maints Rats assemblés
Faisaient, aux frais de l'Hôte, une entière bombance.
    Il arrive les sens troublés,                               20
    Et les poumons tout essoufflés.
Qu'avez-vous donc ? lui dit un de ces Rats. Parlez.
— En deux mots, répond-il, ce qui fait mon voyage,
C'est qu'il faut promptement secourir la Souris,
    Car Raminagrobis                                          25
  Fait en tous lieux un étrange ravage.
    Ce Chat, le plus diable des Chats,
S'il manque de Souris, voudra manger des Rats.
Chacun dit : Il est vrai. Sus, sus, courons aux armes.
Quelques Rates, dit-on, répandirent des larmes.                   30
N'importe, rien n'arrête un si noble projet ;
    Chacun se met en équipage ;
Chacun met dans son sac un morceau de fromage,
Chacun promet enfin de risquer le paquet.
    Ils allaient tous comme à la fête,                         35
    L'esprit content, le cœur joyeux.
    Cependant le Chat, plus fin qu'eux,
Tenait déjà la Souris par la tête.

Ils s'avancèrent à grands pas
Pour secourir leur bonne Amie.                    40
Mais le Chat, qui n'en démord pas,
Gronde et marche au-devant de la troupe ennemie.
A ce bruit, nos très prudents Rats,
Craignant mauvaise destinée,
Font, sans pousser plus loin leur prétendu fracas,     45
Une retraite fortunée.
Chaque Rat rentre dans son trou;
Et si quelqu'un en sort, gare encor le Matou.

# TABLE ALPHABÉTIQUE
# DES FABLES

# TABLE DES MATIÈRES

## LIVRE CINQUIÈME

## LIVRE SIXIÈME

## LIVRE SEPTIÈME

## LIVRE HUITIÈME

## LIVRE NEUVIÈME

## LIVRE DIXIÈME

## LIVRE ONZIÈME

## LIVRE DOUZIÈME

### FABLES PARUES DU VIVANT DE LA FONTAINE, MAIS NON RECUEILLIES DANS LE LIVRE DES *Fables*

# DANS LA MÊME COLLECTION :

## GF — TEXTE INTÉGRAL — GF

1695-1966. — IMPRIMERIE-RELIURE MAME
N° d'édition 5451. - 2° trimestre 1966.
PRINTED IN FRANCE